PIERRE SACRÉE

DU MÊME AUTEUR

RENFLOUEZ LE TITANIC, J'ai lu, 1979.
VIXEN 03, Laffont, 1980.
L'INCROYABLE SECRET, Grasset, 1983.
PANIQUE À LA MAISON BLANCHE, Grasset, 1985.
CYCLOPE, Grasset, 1987.
TRÉSOR, Grasset, 1989.
DRAGON, Grasset, 1991.
SAHARA, Grasset, 1992.
L'OR DES INCAS, coll. « Grand Format », Grasset, 1995.
ONDE DE CHOC, coll. « Grand Format », Grasset, 1997.
RAZ DE MARÉE, coll. « Grand Format », Grasset, 1999.
ATLANTIDE, coll. « Grand Format », Grasset, 2001.
WALHALLA, coll. « Grand Format », Grasset, 2003.

Avec Craig Dirgo :

CHASSEURS D'ÉPAVES, Grasset, 1996.
CHASSEURS D'ÉPAVES, *nouvelles aventures*, Grasset, 2006.
BOUDDHA, coll. « Grand Format », Grasset, 2005.

Avec Paul Kemprecos :

SERPENT, coll. « Grand Format », Grasset, 2000.
L'OR BLEU, coll. « Grand Format », Grasset, 2002.
ODYSSÉE, coll. « Grand Format », Grasset, 2004.
GLACE DE FEU, coll. « Grand Format », Grasset, 2005.
MORT BLANCHE, coll. « Grand Format », Grasset, 2006.

CLIVE CUSSLER
avec Craig Dirgo

PIERRE SACRÉE

roman

Traduit de l'américain
par
DELPHINE RIVET

BERNARD GRASSET
PARIS

L'édition originale de cet ouvrage a été publiée en 2004
par The Berkley Publishing Group, sous le titre :

SACRED STONE

ISBN 978-2-246-69261-4
ISSN 1263-9559

LISTE DES PERSONNAGES

Juan Cabrillo	Président du conseil d'administration de la Corporation
Max Hanley	Vice-président de la Corporation
Richard Truitt	Vice-président des opérations pour la Corporation

Les membres de la Corporation
(par ordre alphabétique)

George Adams	Pilote d'hélicoptère
Rick Barrett	Assistant du chef cuisinier / Opérations générales
Monica Crabtree	Coordinatrice logistique
Carl Gannon	Opérations générales
Chuck « Tiny » Gunderson	Chef pilote sur avion à voilure fixe
Michael Halpert	Comptable et expert financier
Cliff Hornsby	Opérations générales
Julia Huxley	Médecin de bord
Pete Jones	Opérations générales
Hali Kasim	Opérations générales
Larry King	Tireur d'élite
Franklin Lincoln	Opérations générales
Bob Meadows	Opérations générales
Judy Michaels	Pilote
Mark Murphy	Opérations générales
Kevin Nixon	Spécialiste de la Boutique Magique
Tracy Pilston	Pilote
Sam Pryor	Ingénieur propulsion
Gunther Reinholt	Ingénieur propulsion
Tom Reyes	Opérations générales
Linda Ross	Experte sécurité et surveillance / Opérations générales
Eddie Seng	Responsable des opérations à terre / Opérations générales
Eric Stone	Opérateur en salle de contrôle / Opérations générales

Les autres

Langston Overholt IV	Haut responsable de la CIA qui engage la Corporation
Halifax Hickman	Industriel milliardaire
Chris Hunt	Officier américain tué en Afghanistan
Michelle Hunt	Mère de Chris
Eric le Rouge	Explorateur légendaire
Emir du Qatar	
John Ackerman	Archéologue qui découvre la météorite au Groenland
Clay Hughes	Tueur à gages chargé de voler la météorite du Groenland
Pieter Vanderwald	Marchand de mort sud-africain

7

Mike Neilsen	Pilote engagé par Clay Hughes pour se rendre au mont Forel
Woody Campbell	Ivrogne du Groenland qui loue une autoneige à Cabrillo
Aleimein Al-Khalifa	Terroriste qui prépare un attentat à Londres
Scott Thompson	Leader de l'équipe du *Free Enterprise*
Thomas « TD » Dwyer	Scientifique de la CIA qui découvre les dangers de la météorite
Miko « Mike » Nasuki	Astronome de la NOAA qui vient en aide à Dwyer
Saud al-Sheik	Responsable saoudien chargé de l'organisation matérielle du hadj
James Bennett	Pilote qui transporte la météorite des îles Féroé en Angleterre
Nebile Lababiti	Terroriste participant à l'attentat de Londres
Milos Coustas	Capitaine du *Larissa*, navire qui livre la bombe en Angleterre
Billy Joe Shea	Propriétaire de la MG TC de 1947 empruntée par Cabrillo pour suivre la bombe.
Roger Lassiter	Ex-agent de la CIA qui achemine la météorite à Maidenhead
Elton John	Musicien de légende
Amad	Jeune kamikaze yéménite
Derek Goodlin	Propriétaire d'une maison close à Londres
John Fleming	Chef du MI5
Dr Jack Berg	Médecin de la CIA qui fait parler Thompson
William Skutter	Capitaine de l'US Air Force qui dirige l'équipe de Médine
Patrick Colgan	Adjudant chargé de l'équipe qui doit recouvrer les tapis de prière à Riyad.

PROLOGUE

Il y a cinquante mille ans, à des millions de kilomètres de la Terre, une planète était agitée de convulsions qui laissaient présager sa destruction imminente. La planète était vieille mais sa mort était inéluctable dès le départ. Il s'agissait d'un globe dont les pôles s'inversaient constamment.

Cette planète était faite de roche et de magma; son noyau était en métal. Depuis l'époque reculée à laquelle elle s'était formée et où elle avait refroidi, une atmosphère s'était créée, composée de couches gazeuses d'argon, d'hélium et d'hydrogène. La vie était apparue à la surface sous l'aspect de bactéries primitives.

Cette planète n'avait jamais eu la possibilité de développer des formes de vie complexes. Les microbes consommaient les molécules d'oxygène pour se multiplier, privant ainsi la surface et l'atmosphère de cellules capables d'évoluer. Le rocher se transforma en un bourbier d'une température extrêmement élevée à mesure que chaque révolution autour de son soleil la rapprochait de la fournaise ardente. La planète tournait, non pas sur son axe comme la Terre, mais plutôt comme un tonneau dont le roulement s'amplifiait sans cesse à cause du changement de polarité. La roche en fusion se mit à couler comme la lave d'un volcan.

Chaque heure, chaque minute, chaque seconde la rapprochaient de son soleil, et elle perdit petit à petit son écorce, comme si la main de Dieu frottait sa surface avec une brosse métallique.

La poussière projetée dans l'atmosphère atteignit le bord de l'enveloppe gazeuse et fut chauffée à blanc par le soleil, explosant avec la force d'un millier de bombes atomiques. Aspirés par la surface du fait de la gravité, les projectiles écorchèrent encore davantage la fragile écorce en y pénétrant, et celle-ci continua à se dissoudre.

La planète condamnée n'avait plus longtemps à vivre.

A mesure que l'épaisseur protectrice se perdait dans l'espace, la température du noyau de métal continuait à augmenter et la sphère se mit à tourner à l'intérieur. De larges fissures se formèrent à la surface, projetant des morceaux de roche en fusion de plus en plus gros. Pendant tout ce temps, le noyau métallique de la planète grossissait avec une intensité incroyable. Et soudain, ce fut la fin. Un bloc massif de roche sur la face la plus proche du soleil céda. Les pôles s'inversèrent une dernière fois et la planète se mit à tourner follement sur elle-même.

Puis elle explosa.

Des millions de billes métalliques jaillirent dans l'espace, recombinant leurs molécules en fondant comme une soudure sous une flamme. Quelques-unes eurent la chance de sortir du champ de gravitation du soleil. Puis elles entreprirent un long voyage dans les profonds recoins de l'espace.

Des dizaines de milliers d'années s'étaient écoulées depuis que la planète inconnue avait explosé. De très loin, les débris qui approchaient semblaient bleus. L'un d'entre eux était devenu une sphère parfaite. Beaucoup de fragments avaient été aspirés vers la surface d'autres planètes mais celui-là voyagea plus loin que les autres et finit par s'abattre sur une planète appelée Terre.

La sphère métallique entra dans l'atmosphère en une trajectoire basse, d'ouest en est. En traversant l'ionosphère, elle se fendit en deux et donna naissance à une plus petite sphère de métal pur. La météorite mère se dirigea vers un point à trente-cinq degrés de latitude nord. A cette latitude, le climat était sec et aride. La météorite fille, plus légère et plus petite, fut entraînée plus loin vers le nord-ouest, vers le soixante-deuxième degré de latitude nord, là où la surface de la Terre était recouverte de glace et de neige.

Deux environnements différents sur une même planète produisirent deux effets différents.

La météorite mère et son métal fondu se reformèrent en un globe rougeoyant après avoir craché son petit. Elle franchit un rivage et acheva sa trajectoire en plein désert, creusant un cratère d'un kilomètre et demi de diamètre dans le sol aride. Des nuages de poussière furent projetés vers le ciel et encerclèrent la Terre.

Plusieurs mois s'écoulèrent avant que toutes les particules ne retombent sur la Terre.

La fille était d'un gris argenté pur. L'explosion initiale et la recombinaison moléculaire qui s'était produite au cours de la trajectoire dans l'espace avaient formé une sphère parfaite qui ressemblait à deux dômes géodésiques collés l'un à l'autre. Contrairement à la météorite mère, elle continua à longer la planète, glissant en douceur dans l'espace, grâce à sa surface lisse qui ne rencontra que peu de résistance. Elle descendait de plus en plus bas, comme une balle de golf à laquelle on a imprimé un effet.

Alors qu'elle survolait la côte d'une île couverte de glace, elle fut comme attirée vers la terre par un aimant. Elle ne faisait que quarante-cinq centimètres de diamètre et ne pesait que cinquante kilos. Lorsque sa chute l'amena à seulement trois mètres du sol, elle perdit de la vitesse et la gravité l'entraîna. La chaleur de sa surface fit fondre une traînée de neige et de glace semblable à celle laissée par une boule roulée par un enfant pour faire un bonhomme de neige.

Une fois son énergie et sa chaleur dissipées, elle vint se loger au pied d'une montagne couverte de neige.

— Quel est cet objet venu des enfers ? s'exclama un homme en islandais, tâtant un rocher avec son bâton.

L'homme était de petite taille mais ses muscles témoignaient d'une vie de dur labeur. Sa chevelure et sa barbe étaient d'un roux aussi brillant que les feux de l'Hadès.

D'épaisses fourrures blanches lui couvraient le torse, et ses jambières étaient faites de peaux de phoque doublées de laine de mouton. L'homme était enclin aux accès de fureur et, à dire vrai, il n'était guère plus qu'un barbare. Banni d'Islande pour meurtre en l'an 982, il avait pris la tête d'un groupe et avait traversé la mer froide jusqu'à cette île enveloppée de glace sur laquelle ils vivaient depuis. Au cours des dix-huit années écoulées, il avait fondé sur la côte rocheuse une colonie qui vivait de chasse et de pêche. Quant à lui, les années passant, il s'était mis à s'ennuyer. Eric le Rouge commençait à avoir envie de mener des expéditions et de conquérir de nouvelles terres.

En l'an 1000 après J.-C., il s'était mis en route pour découvrir les terres qui s'étendaient vers l'ouest.

11

Au départ, onze hommes l'accompagnaient, mais au bout de cinq mois, à l'approche du printemps, seulement cinq avaient survécu. Deux hommes étaient tombés dans des crevasses et leurs cris troublaient encore le sommeil d'Eric. Un autre avait glissé sur la glace et s'était fracassé la tête sur un affleurement rocheux. Il s'était tordu de douleur pendant des jours, incapable de recouvrer la vue ou de prononcer une parole intelligible, jusqu'au moment où la mort l'avait enfin soulagé. Le quatrième avait été attaqué par un grand ours blanc alors qu'il s'était aventuré à l'écart du feu de camp à la recherche d'une source qu'il croyait avoir entendue non loin de là.

Les deux derniers avaient été emportés par la maladie, après avoir souffert de toux très douloureuses et de fièvres qui avaient convaincu le reste du groupe que les forces du mal rôdaient et s'acharnaient sur eux. A mesure que le groupe s'amenuisait, l'humeur avait radicalement changé. Le ravissement et l'émerveillement qui avaient poussé les hommes à entreprendre ce voyage s'étaient évanouis, cédant la place au sentiment d'être condamnés par une sombre fatalité.

On aurait dit que l'expédition était maudite et que ses membres allaient tous en payer le prix.

— Soulève cette boule, ordonna Eric au plus jeune, le seul à être né sur l'île.

Le jeune garçon, Olaf la Nageoire, fils d'Olaf le Pêcheur, ressentit une appréhension. L'étrange globe gris reposait sur une saillie rocheuse, comme s'il avait été placé là par la main d'un dieu. Eric ne pouvait deviner que l'objet était descendu du ciel environ quarante-huit mille ans plus tôt. Olaf s'approcha avec un luxe de précautions. Tous les hommes de l'expédition connaissaient le penchant de leur chef pour la violence ; d'ailleurs, tous les habitants de cette terre de glace connaissaient sa légende. Eric ne demandait pas, il exigeait ; aussi Olaf ne tenta pas d'exprimer son désaccord mais se contenta de se baisser en ravalant sa crainte.

Lorsque les mains d'Olaf touchèrent l'objet, il trouva la surface froide et lisse. L'espace d'un court instant, son cœur s'arrêta de battre, mais il continua. Il essaya de soulever le globe mais ses bras fatigués n'y parvinrent pas.

— J'ai besoin d'aide, dit Olaf.

— Toi, dit Eric en désignant un autre homme avec son bâton.

Gro le Massacreur, un homme de grande taille avec des cheveux jaune pâle et des yeux bleu clair, s'approcha d'Olaf. Les deux hommes utilisèrent les muscles de leur dos pour soulever l'objet à hauteur de leurs hanches, puis regardèrent Eric.

— Fabriquez une corde avec la peau de l'animal à défenses, ordonna Eric. Nous allons le rapporter à la grotte et construire un autel.

Sans un mot de plus, Eric reprit sa route dans la neige, les laissant s'occuper de leur découverte. Deux heures plus tard, le globe était dans la caverne et Eric se mit à imaginer un abri sophistiqué pour cet objet qui avait certainement été envoyé par les dieux.

Eric confia l'objet céleste à Olaf et Gro tandis qu'il retournait à la colonie pour se réapprovisionner en hommes et en matériel. Une fois là-bas, il apprit que sa femme avait mis au monde un fils en son absence. Il le nomma Leif en l'honneur du printemps et le laissa à sa mère pour qu'elle l'élève. Il se remit en route vers le nord, avec quatre-vingts hommes de plus et des outils pour creuser la caverne où l'objet était caché. L'été approchait et il n'y avait plus de nuit.

Gro le Massacreur se retourna sur son lit de peaux et cracha un bout de fourrure qu'il avait dans la bouche.

Il s'essuya la main sur la peau d'ours et constata avec surprise que les poils lui restaient dans la paume. Puis, à la lumière d'une torche accrochée au mur, il aperçut la pierre.

— Debout Olaf! dit-il au jeune homme qui dormait non loin de lui. Voilà une nouvelle journée qui commence.

Olaf se tourna vers lui. Il avait les yeux rougis et injectés de sang et sa peau marbrée pelait. Il toussa, se redressa et regarda Gro à la lueur de la torche. Celui-ci perdait des cheveux et avait un mauvais teint.

— Gro, fit Olaf, ton nez!

L'homme porta la main à son nez et vit la traînée rouge. Il saignait de plus en plus souvent du nez. Il tira sur une dent qui lui faisait mal et l'arracha sans difficulté. Il la jeta et se mit debout.

— Je vais faire cuire les baies, annonça-t-il.

Il ranima le feu en y ajoutant quelques brindilles prises sur leurs réserves qui diminuaient à vue d'œil, puis il tira d'un sac en peau de phoque les baies rouges qu'il allait faire cuire pour leur amer breuvage matinal. Il sortit de la grotte, remplit un pot en fer à la source provenant d'un glacier en train de fondre, puis regarda les marques gravées dans la paroi extérieure de la grotte.

Encore deux ou trois marques supplémentaires, et Eric le Rouge serait de retour.

Lorsque Gro rentra dans la grotte, Olaf était debout, vêtu de son pantalon en cuir léger; sa chemise était étendue sur un rocher près de lui et il se frottait le dos avec un bâton. La peau tombait en lambeaux sur le sol aussi délicatement que la première neige de l'hiver. Lorsque la démangeaison se fut apaisée, il enfila sa chemise en cuir par la tête.

— Il se passe quelque chose d'étrange, déclara Olaf. Nous sommes tous les deux de plus en plus malades.

— Peut-être à cause de l'air vicié de cette caverne? suggéra Gro avec placidité, tout en posant la marmite sur le feu.

— Je crois que c'est à cause de *ça*, dit Olaf en désignant le globe. Je crois qu'il est possédé.

— Nous pourrions nous installer dans une tente à l'extérieur de la grotte, proposa Gro.

— Eric nous a ordonné de rester à l'intérieur. J'ai peur de sa colère s'il revient et qu'il nous trouve dehors.

— J'ai regardé les marques, dit Gro. Il doit revenir dans trois nuits, pas plus.

— Nous pourrions monter la garde pour guetter son retour, dit Olaf, et nous dépêcher de rentrer avant qu'il ne nous surprenne.

Gro remua les baies dans l'eau bouillante.

— Entre une mort soudaine et une longue maladie, je pense qu'il vaudrait mieux éviter ce qu'il y a de plus certain.

— S'il ne reste que quelques jours, concéda Olaf.

— C'est ça, dit Gro en plongeant une louche dans la marmite.

Il remplit deux bols avec la mixture de baies et en tendit un à Olaf.

Lorsque quatre nouvelles marques furent gravées dans la paroi de la caverne, Eric le Rouge revint.

— Vous avez des quintes de toux, vous êtes malades, déclara-t-il en voyant l'état des deux hommes. Je ne veux pas que vous infectiez les autres. Rentrez au camp mais installez-vous au nord dans la cabane en rondins.

Olaf et Gro se mirent en route dès le lendemain matin mais ils ne parvinrent jamais chez eux.

Olaf partit le premier ; son cœur affaibli lâcha au bout de trois jours de voyage. Gro ne se portait guère mieux, et lorsqu'il ne fut plus capable de marcher, il installa son campement. Les bêtes sauvages arrivèrent peu de temps après sa mort. Ce qui ne fut pas dévoré immédiatement fut éparpillé par les carnivores et ce fut bientôt comme si Gro n'avait jamais existé.

Après avoir regardé ses deux hommes disparaître au loin, Eric rassembla les mineurs, les ingénieurs et les ouvriers qu'il avait fait venir de la colonie. Il nettoya la poussière du sol à un endroit de la grotte et se mit à dessiner ses plans avec un bâton.

Le projet était ambitieux, mais un don du ciel ne saurait être traité avec légèreté.

Ce jour-là, un groupe d'hommes commença à mesurer la grotte. On apprendrait des siècles plus tard qu'elle s'étendait sur plus d'un kilomètre sous la montagne et que la température montait à mesure que le boyau descendait. On trouva un vaste bassin d'eau douce dans les profondeurs, avec des stalactites et des stalagmites.

D'autres groupes furent envoyés sur la côte pour se procurer des perches de bois afin de construire des échelles permettant d'accéder aux recoins de la grotte, tandis que quelques hommes creusaient des marches dans la pierre. On façonna des portes aux motifs complexes à partir de dalles de pierre qui pivotaient sur des gonds, afin de cacher l'objet à des ennemis qui pourraient convoiter son pouvoir. Des gravures en écriture runique et des statues surgirent de la pierre, éclairées par la lumière des quelques ouvertures qui faisaient également rentrer l'air dans la grotte. Eric supervisait le travail de loin en se laissant guider par sa vision. Il visitait rarement le site et continuait à résider dans la colonie sur la côte.

Des hommes venaient, travaillaient dans la grotte et mouraient, puis ils étaient remplacés par d'autres.

Lorsque la caverne fut achevée, Eric le Rouge avait décimé sa population et la colonie ne s'en remit jamais. Son fils Leif ne vit qu'une fois le magnifique monument.

Puis Eric ordonna que l'entrée soit scellée, et l'objet demeura là pour les générations futures.

Première partie

1

L E lieutenant Chris Hunt parlait rarement de son passé, mais ses camarades de combat avaient glané quelques indices à son sujet. D'abord, l'armée n'avait pas été pour Hunt un moyen de quitter un trou paumé et voir du pays. Il venait du sud de la Californie et si on le questionnait, il admettait qu'il avait passé son enfance dans la région de Los Angeles, se refusant à déclarer qu'il avait grandi à Beverly Hills. Deuxième trait remarquable, Hunt était un meneur d'hommes né. Sans aucune condescendance ni airs de supériorité, il ne s'efforçait pas non plus de cacher sa compétence et son intelligence.

Quant à sa troisième particularité, ses hommes venaient de la découvrir.

Un vent glacé soufflait des montagnes dans la vallée afghane où la section commandée par Hunt levait le camp. Hunt et trois autres soldats se débattaient avec une tente qu'ils étaient en train de plier. Tandis que les hommes en rabattaient les pans, le sergent Tom Agnes se décida à poser la question qui lui brûlait les lèvres.

Hunt lui tendit un côté de la tente pour que Tom Agnes puisse le plier en deux.

— Monsieur, demanda Agnes, le bruit court que vous êtes diplômé de l'Université de Yale, c'est vrai ?

Tous portaient des lunettes de verre teinté mais Tom Agnes était assez près de Hunt pour voir ses yeux. Une lueur de surprise, puis un air de résignation. Hunt sourit.

19

— Ah! dit-il doucement, vous avez découvert mon terrible secret.

Agnes hocha la tête et plia la tente.

— C'est pas vraiment la voie habituelle pour devenir militaire.

— George Bush a étudié dans cette université, dit Hunt. Et il a été pilote dans la Navy.

— Je croyais qu'il était dans la Garde nationale, intervint le sous-officier Jesus Herrara en prenant la tente des mains d'Agnes.

— Je parle de George Bush père, dit Hunt. Notre Président est également diplômé de Yale et en effet il a été pilote de la Garde nationale.

— Yale, quand même, c'est pas rien! dit Agnes. Et si je peux me permettre, comment vous vous êtes retrouvé ici?

Hunt brossa un peu de neige sur ses gants.

— Engagé volontaire, dit-il. Comme vous.

Agnes hocha la tête.

— Allez, dépêchons-nous, dit Hunt en levant la main vers la montagne, et montons vite là-haut pour dénicher le salopard qui a attaqué les Etats-Unis.

— Oui, mon lieutenant, dirent les hommes à l'unisson.

Dix minutes plus tard, avec vingt-cinq kilos de paquetage sur le dos, ils commencèrent à gravir la pente.

Dans une ville où les belles femmes ne manquaient pas, Michelle Hunt, à quarante-neuf ans, voyait encore les hommes se retourner sur son passage. Grande, les cheveux noisette et les yeux bleu-vert, elle avait la chance d'avoir une silhouette qui ne lui demandait ni régime constant ni exercices intenses pour rester svelte. Ses lèvres étaient pleines et ses dents droites, mais c'était ses yeux de biche et sa peau parfaite que l'on remarquait instantanément. Si les belles femmes sont aussi banales en Californie du Sud que le soleil et les tremblements de terre, Michelle avait autre chose, ce je-ne-sais-quoi qui ne peut être créé par le bistouri d'un chirurgien, ni par les vêtements et la manucure ou la simple volonté. Michelle possédait cette qualité qui la faisait apprécier des hommes et des femmes et leur faisait rechercher sa compagnie; elle était heureuse, satisfaite et positive. Michelle Hunt était elle-même. Et elle attirait les gens comme une fleur attire les abeilles au printemps.

— Sam, lança-t-elle au peintre qui venait de terminer les retouches sur les murs de sa galerie, vous faites un boulot magnifique !

Sam, trente-huit ans, se prit à rougir.

— Pour vous, madame Hunt, je fais de mon mieux, dit-il.

Sam avait peint la galerie de Michelle lorsqu'elle l'avait ouverte cinq ans plus tôt, ainsi que sa maison de Beverly Hills, son appartement du lac Tahoe, et aujourd'hui il donnait un coup de neuf aux murs. Chaque fois, il se sentait grâce à elle apprécié et talentueux.

— Vous voulez un Coca ou autre chose ?

— Non merci.

A ce moment-là, un assistant signala à Michelle qu'elle avait un appel téléphonique. Elle sourit puis s'éloigna avec un signe de la main.

— Quelle femme ! murmura Sam, quelle femme !

Revenue vers le devant de sa galerie, à son bureau qui donnait sur Rodeo Drive, Michelle aperçut l'un des artistes qu'elle représentait sur le seuil de la porte. Là encore, sa gentillesse avait été payée de retour ; les artistes sont capricieux et inconstants, mais ceux de Michelle l'adoraient et très peu la quittaient pour une autre galerie. Ceci, ajouté au fait qu'elle avait pu financer entièrement son affaire, avait largement contribué à son succès.

— Je savais que cette journée serait bonne ! lança-t-elle à l'homme barbu. Mais je ne savais pas que mon artiste préféré allait me rendre visite.

L'homme sourit.

— J'ai juste un appel à prendre, dit-elle, après quoi je suis à vous.

Son assistante mena l'artiste vers un espace meublé de canapés et équipé d'un petit bar. Tandis que Michelle se glissait dans son fauteuil et attrapait son téléphone, son assistante préparait un capuccino au peintre.

— Michelle Hunt.

— C'est moi, dit une voix râpeuse.

Son interlocuteur n'avait nul besoin de se présenter. Elle avait eu le coup de foudre pour lui à vingt et un ans, dans les années 80 alors qu'elle débarquait du Minnesota, bien décidée à s'amuser sous le soleil californien. Après une relation ponctuée de ruptures et de réconciliations, causées à la fois par l'incapacité de cet homme à s'engager, et ses absences fréquentes pour affaires, à l'âge de vingt-quatre ans, elle avait donné naissance à un fils. Bien

21

que le nom du père ne fût jamais apparu sur le certificat de naissance et que tous deux n'aient jamais vécu ensemble, lui et Michelle étaient restés proches. Aussi proches qu'il était possible avec un tel homme.

— Comment vas-tu ?

— Bien.

— Où es-tu ?

Elle lui posait traditionnellement cette question pour rompre la glace. Au cours des années, les réponses avaient été variées, d'Osaka au Pérou en passant par Paris et Tahiti.

— Ne quitte pas, dit l'homme avec douceur.

Il jeta un coup d'œil à l'écran sur la paroi du cockpit de son avion privé.

— A mille quatre-vingt-dix-neuf kilomètres d'Honolulu, en route pour Vancouver, en Colombie britannique.

— Tu pars skier ? demanda-t-elle, parce que ce sport faisait partie de leurs bons souvenirs ensemble.

— Construire un gratte-ciel, répondit-il.

— Tu trames toujours quelque chose.

— Oui, concéda-t-il. Michelle, si je t'appelle, c'est parce que notre fils a été envoyé en Afghanistan.

Michelle l'ignorait ; l'envoi de troupes était encore un secret et Chris n'avait pas pu divulguer sa destination à sa mère.

— Oh non ! laissa-t-elle échapper, ça ne me plaît pas du tout !

— Je pensais bien que tu dirais ça.

— Comment l'as-tu découvert ? demanda Michelle. Je suis toujours surprise par ta capacité à dénicher les informations.

— Ce n'est pas de la magie, dit-il. J'ai tellement de sénateurs et d'hommes politiques dans ma poche qu'il va falloir que j'achète des pantalons plus larges.

— Tu sais comment ça se passe là-bas ?

— Je crois que la mission se révèle plus dure que ne l'avait prévu le Président, dit-il. Apparemment, Chris dirige un peloton d'attaque chargé de localiser les terroristes. Je n'ai eu que des infos très limitées mais mes sources disent que c'est un sale boulot. Ne t'étonne pas s'il ne te contacte pas pendant un moment.

— J'ai peur pour lui, articula lentement Michelle.

— Tu veux que je m'en mêle ? demanda l'homme. Que je le fasse rapatrier ?

— Je croyais qu'il t'avait fait promettre de ne jamais le faire.

— C'est vrai.

— Alors ne t'en mêle pas.

— Je te rappellerai quand j'en saurai plus.

— Est-ce que tu passes à Los Angeles un de ces quatre ? demanda Michelle.

— Je te tiens au courant. Il faut que je te laisse, je commence à avoir des parasites sur la liaison satellite. Ça doit être des taches solaires.

— Prie pour notre fils, dit-elle.

— Peut-être que je ne vais pas me contenter de prier, déclara-t-il en raccrochant.

Michelle reposa le combiné et se laissa aller contre le dossier de son fauteuil. Son ex-amant n'était pas de ceux qui manifestent leurs craintes, et pourtant son inquiétude pour leur fils était palpable. Elle ne pouvait qu'espérer que ce n'était pas fondé et que Chris serait bientôt de retour.

Elle se leva de son bureau et se dirigea vers l'artiste.

— Dites-moi que vous avez quelque chose de bon pour moi, fit-elle avec un sourire.

— Dehors, dans la camionnette, et je pense ça devrait vous plaire.

Quatre heures après le lever du soleil, trois cents mètres au-dessus du campement où ils avaient passé la nuit, la section de Hunt se heurta à des ennemis déterminés. Le feu éclata à partir de plusieurs grottes à l'est, juste au-dessus d'eux. Tout alla très vite. Les coups de fusil, les grenades tirées au lance-roquettes, les tirs de mortier et les coups de revolver pleuvaient sur eux. L'ennemi dynamitait la montagne pour créer des glissements de terrain, qui faisaient s'effondrer les rochers en contrebas, et le sol avait été miné à l'endroit où les troupes de Hunt cherchèrent refuge.

Le but était d'éliminer toute la section d'un seul coup, et ce but allait presque être atteint.

Hunt s'était abrité derrière des rochers. Les balles ricochaient de toutes parts sur les pierres, détachant des éclats qui fusaient dans les airs et blessaient ses hommes. Il n'y avait aucun endroit où se cacher, aucun moyen d'avancer et toute possibilité de retraite leur était interdite en raison d'un effondrement de terrain.

— Radio ! cria Hunt.

La moitié de son équipe se trouvait à une vingtaine de mètres vers l'avant, un autre quart devant lui, sur la gauche. Heureusement, la radio était restée près du lieutenant. L'homme rampa vers Hunt en gardant le dos au sol pour protéger la radio qu'il portait sur le ventre. En guise de récompense pour ses efforts, il récolta une blessure : alors qu'il avait le genou en l'air, une balle l'érafla ; Hunt le tira jusqu'à lui.

— Antencio ! cria Hunt à un homme qui se trouvait à quelques mètres, occupe-toi de la blessure de Lassiter.

Antencio se précipita pour découper le pantalon de l'opérateur radio. Il constata que la blessure n'était pas profonde et se mit à bander le genou tandis que Hunt ajustait la fréquence de la radio.

— Ça va aller, Lassiter, dit le lieutenant. Je vais demander de l'aide illico presto. Ensuite, tu seras évacué par hélico.

La peur se lisait sur le visage des soldats. Pour la plupart d'entre eux, comme pour Hunt, c'était leur première bataille. En tant que chef, il fallait qu'il prenne le contrôle et qu'il élabore un plan.

— Contrôle, contrôle, ici position Trois, hurla Hunt dans le micro, nous avons besoin de renforts d'urgence, zone trois zéro un huit. Nous subissons des tirs importants.

— Position Trois, répondit immédiatement une voix, décrivez votre situation.

— Nous sommes bloqués, expliqua Hunt, et ils sont en hauteur. Situation critique.

Hunt regardait vers le haut en parlant. Une douzaine d'hommes barbus vêtus de larges robes commençaient à descendre le flanc de la montagne.

— Préparez-vous à tirer ! cria-t-il à la moitié de son équipe qui se trouvait en avant.

Une seconde plus tard, une salve éclatait.

— Position Trois, nous avons un Spectre prêt à partir dans deux minutes. Quatre hélicos – deux de transport et deux de combat – décolleront dans trois minutes. Il leur faudra dix minutes pour vous rejoindre.

Hunt entendait le rugissement de l'énorme hélicoptère de combat qui remontait le canyon à des kilomètres en dessous d'eux. Il jeta un coup d'œil au-dessus du rocher et vit huit ennemis qui descendaient la colline. Il se releva et lança une grenade au lance-roquettes. Un sifflement, suivi d'un bruit sourd tandis que la charge volait et s'enflammait. Puis il tira une volée de coups de feu à l'arme automatique.

— Position Trois, répondez.

— Position Trois, affirmatif, hurla Hunt dans le micro.

Là où il y avait auparavant huit ennemis, il ne s'en trouvait plus que quatre. Ils n'étaient qu'à vingt mètres de la première ligne des Américains. Hunt fit pivoter sa baïonnette et la verrouilla. Ses soldats semblaient paralysés. Ils étaient jeunes, inexpérimentés et prêts à se laisser déborder. Un tir de mortier atterrit près des rochers et explosa. La zone fut arrosée de débris de roche et de poussière. Depuis le haut de la montagne, un autre groupe d'ennemis se mit à descendre. Hunt se releva et se mit à tirer. Il courut vers ses hommes et fonça sur l'ennemi bille en tête.

Hunt abattit deux hommes dans sa course. Jamais deux sans trois : il tua le dernier à la baïonnette, puisque son chargeur était vide. Utilisant l'arme de son holster, il acheva l'homme, puis se laissa tomber sur le sol pour remplir son chargeur avant de se remettre debout et de recommencer à tirer.

— Mettez-vous à l'abri des rochers ! cria-t-il.

Deux de ses hommes atteignirent cette position relativement protégée tandis que les autres continuaient à tirer sur l'ennemi qui avançait. Les soldats afghans étaient drogués au pavot, au fanatisme religieux et aux feuilles narcotiques de khat qu'ils mâchaient. La pente était rougie par le sang de leurs camarades mais ils continuaient à avancer.

— Position Trois ! grésilla la radio.

Antencio prit le micro.

— Ici Position Trois, dit-il. Notre commandant est plus loin, ici le soldat 367.

— Nous avons récupéré un B-52 d'une autre mission, dit la voix. Il va arriver en renfort.

— Affirmatif, je préviens le lieutenant.

Mais Antencio n'aurait pas l'occasion de transmettre le message.

Il ne restait plus que Hunt et un sergent grisonnant au poste avancé lorsque le AC-130 arriva. Une seconde plus tard, les canons de 25, 40 et 105 millimètres sur ses flancs arrosaient le sol d'un véritable rideau de plomb.

Le sergent avait déjà vu tirer un Spectre et il ne perdit pas de temps.

— Reculons, mon lieutenant, nous sommes couverts pendant quelques secondes.

— Allez-y, dit Hunt en aidant le sergent à se relever et le poussant vers l'arrière, je vous suis.

Le Spectre avançait de guingois à cause du recul de ses tirs. Au bout de quelques secondes, le pilote redressa l'appareil et s'apprêta à refaire un passage dans le canyon. Lorsque l'avion eut terminé son demi-tour et s'aligna pour son deuxième passage, il restait sept soldats ennemis qui avançaient encore. Hunt couvrit la retraite de son sergent.

Il tua cinq Afghans avec une grenade suivie d'un tir nourri. Mais les deux derniers arrivèrent jusqu'à lui. Le premier lui tira dans l'épaule alors qu'il se retournait pour battre en retraite.

Le second lui trancha la gorge avec un poignard à lame incurvée.

Le pilote du AC-130, qui s'apprêtait à plonger, vit Hunt se faire tuer et il prévint l'autre appareil par radio. La peur des soldats de Hunt, qui avaient également observé la scène, se mua alors en colère. Tandis que le AC-130 se mettait en position, les soldats se relevèrent et chargèrent le groupe suivant qui venait de quitter la grotte et descendait. Ils avancèrent ensemble et une fois arrivés au niveau de leur chef tombé, ils érigèrent un rempart autour de son corps. Ils attendirent que les ennemis avancent, mais comme par magie, ou parce qu'ils avaient senti la fureur des troupes américaines, ils battirent en retraite.

A six mille mètres au-dessus d'eux et à moins de dix minutes de son but, le pilote du B-52 éteignit son micro et le replaça sur son socle.

— Vous avez entendu ? demanda-t-il à son équipage par interphone.

A l'exception du vrombissement des huit moteurs, l'avion resta silencieux. Le pilote n'avait pas besoin de réponse ; il savait qu'ils avaient tous entendu la même chose que lui.

— Nous allons réduire cette montagne en cendres, dit-il. Lorsque l'ennemi viendra récupérer ses morts, je veux qu'il ait besoin d'une éponge pour ramasser leurs restes.

Quatre minutes plus tard, les hélicoptères arrivèrent pour rapatrier les troupes de la position Trois. La dépouille de Hunt et les blessés furent hissés à bord du premier Blackhawk. Le reste des soldats, tête baissée, montèrent dans le second. Puis les hélicoptères de combat et le AC-130 se mirent à cribler la montagne de plombs et d'explosifs. Peu après, le B-52 arriva à la rescousse. Le sang coula et l'ennemi fut anéanti. Mais cette démonstration de force était arrivée trop tard pour le lieutenant Hunt.

Avec le temps, seul le désir de vengeance subsisterait comme souvenir de son passage sur Terre.

Plusieurs années s'écouleraient avant que ce désir ne se réalise.

2

L'*OREGON* était amarré à une jetée dans le port de Reykjavik, au milieu d'un enchevêtrement de bateaux de travail et d'embarcations de plaisance; il y avait des petits bateaux de pêche et des gros chalutiers, des hors-bord et, fait inhabituel en Islande, de grands yachts. Les bateaux de pêche faisaient partie intégrante de la plus grande industrie islandaise; les yachts se trouvaient là parce que se déroulait à Reykjavik le Sommet des pays arabes pour la Paix.

L'*Oregon* était peu susceptible de remporter des prix de beauté. Ce cargo de plus de cent cinquante mètres de long semblait ne tenir debout que grâce à la rouille. Les ponts supérieurs étaient encombrés de débris, la coque était peinte de deux couleurs différentes qui juraient et les grues au milieu du navire semblaient sur le point de tomber à l'eau.

Mais ce n'était qu'une illusion.

La rouille était une peinture soigneusement appliquée, capable d'absorber les ondes radar, permettant ainsi au navire d'échapper aux écrans de surveillance, tel un fantôme. Les débris n'étaient que des accessoires et les grues fonctionnaient parfaitement : deux d'entre elles remplissaient leur rôle, certaines dissimulaient des antennes de communication et le reste masquait des lance-missiles. Sous le pont, son ameublement rivalisait avec les plus beaux yachts. De luxueuses cabines, des outils de communication et un poste de commande dernier cri, un hélicoptère, des annexes pour aller à terre et un atelier très complet s'y trouvaient. La salle à manger était digne des meilleurs restaurants. Quant à l'infirmerie, elle ressemblait à une suite privée dans une clinique. Equipé de deux unités de propulsion magnétohydrodynamiques, le cargo pouvait filer aussi vite qu'un guépard et tourner aussi abruptement qu'une autotamponneuse. Il ne ressemblait en rien à ce que laissait présager son aspect extérieur.

L'*Oregon* était une plate-forme de renseignement de haute technologie, armée et dont l'équipage était extrêmement entraîné.

La Corporation, qui possédait l'*Oregon* et y travaillait, était composée d'anciens membres de l'armée ou des services secrets, qui proposaient leurs services de spécialistes à des pays ou des particuliers qui en avaient besoin. Souvent embauchée par le gouvernement américain pour exécuter certaines missions à l'abri du regard du Congrès, elle demeurait dans le monde de l'ombre où n'existent ni la protection diplomatique ni la reconnaissance gouvernementale.

Cette armée privée, composée de mercenaires non dénués de conscience, choisissait soigneusement ses clients.

Ils se trouvaient en Islande depuis une semaine pour assurer la sécurité de l'émir du Qatar, qui assistait au Sommet. L'Islande avait été choisie comme lieu de cette rencontre pour de multiples raisons. Le pays était petit et Reykjavik comptait à peine cent mille habitants, ce qui était un atout du point de vue de la sécurité. La population, homogène, faisait ressortir les étrangers comme le nez au milieu de la figure et permettait de détecter d'éventuels terroristes ayant pour but de perturber le processus de paix. Enfin, l'Islande proclamait qu'elle avait le plus vieux parlement élu au monde ; le pays était donc impliqué dans le processus démocratique depuis des siècles.

L'ordre du jour des réunions de la semaine comprenait l'occupation de l'Irak, la situation entre Israël et la Palestine et la montée du terrorisme fondamentaliste. Alors que ce Sommet n'était supervisé ni par les Etats-Unis ni par aucun autre gouvernement, les chefs d'Etat présents allaient devoir décider d'une politique et d'une ligne d'action à adopter.

La Russie, la France, l'Allemagne, l'Egypte, la Jordanie et une foule de petits pays de l'Est assistaient à ce Sommet. Israël, la Syrie et l'Iran avaient décliné l'invitation. Les Etats-Unis, la

Grande-Bretagne et la Pologne étaient là en tant qu'armée libératrice de l'Irak, aux côtés de plus petits pays. Une vingtaine de nations avec leurs représentants, leurs services de sécurité et de renseignement s'étaient abattus sur la capitale islandaise comme une nuée de moustiques par une nuit estivale. La population étant peu nombreuse, les agents secrets et les personnels de sécurité étaient aussi voyants que s'ils avaient porté des bikinis par ce temps glacial. Les Islandais étaient clairs de peau, blonds aux yeux bleus, un déguisement difficile à adopter pour se fondre dans le décor.

A Reykjavik, les immeubles étaient bas : le monument le plus élevé, l'église Hallgrimskirkja, n'était haute que de deux ou trois étages. Les maisons peintes de couleurs vives se détachaient sur le terrain couvert de neige comme les décorations d'un sapin de Noël, et les gouttelettes de vapeur provenant des sources géothermiques qui chauffaient les bâtiments donnaient au paysage une apparence irréelle. Le sulfure d'hydrogène provenant des sources chargeait l'air d'une légère odeur d'œuf pourri.

La ville était blottie autour de son port, protégé de la glace tout au long de l'année, qui abritait la flotte de pêche, l'atout principal de l'économie islandaise. Contrairement à ce que l'on aurait pu croire dans ce pays de glace, la température de la ville en hiver était plus clémente que celle de New York. Les Islandais respirent la santé et ils semblent heureux. Leur bonheur découle d'un état d'esprit positif; quant à leur santé, ils la doivent à l'abondance des sources d'eau chaude.

Les réunions du Sommet des pays arabes avaient lieu à Hofoi, une grande bâtisse utilisée par la municipalité, et où Mikhaïl Gorbatchev et Ronald Reagan s'étaient rencontrés en 1986. Hofoi se trouvait à un kilomètre environ de l'endroit où était amarré l'*Oregon*, ce qui simplifiait le travail des équipes de sécurité.

L'émir du Qatar avait déjà utilisé les services de la Corporation et les deux parties s'estimaient mutuellement.

Par respect pour les chrétiens qui participaient au Sommet, aucune réunion n'était prévue le jour de Noël; c'est ainsi que sous le pont de l'*Oregon*, les trois chefs mettaient la dernière main au banquet. Le plat principal était au four : douze gros *turduckens*, des gigognes de volailles. Ce plat de fête était composé de petits poulets désossés farcis de farine de maïs et de sauge, insérés dans des canards désossés garnis d'une fine couche de farce au pain d'épice, insérés à leur tour dans de grandes dindes désossées qui avaient été badigeonnées d'une farce à l'huître et à la noisette. Lorsque l'on découperait la carcasse, les tranches révéleraient le trio de viandes.

Les plats d'accompagnement étaient déjà sur la table : carottes glacées, céleris, poireaux, radis et julienne de courgettes. Il y avait des bols de noix, de fruits, de crackers et de fromages. Des plateaux de pinces de crabe, d'huîtres et de homards. Trois sortes de soupes, des salades vertes, des salades Waldorf et des aspics ; il y aurait un plat de poisson, un plateau de fromages, des tourtes à la viande, au potiron, aux pommes et aux fruits rouges, du vin, du porto, des liqueurs et du café jamaïquain Blue Mountain.

Personne ne quitterait la table sans être rassasié.

Dans sa luxueuse cabine, Juan Cabrillo se sécha les cheveux avec une serviette, puis il se rasa et appliqua sur ses joues un baume de Bay Rum. Ses cheveux blonds étaient coupés court et demandaient peu d'entretien mais, au cours des dernières semaines, il s'était fait pousser un bouc, qu'il égalisa minutieusement avec une paire de ciseaux en acier. Satisfait de son travail, il sourit à son reflet dans le miroir : il avait bonne mine, l'air reposé, en forme et satisfait.

Dans la penderie de sa cabine, il choisit une chemise blanche impeccable, un costume gris en laine légère qui venait de chez un tailleur londonien, une cravate en soie, des chaussettes grises en laine fine et une paire de mocassins vernis à glands noirs Cole Haan. Après ces préparatifs, il se mit à s'habiller.

Tout en nouant sa cravate à rayures bleu et rouge, il fit une dernière vérification, puis il ouvrit la porte et emprunta la coursive en direction de l'ascenseur. Quelques heures plus tôt, son équipe avait eu vent d'une menace concernant l'émir. Le plan qu'ils avaient élaboré, s'il réussissait, ferait d'une pierre deux coups.

A présent, s'ils pouvaient retrouver la trace de la bombe nucléaire qui avait été perdue de l'autre côté du globe, l'année se terminerait sur une note positive. Cabrillo ignorait que vingt-quatre heures plus tard, il serait en train de traverser ce pays de glace vers l'est, et que le destin d'une ville en bordure d'un fleuve serait en jeu.

3

A L'OPPOSÉ de la chaleur et de la convivialité qui régnaient à bord de l'*Oregon*, la scène qui se déroulait au campement du mont Forel, au nord du Cercle polaire au Groenland, était bien morose. A l'extérieur de la grotte, le vent se déchaînait et la température était de moins vingt, sans prendre en compte le facteur du vent. L'expédition en était à son quatre-vingt-onzième jour; l'excitation et l'enthousiasme s'étaient émoussés depuis longtemps. John Ackerman était fatigué, découragé et seul avec la pensée de son échec.

Ackerman essayait d'obtenir un doctorat d'anthropologie à l'université du Nevada à Las Vegas et son environnement actuel ressemblait aussi peu au désert où il avait grandi qu'un hippocampe à un perroquet. Les trois étudiants qui l'assistaient étaient rentrés chez eux dès la fin du semestre et leurs remplaçants ne devaient pas arriver avant deux semaines. A dire vrai, Ackerman aurait dû s'accorder lui aussi des vacances, mais il était possédé par son rêve.

Depuis l'instant où il avait trouvé une référence obscure à la Grotte des Dieux en rédigeant sa thèse sur Eric le Rouge, il avait ressenti le besoin de trouver ces grottes avant quiconque. Peut-être toute cette affaire n'était-elle qu'un mythe, songeait-il, mais dans le cas contraire, il voulait que ce soit son nom et pas celui d'un usurpateur qui soit associé à la découverte.

Il remua les haricots en conserve sur le poêle en métal à l'abri de la tente érigée près de l'entrée de la grotte. Il était certain, d'après les descriptions qu'il avait traduites, qu'il s'agissait de la grotte qu'Eric le Rouge avait mentionnée sur son lit de mort, mais malgré des mois d'efforts, il n'était pas allé plus loin que le mur apparemment solide qui s'élevait à six mètres derrière lui. Les étudiants et lui avaient examiné chaque centimètre carré des murs et du sol de la caverne en vain. La grotte elle-même semblait avoir été creusée par des hommes, mais Ackerman n'en était pas sûr.

Après avoir vérifié que les haricots chauffaient sans brûler, il sortit pour s'assurer que son antenne satellite n'avait pas été mise à mal par le vent. Ayant tout trouvé en ordre, il rentra et consulta sa messagerie électronique. Ackerman avait oublié que c'était le jour de Noël et les messages et les vœux de sa famille et ses amis le lui rappelèrent. Tout en leur répondant, il sentit la tristesse l'envahir. En ce jour de fête, alors que la plupart des Américains se trouvaient avec leur famille ou leurs amis, lui était au milieu de nulle part, tout seul, à la poursuite d'un rêve auquel il ne croyait plus.

Lentement, la tristesse se mua en colère. Oubliant ses haricots, il attrapa une lanterne Coleman sur la table et marcha jusqu'au bout de la grotte. Il resta là à fulminer et maugréer dans sa barbe, contre les circonstances qui l'avaient mené dans ce trou glacial en cette douce et sainte nuit. Tous ses examens au microscope et ses brossages soigneux n'avaient rien révélé.

Il n'y avait rien ici, c'était un échec total. Le lendemain, il commencerait à démonter le camp ; il mettrait la tente et le matériel sur le traîneau derrière l'autoneige, puis, dès que le temps s'améliorerait, il gagnerait la ville la plus proche, Angmagssalik, à environ cent soixante kilomètres.

La Caverne des Dieux demeurerait un mythe.

Sous le coup d'une colère de plus en plus forte, il poussa un juron et balança sa lampe à pétrole d'un grand geste, et la lâcha au moment où elle était pointée vers le plafond. La lanterne vola et s'écrasa sur la voûte rocheuse de la caverne. Le verre éclata et le gaz liquide s'éparpilla sur le plafond et sur le sol. Puis, soudain, comme par magie, les flammes se renversèrent, comme si elles étaient aspirées par les fissures dans la voûte. Le combustible en flammes fut aspiré dans quatre fissures qui formaient un carré.

La voûte, songea Ackerman, nous ne l'avons jamais examinée.

Revenant vers l'entrée de la grotte à grandes enjambées, il ouvrit une caisse en bois et en sortit les tubes en aluminium léger qu'ils avaient utilisés pour quadriller le sol de la grotte lors des fouilles archéologiques. A présent démontés, ils mesuraient chacun un mètre vingt de long. Ackerman fouilla dans un sac en nylon et trouva un rouleau d'adhésif avec lequel il attacha ensemble trois tubes pour obtenir une perche de près de trois mètres cinquante. Il se saisit du tube comme d'un javelot, et regagna rapidement le fond de la grotte.

La lanterne brisée gisait sur le sol, toujours en flammes ; la partie métallique était cabossée et le globe de verre manquait, mais elle diffusait toujours de la lumière. Il leva les yeux vers le plafond et constata que les flammes avaient laissé la marque à peine visible d'un carré.

Posant la perche sur un côté du carré, Ackerman appuya lentement.

La fine épaisseur de pierre qui formait une trappe avait été sculptée en biseau sur les bords. Dès qu'Ackerman appliqua une poussée, elle glissa sur d'antiques chevilles en bois et s'ouvrit aussi facilement qu'un volet bien huilé sur une fenêtre de bonne qualité.

Puis, une fois la trappe ouverte, une échelle tissée en peau de morse tomba jusqu'au sol.

Ackerman en resta bouche bée. Puis au bout d'un moment, il éteignit la lanterne et revint vers l'entrée de la grotte, où il remarqua que ses haricots bouillaient à gros bouillons. Il les ôta du poêle puis trouva une lampe-torche, quelques provisions au cas où il se retrouverait coincé, une corde et un appareil photo numérique. Puis il s'approcha de l'échelle pour monter vers son destin.

Une fois la trappe franchie, Ackerman eut l'impression d'avoir pénétré dans un grenier : c'était là que se trouvait la véritable grotte. Celle que ses étudiants et lui avaient observée si minutieusement n'était qu'un leurre. A la lumière de sa torche, Ackerman avança vers l'ouverture de la grotte du bas. A peu près au-dessus de l'entrée de celle-ci, il découvrit un tas de rochers, disposés comme un éboulis naturel. Plus tard, il les débarrasserait et contemplerait d'ici l'étendue de glace mais, jusque-là, et pendant des siècles, l'éboulis avait protégé le secret.

Ce stratagème avait marché : Ackerman s'était fait berner.

Il se détourna, repassa avec précaution devant le trou dans le sol, puis il s'arrêta et laissa tomber une extrémité de la corde. Tout en déroulant soigneusement la corde, il emprunta le corridor, muni de sa torche qu'il tenait au-dessus de sa tête.

Les murs étaient décorés de peintures de scènes de chasse, d'animaux abattus et de navires partant vers le lointain. Il apparaissait évident aux yeux d'Ackerman que de nombreux hommes avaient œuvré dans cette caverne pendant plusieurs années. La grotte s'élargit et la torche éclaira des renfoncements où se trouvaient, préservées par le froid, des fourrures et des peaux, posées sur des paillasses empilées les unes sur les autres. Les lits avaient été taillés dans la roche et la terre, comme autrefois les couchettes des mineurs. Il emprunta un passage qui longeait cet espace de repos, à partir duquel s'échappaient plusieurs ramifications en direction d'une zone où se trouvaient des feux de cuisine. De longues tables grossièrement sculptées, qui avaient été apportées en pièces détachées et assemblées sur place, occupaient une salle à manger haute de plafond. Balayant la pièce avec sa torche, Ackerman découvrit des réservoirs à huile de baleine avec des mèches, installés dans les murs pour l'éclairage.

Il y avait la place de faire asseoir une bonne centaine d'hommes.

Ackerman huma l'air et constata qu'il était frais. Il sentit même une très légère brise. Il se mit à échafauder des théories sur la manière dont les hommes d'Eric le Rouge avaient réussi à forer des trous et créer un système de courants d'air pour purger la caverne de l'air vicié et des odeurs. Après la salle à manger, il arriva dans une petite pièce avec des abreuvoirs aux bords biseautés et remplis d'eau fumante installés contre le mur. Ackerman reconnut des fosses d'aisance, mais sachant que plus de mille ans s'étaient écoulés, il trempa le doigt dans l'eau et découvrit qu'elle était chaude. Ils avaient dû découvrir une source chaude et la détourner, songea-t-il. Quelques pas plus loin, se dressait un vaste bassin surélevé, dont l'eau s'écoulait dans les baquets. Les bains.

Derrière les bains, Ackerman emprunta une étroite galerie dont les murs avaient été lissés et décorés de motifs géométriques intégrés au rocher et teints en rouge, jaune et vert. Devant lui, une ouverture était encadrée par des pierres décoratives choisies avec soin.

Ackerman passa l'ouverture et découvrit une vaste pièce.

Il lui sembla que les parois étaient arrondies et lisses. Sur le sol, des pierres plates formaient une surface presque parfaitement plane. Des géodes remplies de cristaux pendaient au plafond tels des lustres. Ackerman se baissa et ajusta le rayon de sa torche, puis il se redressa, leva la lampe au-dessus de sa tête et resta interdit.

Au centre de la salle s'élevait une plate-forme où était exposée une sphère grise.

Les géodes et les cristaux du plafond réfléchissaient le faisceau lumineux en des milliers d'arcs-en-ciel qui s'éparpillaient dans la pièce comme les reflets d'une boule à facettes. Lorsque Ackerman soupira, le son fut amplifié par un écho.

Il s'approcha de la plate-forme qui lui arrivait à la poitrine et contempla le globe.

— Une météorite, prononça-t-il à haute voix.

Puis il sortit son appareil photo numérique et se mit à faire un reportage sur les lieux.

Une fois redescendu de l'échelle, il s'équipa d'un compteur Geiger et d'un livre sur l'analyse des métaux pour essayer de déterminer la composition du globe. Il eut tôt fait de la découvrir.

Une heure plus tard, Ackerman rassemblait les photos et les relevés du compteur Geiger pour les envoyer par courrier électronique. Il passa encore une heure à composer un dossier de presse chantant ses propres louanges, qu'il joignit au message, et il envoya le tout à son mécène pour recevoir son approbation.

Puis il s'installa confortablement pour baigner dans sa toute nouvelle gloire en attendant la réponse.

Dans la station de surveillance Echelon de Chatham, près de Londres, on enregistrait la plupart des communications mondiales. Opération menée de front par la Grande-Bretagne et les Etats-Unis, Echelon avait été observé de près par la presse des deux côtés de l'Atlantique. Echelon n'était rien de plus qu'un gigantesque système d'écoute qui épiait les conversations dans le monde entier et les faisait passer dans un ordinateur. Certains mots déclenchaient une alerte et le message était alors lu par un opérateur qui le transmettait aux services appropriés ou bien le déclarait sans importance.

Le message d'Ackerman envoyé depuis le Groenland passa par un satellite avant d'être relayé vers les Etats-Unis. Lorsqu'il redescendit vers la terre, Echelon l'intercepta et le passa dans son ordinateur. Un mot dans le message provoqua une alerte.

Ensuite, il passerait par une des voies hiérarchiques militaires en Angleterre et traverserait l'océan par une ligne sécurisée pour être transmis à la NSA dans le Maryland, puis à la CIA à Langley en Virginie.

Mais il y avait une taupe au sein d'Echelon, si bien que le message fut envoyé à d'autres destinataires.

Dans sa grotte du mont Forel, John Ackerman vivait dans ses fantasmes. Il se voyait déjà en couverture de tous les magazines d'archéologie; il s'imaginait en train de prononcer son discours lorsqu'on lui remettrait les prix les plus prestigieux de son domaine.

La découverte était phénoménale, comme l'ouverture d'une pyramide ou la découverte d'une épave parfaitement intacte. Des articles de magazines, des livres, des émissions de télé s'annonçaient. Si Ackerman se débrouillait bien, il pourrait bâtir toute une carrière sur cette découverte. Il pouvait devenir le maître de l'archéologie connu du grand public, celui qui dispenserait ses commentaires dans les médias sur telle ou telle découverte. Il pourrait devenir une célébrité, et de nos jours, c'était déjà une carrière en soi. Avec un tant soit peu d'habileté, le nom de John Ackerman deviendrait synonyme d'une immense découverte.

C'est alors que son ordinateur lui signala qu'il avait un nouveau message, qui s'avéra très succinct.

Ne dites rien à personne pour l'instant. Il nous faut davantage de preuves avant de faire une déclaration. Je vous envoie quelqu'un pour faire des vérifications; il arrivera dans un jour ou deux. Poursuivez les recherches. Super boulot, John. Mais... motus!

Dans un premier temps, ce message agaça passablement Ackerman. Puis il réfléchit et parvint à se convaincre que son mécène prenait sans doute le temps de déclencher une véritable tempête médiatique. Peut-être envisageait-il de donner l'exclusivité à une grande chaîne de télévision et avait-il besoin de temps pour préparer l'interview. Peut-être prévoyait-il un raz de marée simultané d'articles et de reportages.

Ackerman se laissa envahir par ces pensées et son ego se déchaîna.

Plus on parlerait de sa découverte, plus il serait célèbre. Cette tendance à la mégalomanie allait s'avérer mortelle pour Ackerman.

Dans certains cas, un coup de chance vaut mieux que le meilleur des plans. Au dernier étage d'un hôtel dans une ville connue des amateurs de risque, un homme d'âge mûr du nom de Halifax Hickman regarda les photos numériques sur son ordinateur et sourit. Il relut un rapport qu'il avait imprimé quelques heures auparavant, se livra à des calculs et regarda de nouveau les images. Incroyable. La solution à son problème lui était offerte sur un plateau.

Comme s'il avait glissé une pièce de vingt-cinq *cents* dans une machine à sous et remporté un jackpot d'un million de dollars.

Hickman se mit à rire, mais pas de bonheur. C'était un ricanement mauvais, venu d'un lieu qui ne connaissait pas la joie. Teinté de désir de vengeance, obscurci par la haine, ce rire montait des tréfonds de son âme.

Il attrapa son téléphone et composa un numéro.

Clay Hughes vivait dans les montagnes au nord de Missoula dans le Montana, dans une maison en bois qu'il avait construite lui-même, sur un terrain de quatre-vingts hectares dont le crédit était payé. Une source d'eau chaude dans sa propriété lui fournissait le chauffage de sa cabane ainsi que celui des serres d'où il tirait presque toute sa nourriture. Les énergies solaire et éolienne lui procuraient l'électricité. Les communications téléphoniques cellulaires et par satellite lui permettaient de ne pas être coupé du monde. Hughes possédait un compte en banque à Missoula avec un solde à cinq zéros, une boîte postale, plus trois passeports, quatre numéros de sécurité sociale et des permis de conduire à différents noms et adresses.

Hughes préservait jalousement sa vie privée, ce qui n'a rien d'inhabituel chez les tueurs à gages qui préfèrent garder un profil bas.

— J'ai un job pour vous, lui annonça Hickman.

— Combien ? demanda Hughes, allant droit au but.

— Cinq jours, cinquante mille dollars. Et je vous fournis le moyen de transport.

— Eh bien, il y a quelqu'un qui va passer une mauvaise journée.

— Il faudra me livrer un objet après exécution du travail, lui dit Hickman.

— Est-ce que c'est pour servir la cause ? demanda Hughes.

— Oui.

— Dans ce cas, la livraison sera gratuite, déclara Hughes, grand seigneur.

— Mon avion sera là dans une heure, dit Hickman. Habillez-vous chaudement.

— Je veux de l'or, précisa Hughes.

— C'est ce que vous aurez, répondit Hickman en raccrochant.

Une heure plus tard, un Raytheon Hawker 800XP atterrissait à l'aéroport de Missoula. Hughes coupa le moteur de son International Scout de 1972 restaurée. Il ouvrit le sac qui était dans le coffre pour passer une fois de plus ses armes en revue. Ayant constaté que tout était en ordre, il referma le sac et le posa par terre. Puis il verrouilla la voiture et se pencha pour activer le système explosif qu'il utilisait en guise d'alarme antivol.

Si quelqu'un s'avisait de toucher à son véhicule en son absence, le Scout exploserait, rendant impossible l'identification de son propriétaire. Hughes avait une légère tendance à la paranoïa. Il hissa le sac sur son épaule et se dirigea vers l'avion privé.

Quarante-sept minutes plus tard, l'avion traversait la frontière canadienne sur une trajectoire nord-nord-est.

L E lendemain du jour où le message électronique émis depuis le Groenland avait été intercepté, Langston Overholt IV étudiait la photo de la météorite dans son bureau du quartier général de la CIA en Virginie. Il consulta un rapport sur l'iridium, puis une liste de ses agents. Comme d'habitude, il en manquait. S'emparant d'une balle de tennis posée dans un videpoches sur son bureau, il se mit à la faire rebondir contre le mur, relaxé par ce mouvement répétitif.

Cela valait-il la peine de retirer des agents d'une autre mission ? Il fallait peser le pour et le contre. Overholt attendait le rapport des scientifiques de la CIA qui pourrait apporter un éclairage quant à la menace possible, mais pour le moment, cela semblait très simple. Il avait besoin de quelqu'un pour se rendre au Groenland et mettre la météorite en lieu sûr. Une fois que ce serait fait, le risque serait réduit au minimum. Puisque ses agents étaient occupés, il décida d'appeler un vieil ami.

— Vingt-cinq, vingt-quatre.

— Ici Overholt. Comment ça se passe en Islande ?

— Si je mange encore une fois du hareng, je vais être capable de rallier l'Irlande à la nage, répondit Cabrillo.

— Il paraît que tu bosses pour les cocos ?

— Je me doute que tu en as entendu parler, dit Cabrillo. Une faille dans la sécurité de l'Ukraine.

— Ouais, fit Overholt. Nous aussi on bosse là-dessus.

Cabrillo et Overholt avaient travaillé dans la même équipe des années auparavant. A la suite d'un problème au Nicaragua, Cabrillo avait perdu son travail à la CIA mais il avait couvert Overholt et celui-ci lui en était reconnaissant. Depuis des années, il fournissait à Cabrillo et à sa Corporation autant de contrats que possible.

— Tout ce terrorisme, fit remarquer Cabrillo, ça fait marcher nos affaires.

— Tu aurais du temps pour un petit extra ?

— Combien d'hommes il faut ? demanda Cabrillo en réfléchissant aux missions inscrites à son agenda.

— Seulement un, répondit Overholt.

— Plein tarif ?

— Comme d'habitude, répondit Overholt. Mon employeur paie bien.

— Il paie bien, mais il vire vite.

Cabrillo n'avait jamais digéré son lynchage, et il avait ses raisons. Le Congrès l'avait passé sur le grill et son supérieur de l'époque n'avait rien fait pour éteindre les braises. Il éprouvait autant de sympathie pour les politiciens et les bureaucrates que pour la roulette du dentiste.

— J'ai seulement besoin de quelqu'un pour foncer au Groenland et récupérer un objet. Il y en a pour un jour ou deux.

— Tu as bien choisi ton moment ! s'exclama Cabrillo. Il fait un froid glacial et la nuit dure vingt-quatre heures à cette période de l'année.

— Il paraît que les aurores boréales sont magnifiques, avança Overholt.

— Et tu ne peux pas envoyer un tâcheron de la CIA ?

— Comme d'hab, personne n'est dispo. Je préfère vous payer et régler la question sans faire de vagues.

— Nous devons encore travailler quelques jours ici, dit Cabrillo, avant d'être libres.

— Juan, insista Overholt d'une voix amicale, je suis presque sûr que c'est un boulot qui ne nécessite qu'une personne. Si tu pouvais seulement envoyer un de tes hommes pour récupérer l'objet en question, il sera de retour avant la fin du Sommet.

Cabrillo réfléchit quelques instants. Toute son équipe était mobilisée pour assurer la sécurité de l'émir. Ces derniers jours,

Cabrillo était resté à bord de l'*Oregon* pour régler des questions administratives. Il commençait à s'ennuyer et à piaffer comme un cheval de course dans sa stalle de départ.

— Je vais m'en occuper moi-même, dit Cabrillo. Mon équipe contrôle la situation.

— C'est toi qui vois, lança Overholt.

— Il faut juste que j'aille chercher quelque chose là-bas, c'est bien ça ?

— Exactement.

— Quel objet ?

— Une météorite, répondit lentement Overholt.

— Mais pourquoi la CIA aurait-elle besoin d'une météorite ? demanda Cabrillo.

— Parce que nous pensons qu'elle est constituée d'iridium et que l'iridium peut être utilisé pour fabriquer une bombe radiologique.

— Et à part ça ? demanda Cabrillo, soudain plus circonspect.

— Il faut que tu la voles à l'archéologue qui l'a découverte, de préférence sans qu'il s'en aperçoive.

Cabrillo garda le silence quelques instants.

— Tu vis dans un vrai nid...

— Comment cela ? demanda Overholt, tombant dans le piège.

— Un vrai nid de vipères.

— Alors tu acceptes le boulot ?

— Envoie-moi tous les éléments ; je partirai dans quelques heures.

— Ne t'inquiète pas ; ça devrait être votre mission la plus facile de toute l'année. C'est un peu le cadeau de Noël d'un vieil ami.

— Il faut se méfier des amis qui apportent des cadeaux, rétorqua Cabrillo avant de raccrocher.

Une heure plus tard, Juan Cabrillo achevait ses préparatifs.

Kevin Nixon s'essuya les mains sur un chiffon, qu'il jeta ensuite sur un établi de la Boutique Magique, l'atelier de l'*Oregon* qui s'occupait de stocker les équipements nécessaires aux missions et de concevoir des appareils électroniques aussi bien que des déguisements et des costumes. Nixon supervisait l'atelier tout en restant un inventeur plein de créativité.

— En l'absence de mesures précises, dit Nixon, c'est le mieux que je puisse faire.

— Ça me paraît très bien, Kevin, dit Cabrillo en prenant l'objet qu'il mit dans une boîte avant de la fermer avec de l'adhésif.

— Prenez ces trucs-là, enjoignit Nixon à Cabrillo.

Cabrillo glissa les paquets dans son sac à dos.

— Bon, résuma Nixon, vous avez des vêtements adaptés au froid, des systèmes de communication, des rations de survie et tout ce que j'ai cru utile d'ajouter.

— Merci, dit Cabrillo. Maintenant, il faut que j'aille là-haut pour discuter avec Hanley.

Moins d'une heure plus tard, après s'être assuré que Max Hanley, son second, avait l'opération de Reykjavik bien en main, Cabrillo se fit conduire à l'aéroport pour prendre un vol pour le Groenland. Ce qui semblait une affaire très simple allait se révéler d'une grande complexité.

Quand cette mission s'achèverait, une menace imminente planerait sur une nation et des morts seraient à déplorer.

6

PIETER Vanderwald était un marchand de mort. Cet ancien chef du programme EWP [1] sur les armes expérimentales en Afrique du Sud à l'époque de l'apartheid avait supervisé d'innommables expériences telles que la stérilisation chimique par la nourriture, la vaporisation aérienne de virus mortels, les armes bactériologiques dans les lieux publics ou encore l'introduction d'armes chimiques dans les circuits de distribution d'eau potable.

Nucléaire, chimique, bactériologique, sonore, électrique, tout ce qui pouvait être utilisé pour tuer, Vanderwald et son équipe savaient soit le fabriquer, soit à qui s'adresser pour l'acheter. Leurs tests avaient démontré qu'une combinaison de ces agents, judicieusement appliqués, pouvait être utilisée pour empoisonner ou tuer des milliers de Noirs d'Afrique du Sud en trente-six heures. Des études plus détaillées avaient abouti à la conclusion qu'en une semaine, quatre-vingt-dix-neuf pour cent de la population non vaccinée en dessous du Tropique du Capricorne périrait.

Vanderwald avait reçu pour ce travail un prix et une gratification de deux mois de salaire.

Puisqu'ils ne disposaient pas d'engins de tir à longue portée tels que des ICBM ou des SCUD et que leur force de frappe aérienne était très limitée, Vanderwald et son équipe avaient perfectionné leurs méthodes d'introduction d'agents mortels parmi la popula-

---

1. Emergency War Plan, plan d'urgence en cas de guerre. (NdlT)

tion, qui se propageaient ensuite grâce aux victimes elles-mêmes. Il suffirait de contaminer les sources d'eau potable, de confier au vent les virus ou d'utiliser des camions-réservoirs ou des obus d'artillerie pour les disperser.

Le programme EWP avait été développé au plus haut niveau mais, dès la fin de l'apartheid, il avait été rapidement dissous en secret et Vanderwald et les autres scientifiques s'étaient retrouvés livrés à eux-mêmes.

La plupart d'entre eux empochèrent leurs indemnités et prirent leur retraite mais certains, comme Vanderwald, se mirent à proposer leurs services sur le marché ; dans un monde de plus en plus violent, leurs compétences se vendaient bien. Il prodiguait ses conseils à des pays du Moyen-Orient, d'Asie et d'Amérique du Sud. Vanderwald n'avait qu'une seule règle : il ne travaillait pas gratuitement.

— Celui-là, vous n'en avez fait qu'une bouchée ! fit remarquer Vanderwald avec enthousiasme.

Une légère brise balayait le green en direction du trou. La température était de 27 °C, l'air était aussi sec qu'un sac de farine et aussi transparent qu'un panneau de verre.

— C'est le vent qui m'a aidé, répondit Halifax Hickman en revenant vers la voiturette.

Il rangea son club dans le sac à l'arrière puis s'installa au volant.

Sur le parcours, il n'y avait ni caddies ni autres golfeurs. Seule une équipe de sécurité arpentait les arbres et les bosquets, deux canards nageaient sur le lac et, quelques instants plus tôt, ils avaient vu passer un renard maigrichon et plein de poussière sur le fairway. L'atmosphère était étrangement calme, porteuse de tous les souvenirs de l'année qui s'achevait.

— Eh bien, dit Vanderwald, ces gens-là, vous devez vraiment les haïr.

Hickman appuya sur l'accélérateur et la voiturette descendit le fairway en cahotant pour se diriger vers les balles.

— Je vous paie pour vos compétences, rétorqua-t-il, pas pour me psychanalyser.

Vanderwald baissant la tête regarda la photo une nouvelle fois.

— Si c'est ce que vous croyez, dit-il doucement, vous êtes en possession d'une perle. La radioactivité est très importante et extrêmement dangereuse sous forme solide ou sous forme de poudre. Vous avez plusieurs options.

Hickman appuya sur le frein comme la voiturette approchait de la balle de Vanderwald. Lorsqu'il se fut arrêté, le Sud-Africain descendit, prit un club dans son sac à l'arrière, s'approcha de sa balle et s'aligna pour la frapper. Après deux coups d'essai, il s'arrêta et se concentra, puis effectua un swing très arrondi. La balle fusa de la tête du club, gagnant progressivement de la hauteur. Au bout d'une centaine de mètres, elle retomba dans l'herbe et atterrit à moins de dix mètres du green, évitant de justesse le bunker.

— Donc, sous forme de poudre vaporisée par voie aérienne, cela fonctionnerait?

— Si vous pouvez vous approcher suffisamment près de votre cible en avion.

— Avez-vous une meilleure idée? demanda Hickman en accélérant pour se rendre jusqu'à sa balle.

— Oui, répondit Vanderwald, frapper vos ennemis en plein cœur. Mais cela va vous coûter cher.

— Croyez-vous vraiment, répliqua Hickman, que l'argent soit un problème?

ARFOIS, la température est autant un état d'esprit qu'une condition climatique. Si on voit des vagues de chaleur s'élever de l'asphalte, on pense qu'il fait plus chaud à l'extérieur que si la route est couverte de neige. Juan Cabrillo ne nourrissait aucune illusion à ce sujet. La vue qu'il avait eue par le hublot depuis l'Islande jusqu'au Groenland en passant par le détroit du Danemark était propre à vous glacer le cœur et vous donner envie de vous frotter les mains par pur réflexe. La rive est du Groenland était hérissée de montagnes nues et désolées. Sur les milliers de kilomètres carrés de l'est du Groenland, vivaient moins de cinq mille habitants.

Le ciel était d'un bleu-noir profond, troublé de nuages qui apportaient la neige. Nul besoin de tremper la main dans les eaux recouvertes de blanc pour savoir que la température était négative et que le torrent impétueux ne coulait qu'à cause du sel contenu dans l'eau. La fine pellicule de glace qui couvrait les ailes et le givre du pare-brise ajoutait à l'impression générale, mais la couche de glace épaisse qui recouvrait le Groenland, à peine visible à travers la vitre, lui donnait un caractère des plus glaçants et terrifiants.

Cabrillo frissonna involontairement et regarda par son hublot.

— Nous arrivons dans dix minutes, l'informa le pilote. Les instruments indiquent un vent de seulement 15 à 20 kilomètres-heure. L'atterrissage devrait être du gâteau.

— OK, répondit Cabrillo d'une voix forte pour couvrir le bruit des moteurs.

Ils poursuivirent leur trajectoire en silence vers les montagnes du rivage qui se rapprochaient.

Quelques minutes plus tard, Cabrillo entendit et sentit le moteur ralentir à l'approche de l'aéroport. Le pilote fit pivoter l'avion qui était en vent de travers et se mit en vent arrière pour être parallèle à la piste. Ils volèrent encore quelques instants et Cabrillo observa le pilote ajuster ses commandes. Au bout d'une minute, le pilote tourna en étape de base puis vola encore sur une courte distance avant de tourner de nouveau en phase d'approche finale.

— Accrochez-vous, dit-il, nous allons bientôt atterrir.

Cabrillo contempla l'étendue désolée et glacée. Les lumières qui bordaient la piste d'atterrissage jetaient une pâle lueur dans ce lugubre après-midi. Tantôt on apercevait les marques sur la piste d'atterrissage, tantôt elles étaient dissimulées par les rafales de neige. Cabrillo aperçut la manche à air légèrement gonflée à travers la brume et la pénombre.

L'aérodrome de Kulusuk, où ils atterrissaient, desservait un petit village de quatre cents habitants et se résumait à une piste de gravier encaissée derrière une barrière rocheuse avec deux petits bâtiments. La ville la plus proche, Angmagssalik, ou Tasiilaq en inuit, se trouvait à dix minutes d'hélicoptère, et elle comptait trois fois plus d'habitants que Kulusuk.

Lorsque l'avion se trouva juste au-dessus de la piste, le pilote tira sur le manche et le redressa contre le vent. Une seconde plus tard, il épousait la piste aussi légèrement qu'une plume. Roulant sur le gravier recouvert de neige, il s'arrêta devant un bâtiment métallique. Après avoir passé en revue sa check-list, le pilote éteignit le moteur et tendit la main vers le bâtiment.

— Il faut que je fasse le plein de carburant, dit-il. Vous devriez m'attendre à l'intérieur.

A L'INSTANT même où Cabrillo atterrissait à Kulusuk, le pilote du Hawker 800XP coupait son moteur à l'aéroport international de Kangerlussuaq, sur la côte ouest du Groenland. Cet aéroport comprenait une piste bitumée longue de mille huit cents mètres qui pouvait accueillir de gros avions et servait souvent de point de ravitaillement en carburant pour les avions-cargos à destination de l'Europe et au-delà. Il se trouvait à plus de six cents kilomètres du mont Forel, mais c'était le seul aéroport de la région capable d'accueillir le Hawker.

Clay Hughes attendit que le copilote ait déverrouillé la porte, puis il se leva.

— Quels sont vos ordres ? demanda Hughes.

— Nous devons attendre soit votre retour, dit le copilote, soit un coup de fil du patron qui nous dise de partir.

— Comment puis-je vous joindre ?

Le copilote tendit à Hughes une carte de visite.

— Voici le numéro du téléphone satellite que le pilote garde sur lui. Appelez-nous environ une demi-heure avant le départ.

— Est-ce qu'on vous a dit comment j'étais censé me rendre là-bas ?

Le pilote sortit la tête du cockpit.

— Il y a un homme qui s'approche de l'avion, dit-il avec un geste en direction du pare-brise. J'imagine qu'il est là pour vous.

Clay Hughes rangea la carte dans la poche de sa parka.

— Très bien.

Un vent glacial balayait la piste, éparpillant la neige poudreuse et sèche comme des confettis sur le parcours d'un défilé. Dès que Hughes commença à descendre la passerelle, ses yeux se mirent à larmoyer.

— Vous devez être la personne que je dois conduire au mont Forel, dit l'homme en tendant la main. Je m'appelle Mike Neilsen.

Hughes se présenta sous un faux nom, puis il jeta un coup d'œil à l'avion.

— Vous êtes prêt à partir ?

— Pas avant demain matin, dit Neilsen. Deux chambres d'hôtel ont été réservées pour les pilotes et vous. Nous partirons à l'aube, pourvu que le temps se dégage.

Les hommes se dirigèrent vers le terminal.

— Avez-vous un rayon d'action suffisant pour voler d'ici au mont Forel ? demanda Hughes.

— J'ai un rayon d'action de neuf cent cinquante kilomètres quand l'air est calme, lui répondit Neilsen. Toutefois, par mesure de sécurité, je pense que nous devrions reprendre du carburant à Tasiilaq avant de nous diriger vers la montagne.

Ils atteignirent le bâtiment de l'aérogare et Neilsen ouvrit la porte avant de faire signe à Hughes d'entrer, puis le conduisit jusqu'à un bureau où se trouvait un Inuit, assis devant une table métallique d'aspect ordinaire. Ses pieds chaussés de mukluks étaient posés sur le bureau, et il dormait.

— Isnik, appela Neilsen, au boulot.

L'homme ouvrit les yeux et regarda les nouveaux arrivants.

— Salut, Mike ! dit-il chaleureusement. Votre passeport, s'il vous plaît, demanda-t-il à Hughes.

Hughes lui tendit un passeport américain avec un faux nom et sa vraie photo. Isnik ne jeta qu'un coup d'œil distrait au document, puis il donna un coup de tampon.

— Quel est le motif de votre séjour ?

— Recherche scientifique, répondit Hughes.

— Je suppose que personne ne vient ici pour le beau temps, pas vrai ? fit Isnik en notant quelque chose sur une bande de papier.

— Pouvez-vous demander aux pilotes de nous rejoindre à l'hôtel lorsqu'ils auront passé la douane ? demanda Neilsen.

51

— Pas de problème, répondit Isnik en remettant ses bottes sur le bureau.

Neilsen entraîna Hughes vers la porte de sortie.

— C'est une ancienne base de l'US Air Force, dit-il. L'hôtel était la partie hébergement de la base. Il n'est pas mal du tout, d'ailleurs. Il possède la seule piscine intérieure du Groenland et il a même un bowling de six pistes. C'est ce qui s'approche le plus d'un quatre-étoiles dans ce pays.

Les deux hommes traversèrent le parking jusqu'à l'hôtel tout proche où Hughes reçut sa clé. Deux heures plus tard, après un repas de steak de bœuf musqué et de frites, il se prépara pour la nuit. On n'était encore qu'en début d'après-midi mais la journée du lendemain promettait d'être bien remplie et il voulait être parfaitement reposé.

9

JUAN Cabrillo franchit la douane du petit aérogare de Kulusuk en coup de vent, puis se plongea dans l'observation d'une carte affichée près de la sortie. Au cours des brefs mois d'été, l'île de Kulusuk était entourée d'eau, mais dès l'arrivée de l'automne et la baisse de la température, l'eau de mer se transformait en épaisses couches de glace. Si cette glace n'était jamais assez résistante pour supporter le poids d'une locomotive par exemple, les voitures, les camions et les véhicules spéciaux pour la neige n'avaient eux aucun mal à entreprendre la traversée jusqu'au continent.

En hiver, Kulusuk n'était plus une île ; elle était reliée au Groenland par la glace.

De l'endroit où se trouvait Cabrillo, il y avait une centaine de kilomètres à parcourir vers le nord pour franchir la limite du Cercle polaire, et ensuite il restait encore vingt kilomètres jusqu'au mont Forel. Le solstice d'hiver, qui était le seul jour d'obscurité totale sur la ligne du cercle Arctique, n'était passé que de quelques jours.

Au nord du Cercle, selon l'endroit où l'on se rendait, cette obscurité pouvait durer plus longtemps. Plus on allait au nord, plus la nuit était longue. Sur la ligne exacte du Cercle, et au sud, le 22 décembre marquait un tournant : en même temps que l'hiver se déroulait et avançait vers le printemps, la lumière du jour augmentait. A l'arrivée de l'été, le soleil de minuit se lèverait et au nord du Cercle polaire, il ne se coucherait plus pendant quelque temps.

Ce cycle s'était répété depuis la nuit des temps.

Dehors le vent hurlait en projetant des boulettes de neige durcie par le gel contre les fenêtres du terminal. Le temps était aussi engageant que l'intérieur d'un camion de boucherie réfrigéré. Cabrillo jeta un coup d'œil et frissonna. Bien qu'il fût toujours à l'intérieur, il remonta la fermeture Eclair de sa parka.

Puisque Kulusuk était tout juste au sud du cercle Arctique, ils bénéficieraient de quelques minutes de lumière aujourd'hui, tandis que le mont Forel était encore dans l'obscurité totale. Les jours et semaines à venir verraient les premiers rayons du soleil accrocher le sommet de la montagne. Puis, à mesure que les mois passeraient, le soleil se mettrait à ruisseler sur les pentes, comme un pot de peinture jaune versé sur une pyramide.

Mais à regarder dehors en cet instant, on n'aurait jamais songé que le soleil était proche ou qu'il avait pu l'être un jour.

Toutefois, ce qui inquiétait Cabrillo, davantage que l'obscurité, c'était de trouver un moyen de transport. Il s'éloigna vers un coin du terminal, sortit un téléphone satellite et appuya sur une touche d'appel abrégé.

— Qu'est-ce que tu as trouvé ? demanda-t-il lorsque Hanley répondit.

A cause du caractère urgent de la demande d'Overholt, Cabrillo avait quitté l'*Oregon* sans avoir défini de moyen de se rendre au mont Forel, Hanley lui ayant assuré qu'il aurait le temps de s'en occuper avant qu'il atterrisse.

— Il y a des traîneaux à louer, déclara Hanley, mais il te faudrait un guide pour les chiens et j'ai pensé que tu ne voudrais pas de témoin, donc j'ai éliminé cette solution. Les hélicoptères qui desservent Kulusuk ont des itinéraires réguliers : ils vont à Tasiilaq et ils reviennent, mais ils ne prennent pas de passagers à la demande et vu le temps aujourd'hui, ils restent au sol.

— Ce n'est pas un temps à marcher, déclara Cabrillo en regardant dehors.

— Ni à skier, ajouta Hanley, bien que tu aimes te vanter de tes talents de skieur.

— Alors, il reste quoi ?

— J'ai fait une recherche par ordinateur sur les véhicules à louer dans la région ; ça n'a pas pris longtemps puisqu'il n'y a que quatre cents habitants environ à Kulusuk. J'ai éliminé les motoneiges qui t'exposeraient trop au froid et à la neige, sans compter qu'elles ont tendance à tomber en panne. Il ne reste plus que les autoneiges. Elles sont lentes et consomment beaucoup de carburant, mais elles ont du chauffage et disposent de plein de place pour stocker du matériel et des provisions. Je pense que c'est ce que nous pouvons trouver de mieux.

— Ça me paraît bien, dit Cabrillo. Où se trouve le loueur de véhicules ?

— Il n'y en a pas vraiment, dit Hanley, mais j'ai sorti les noms et les adresses des particuliers qui en possèdent, et j'ai passé quelques coups de fil. Les propriétaires n'ont pas le téléphone mais j'ai pu joindre le pasteur de l'église locale ; il m'a dit qu'à son avis, un homme serait d'accord pour te louer le sien ; quant aux autres, ils ne sont pas disponibles.

— Tu as l'adresse ? demanda Cabrillo en sortant un crayon et un petit bloc de sa parka.

— C'est la sixième maison après l'église, des murs rouges avec une bordure jaune.

— Il n'y a plus de vraies adresses, à cette latitude ?

— Sans doute que tout le monde se connaît, dit Hanley.

— Eh bien, ça a l'air sympa comme coin.

— Ça, je n'en suis pas si sûr, répondit Hanley. Le pasteur a dit que le propriétaire de l'autoneige picole beaucoup pendant l'hiver. Il a aussi précisé que presque tout le monde en ville porte des armes à feu pour se protéger contre les ours.

Cabrillo hocha la tête.

— Donc, tu es en train de me dire que je dois convaincre un Groenlandais saoul et armé de me louer son autoneige, et qu'ensuite, je pourrai décoller.

Il tapota les liasses de billets de cent dollars dans la poche de sa parka.

— Ça m'a pas l'air bien sorcier, conclut-il.

— Encore une chose : en fait, ce n'est pas un Groenlandais. Il a grandi à Arvada, dans le Colorado, et a été mobilisé pendant la guerre du Vietnam. D'après ce que j'ai trouvé dans les bases de données, à son retour, il a effectué plusieurs séjours dans des hôpitaux d'anciens combattants. Puis il a quitté le pays, désireux de partir le plus loin possible des Etats-Unis.

Cabrillo regarda par la fenêtre.

— On dirait qu'il a atteint son but.

— Je suis désolé, Juan, dit Hanley. A deux jours près, après la fin du Sommet, nous aurions pu déplacer l'*Oregon* et Adams t'aurait déposé en hélicoptère. Mais pour le moment, c'est le mieux que je puisse t'offrir.

— T'en fais pas, répondit Cabrillo. Sixième maison après l'église.

— Les murs rouges, dit Hanley, et les bordures de fenêtres jaunes.

— Bon, eh bien, je te laisse, j'ai rendez-vous avec un psychopathe.

Il raccrocha et se dirigea vers la sortie.

Cabrillo laissa ses caisses de matériel à l'aéroport et s'approcha d'un taxi motoneige à côté duquel se tenait un adolescent inuit. Le garçon fronça les sourcils lorsque Cabrillo lui donna l'adresse, mais il ne dit rien. Il semblait surtout s'inquiéter du prix de la course, qu'il lui indiqua en couronnes danoises.

— Et en dollars américains ? demanda Cabrillo.

— Vingt dollars, répondit le garçon sans hésitation.

— Parfait, dit Cabrillo en lui tendant un billet.

L'adolescent enfourcha la moto et tendit la main vers le démarreur.

— Vous connaissez Garth Brooks ? demanda le garçon, supposant qu'aux Etats-Unis, comme dans son petit village, tout le monde se connaissait.

— Non, répondit Cabrillo. Mais j'ai déjà joué au golf avec Willie Nelson.

— Cool. Il est bon ?

— Il a un sacré slice, répondit Cabrillo tandis que le garçon faisait rugir le moteur.

— Montez ! cria le garçon.

Une fois que Cabrillo fut assis, le garçon s'éloigna à toute allure de l'aéroport. Le phare de la motoneige transperçait à peine l'obscurité et les rafales de neige. Kulusuk n'était qu'un petit hameau situé à un peu plus d'un kilomètre de l'aéroport. Les côtés des maisons étaient partiellement recouverts de congères. Des panaches de fumée et de vapeur d'eau s'échappaient de l'intérieur. Des meutes de chiens étaient rassemblées près des maisons, avec de nombreuses motoneiges ; des skis étaient enfoncés dans la neige, spatule vers le haut, et des après-ski étaient accrochés à des clous près des portes.

La vie à Kulusuk semblait rude et austère.

Au nord de la ville, on devinait à peine l'étendue gelée qui reliait l'île au continent. La surface de la glace était noire et lissée par le vent qui balayait la neige et l'empilait en petites congères qui se défaisaient et se reformaient sans cesse. On devinait la silhouette des collines de l'autre côté de la glace, d'une autre nuance de gris adossée à un fond vide. Le paysage était aussi engageant que la visite d'un crématorium. Cabrillo sentit la moto ralentir et s'arrêter.

Il descendit sur la neige damée.

— A plus tard, lui lança l'adolescent avec un rapide signe de la main.

Puis il tourna le volant d'un grand coup vers la gauche, fit demi-tour sur la rue couverte de neige et s'éloigna, laissant Cabrillo seul dans le froid et l'obscurité. Il observa un instant la maison à moitié enfouie sous la neige, puis il se dirigea vers la porte, entre les congères, et s'arrêta un instant sur le seuil avant de frapper.

10

HICKMAN étudiait les fichiers du Bureau de l'approvisionnement d'Arabie Saoudite que ses informaticiens pirates avaient sorti d'une base de données. Ils avaient été traduits de l'arabe en anglais mais la traduction était loin d'être parfaite. Parcourant les listes, il prenait des notes en marge. Une entrée le frappa. Il s'agissait de « coussins d'agenouillement en laine tissée » et le fournisseur se trouvait à Maidenhead, en Angleterre. Il appuya sur le bouton de son interphone pour parler à sa secrétaire.

— Il y a un certain M. Whalid qui travaille pour moi à l'hôtel Nevada. Je crois qu'il est directeur adjoint des nourritures et boissons.

— Oui, monsieur, répondit sa secrétaire.

— Faites-le appeler immédiatement, dit Hickman. J'ai une question à lui poser.

Quelques minutes plus tard, son téléphone sonna.

— Ici Abdu Whalid, dit une voix. On m'a demandé de vous appeler.

— Oui, répondit Hickman. Appelez pour moi cette société en Angleterre – il lui dicta le numéro de téléphone – et présentez-vous comme un officiel d'Arabie Saoudite. Ils ont reçu une commande de « coussins d'agenouillement en laine tissée » et je voudrais savoir ce que cela signifie.

— Puis-je vous demander pourquoi, monsieur ?

— Je possède des fabriques de tissu, mentit Hickman. Je voudrais savoir ce que sont ces articles, parce que si nous pouvons les fabriquer, j'aimerais savoir pourquoi mes gars n'ont pas répondu à l'appel d'offre.

Cela parut sensé à Whalid.

— Très bien, monsieur. Je vais les appeler et je vous tiens immédiatement au courant.

— Parfait, répondit Hickman qui se remit à scruter la photographie de la météorite.

Dix minutes plus tard, Whalid le rappelait.

— Ce sont des tapis de prière, monsieur. Si la commande est si importante, c'est parce que l'Arabie Saoudite veut remplacer tout son stock de tapis de La Mecque. Apparemment, ils le font environ tous les dix ans.

— Hmm, nous avons donc raté une opportunité qui ne se représentera pas avant un moment, c'est dommage.

— Je le regrette, monsieur, dit Whalid. Je ne sais pas si vous êtes au courant que j'ai dirigé une usine textile dans mon pays avant le coup d'Etat. Je serais très intéressé par...

Hickman le coupa sans ménagement. Son esprit s'emballait.

— Envoyez-moi votre CV, Whalid. Je m'assurerai qu'il soit transmis à la bonne personne.

— Je comprends, monsieur, répondit humblement Whalid.

Hickman raccrocha sans même prendre congé.

Pieter Vanderwald répondit à l'appel sur son téléphone cellulaire alors qu'il était au volant de sa voiture de location et s'apprêtait à entrer dans Palm Springs, en Californie.

— C'est moi, dit une voix.

— Cette ligne n'est pas sécurisée, dit Vanderwald, donc tenons-nous-en aux généralités et ne dépassons pas trois minutes.

— La substance dont nous avons parlé, demanda l'homme, pourrait-elle être appliquée sous forme d'aérosol ?

— C'est une manière de l'utiliser. Elle se transférerait ensuite par l'air ou serait distribuée par une chaîne humaine, par le toucher ou la toux.

— Cette substance se transmettrait-elle ensuite d'une personne à l'autre si elle se trouvait sur des vêtements ?

Vanderwald jeta un coup d'œil à l'horloge digitale de l'autoradio. La moitié du temps imparti s'était écoulée.

— Oui, elle se transférerait à partir des vêtements et de la peau, même par l'air.

— Combien de temps quelqu'un ayant été exposé mettrait-il à mourir ?

L'horloge digitale de la voiture changea de chiffre.

— Une semaine, peut-être moins. Je serai joignable sur mon téléphone fixe ce soir si vous voulez parler plus longtemps.

L'homme raccrocha et se cala dans son fauteuil, le sourire aux lèvres.

— Ce prix de vente de plus de deux millions me semble un peu exagéré, si on prend en compte le chiffre d'affaires de l'an dernier, déclara l'avocat au téléphone. Une fois qu'ils auront honoré les contrats qu'ils ont en ce moment, leurs carnets de commandes seront vides.

— Concluez seulement l'affaire, dit Hickman d'une voix calme. Je compenserai les pertes par les profits de ma propriété des Docklands.

— C'est vous le patron.

— Vous avez tout compris.

— Quels fonds voulez-vous utiliser ?

Hickman fit défiler une liste sur son écran.

— Utilisez le compte de Paris, dit-il, mais je veux que cette transaction soit achevée au plus tard dans les soixante-douze heures.

— Vous croyez qu'il va y avoir une pénurie d'usines de tissage britanniques dans les prochains jours, demanda l'avocat, ou bien vous savez quelque chose que j'ignore ?

— Je sais beaucoup de choses que vous ignorez, dit Hickman, mais si vous continuez à discuter, vous n'aurez plus que soixante et onze heures pour monter tout cela. Faites votre métier et laissez-moi m'occuper du planning.

— Je m'en occupe, monsieur, répondit l'avocat avant de raccrocher.

Hickman se laissa aller contre son dossier et se relaxa un moment. Puis il prit une loupe pour examiner une carte et ouvrit ensuite un dossier dans lequel se trouvaient des photos.

Les clichés représentaient les victimes des bombardements de

Hiroshima et Nagasaki. Et bien qu'ils soient explicites et choquants, l'homme sourit. L'heure de ma vengeance a sonné, songea-t-il.

Le soir, il appela Vanderwald sur son poste fixe.

— J'ai trouvé une meilleure solution, dit Vanderwald. C'est un virus vaporisé par les airs et qui affecte les poumons. Hautement toxique ; il devrait tuer quatre-vingts pour cent de la population.

— Combien ? demanda Hickman.

— La quantité dont vous aurez besoin coûte six cent mille dollars.

— Vous pouvez le commander, dit Hickman, avec le plus possible d'explosif C-6.

— Quelle est la taille de la structure que vous avez l'intention de détruire ?

— La taille du Pentagone.

— Dans ce cas, ça montera à un million deux.

— En chèque de banque ? demanda Hickman.

— En or, rectifia Vanderwald.

CABRILLO scruta les cornes de bœuf musqué sur la porte, puis il tendit la main et souleva un heurtoir métallique en forme de poing et le laissa retomber contre le bois massif. Il entendit un pas lourd à l'intérieur, puis plus rien. Tout à coup, une petite ouverture dans la porte, de la taille d'une miche de pain, s'ouvrit et un visage apparut. L'homme avait des joues maigres, une barbe grise tachée de nicotine, une moustache grise et des yeux injectés de sang. Ses dents étaient jaunes et sales.

— Passez-le par le trou.

— Quoi donc ? demanda Cabrillo.

— Le Jack, dit l'homme, ma bouteille de Jack.

— Je suis là pour vous parler de votre autoneige que je souhaite louer.

— Vous n'êtes pas de la boutique ? fit l'homme d'une voix qui trahissait une déception proche du désespoir.

— Non, répondit Cabrillo, mais si vous me laissez entrer vous parler, je descendrai ensuite vous chercher une bouteille.

— Du Jack Daniels, on est bien d'accord, hein ? Pas de la gnôle de mauvaise qualité, hein ?

Cabrillo avait de plus en plus froid à chaque seconde.

— Oui, fabriqué à Lychburg, Tennessee, étiquette noire, je vois ce que vous voulez dire. Maintenant, ouvrez cette porte.

Le trou se referma et l'homme déverrouilla la porte. Cabrillo pénétra dans un salon dépouillé et en désordre. La poussière de l'été précédent recouvrait les tables et les bords des cadres. On sentait une odeur mêlée de vieux poisson et de pieds. Deux lampes, sur deux dessertes, jetaient des halos de lumière jaune dans la pièce, par ailleurs sombre.

— Excusez le désordre, dit l'homme. Ma femme de ménage a démissionné il y a quelques années.

Cabrillo resta près de la porte, peu désireux d'avancer plus loin.

— Comme je vous l'ai dit, je souhaite louer votre autoneige.

L'homme s'assit dans un fauteuil usé. Une bouteille d'un litre de whisky se trouvait sur la table à côté de lui. Elle était presque vide ; il restait à peine plus de deux centimètres au fond. Puis, comme s'il avait été mû par un ressort, l'homme se versa la dernière rasade dans une tasse à café ébréchée, et en prit une gorgée.

— Où prévoyez-vous d'aller ? demanda l'homme.

Avant que Cabrillo ait pu donner sa réponse, l'homme fut pris d'une quinte de toux et Cabrillo dut attendre qu'elle se soit apaisée.

— Au mont Forel.

— Vous faites partie du groupe d'archéologues ?

— Oui, mentit Cabrillo.

— Vous êtes américain ?

— Ouais.

L'homme hocha la tête.

— Excusez mes manières. Je m'appelle Woody Campbell, tout le monde en ville m'appelle Woodman.

Cabrillo s'avança et tendit sa main gantée à Campbell.

— Juan Cabrillo.

Ils se serrèrent la main, puis Campbell lui indiqua un fauteuil près de lui. Cabrillo s'assit et Campbell le scruta sans parler. Le silence s'abattit sur la pièce comme une brique sur une chips. Au bout de quelques instants, Campbell se décida à parler.

— Vous ne m'avez pas l'air d'un universitaire, dit-il finalement.

— Et à quoi doit ressembler un archéologue, selon vous ?

— Pas à quelqu'un qui s'est battu à la guerre, dit Campbell, quelqu'un qui a dû prendre la vie d'un autre homme.

— Vous êtes saoul, dit Cabrillo.

— Juste assez pour tenir le coup, dit Campbell, mais je vois que vous ne niez pas.

Cabrillo ne dit rien.

— L'armée? demanda Campbell qui ne lâchait pas le sujet.

— La CIA, mais cela fait déjà un moment.

— Je savais que vous n'étiez pas archéologue.

— La CIA emploie des archéologues, fit remarquer Cabrillo.

A ce moment-là, on frappa à la porte. Cabrillo fit signe à Campbell de rester assis et se dirigea vers la porte. Un Inuit vêtu d'une combinaison de neige se tenait là avec un sac à la main.

— C'est le whisky? demanda Cabrillo.

L'homme hocha la tête. Cabrillo mit la main dans sa poche, d'où il sortit un billet de cent dollars, qu'il tendit à l'homme.

— Je n'ai pas la monnaie, dit l'Inuit.

— Est-ce que cela suffit pour payer celle-ci et en commander une autre, demanda Cabrillo, plus un pourboire pour le dérangement?

— Oui, répondit l'Inuit, mais le propriétaire ne m'autorise à livrer qu'une seule bouteille par jour à Woodman.

— Apportez l'autre demain et gardez la monnaie, lui dit Cabrillo.

L'homme acquiesça et Cabrillo referma la porte. Il revint avec le whisky, s'approcha de Campbell et le lui tendit. Campbell sortit la bouteille du sac, roula le papier en boule, le lança en direction de la poubelle, qu'il rata, puis il dévissa le bouchon et remplit sa tasse.

— Je vous remercie, dit-il.

— Vous ne devriez pas, dit Cabrillo. Vous devriez arrêter.

— Je ne peux pas, dit Campbell en regardant la bouteille. J'ai essayé.

— Que dalle. J'ai travaillé avec des types qui avaient un plus gros problème d'alcool que vous, et ils sont sobres aujourd'hui.

Campbell restait tranquillement assis.

— Eh bien, monsieur CIA, si vous trouvez un moyen de me rendre sobre, cette autoneige est à vous. Je ne l'ai pas utilisée depuis des mois, je ne peux plus sortir de chez moi.

— Vous avez été dans l'armée.

— Mais vous êtes qui, bon sang? demanda Campbell. Personne au Groenland ne le sait.

— Je dirige une entreprise spécialisée dans le renseignement et la sécurité, une entreprise privée. Nous pouvons découvrir n'importe quoi.

— C'est pas une blague ?

— Non, ce n'est pas une blague. Quel travail faisiez-vous dans l'armée ? Je n'ai pas posé la question à mes collaborateurs.

— Les Bérets verts, puis le projet Phoenix.

— Alors vous avez aussi travaillé pour la Compagnie ?

— Indirectement, admit Campbell, mais ils m'ont lâché. On m'a entraîné, on m'a conditionné, puis on m'a jeté. Je suis revenu chez moi avec pour seuls bagages un problème d'héroïne que j'ai réussi à vaincre tout seul, et une flopée de mauvais souvenirs.

— Je vois, dit Cabrillo. Maintenant, dites-moi où est l'autoneige.

— Dehors, par là, répondit Campbell en désignant une porte qui donnait sur l'arrière de la maison.

— Je vais y jeter un coup d'œil, dit Cabrillo en se dirigeant vers la porte. Vous, restez assis et essayez de décider si vous voulez vraiment vous en sortir. Si c'est oui, et si l'autoneige fonctionne, alors j'ai une idée dont on pourra discuter. Sinon, on pourra envisager que je vous donne assez d'argent pour vous approvisionner en Jack Daniels jusqu'à ce que votre foie vous lâche. Ça vous va ?

Campbell hocha la tête et Cabrillo sortit.

Etonnamment, l'autoneige était en parfait état. Il s'agissait d'une Thiokol Spryte de 1970, le modèle 1202B-4 à larges chenilles. Equipée d'un moteur Ford six cylindres de trois litres avec un boîtier de quatre vitesses, sa carrosserie évoquait une camionnette avec un plateau découvert à l'arrière. Une barre de phares était montée sur le toit, un réservoir supplémentaire de carburant se trouvait à l'arrière et les chenilles semblaient presque neuves. Cabrillo ouvrit la portière : les deux sièges étaient séparés par une bosse métallique où se trouvait un étrange levier de vitesse. Devant le siège du conducteur, deux autres leviers contrôlaient la direction semblable à celle d'un char. Cabrillo savait qu'avec une pichenette sur l'un de ces leviers, la Thiokol était capable de tourner sur ses chenilles en formant un cercle. Le tableau de bord en métal comportait divers compteurs et jauges face au conducteur, ainsi que des ventilations de chauffage plus bas. Derrière le siège, accroché à un râtelier fixé aux deux bouts du pare-brise arrière, se trouvait un fusil de gros calibre. Il y avait également des fusées de détresse, une trousse à outils avec des pièces de rechange et des cartes plastifiées détaillées.

Tout était en bon état, huilé et peint de fraîche date.

Cabrillo acheva son inspection et rentra dans la maison. Il s'arrêta sur le seuil pour ôter la neige de ses bottes, puis avança jusqu'au salon.

— Quelle distance peut-elle parcourir? demanda-t-il à Campbell.

— Avec le réservoir supplémentaire et quelques jerricans, elle fera l'aller-retour au mont Forel, avec cent cinquante kilomètres de marge en cas de problème ou d'avalanche, dit Campbell. Je n'hésiterais pas à faire un voyage avec; elle ne m'a jamais laissé tomber.

Cabrillo s'approcha d'un poêle à mazout.

— La balle est dans votre camp.

Campbell garda le silence. Il contempla la bouteille, leva les yeux vers le plafond, puis les baissa et réfléchit un instant. A ce rythme-là, il lui restait peut-être encore un été. Ensuite, son corps se mettrait à dépérir, ou bien encore il commettrait une erreur d'ivrogne dans cette région où les erreurs ne pardonnent pas. Il avait cinquante-sept ans et l'impression d'être centenaire. Il avait touché le fond.

— J'en ai assez, dit Campbell.

— Ce n'est pas si simple, dit Cabrillo. Vous aurez une dure bataille à mener.

— Je suis prêt à essayer, dit Campbell.

— Nous vous emmènerons en désintoxication en échange de l'autoneige. Avez-vous de la famille?

— Deux frères et une sœur dans le Colorado, avoua Campbell, mais je ne leur ai pas adressé la parole depuis des années.

— Vous avez le choix, énonça Cabrillo : soit vous rentrez vous faire soigner, soit vous mourez ici.

Pour la première fois depuis des années, Campbell sourit.

— Je crois que je préfère rentrer.

— Il va falloir tenir le coup pendant quelques jours, dit Cabrillo. D'abord, je vais avoir besoin que vous me montriez l'itinéraire ici sur les cartes, et m'aidiez à me préparer. Ensuite, je vais vous laisser mon deuxième téléphone satellite pour pouvoir vous appeler si j'ai des ennuis. Vous pensez que vous pourrez gérer cela?

— Je ne pourrai pas m'arrêter de boire d'un seul coup, répondit Campbell avec sincérité. J'aurais des convulsions ou une crise de manque mortelle.

— Ce n'est pas ce que je souhaite, ni ce que je vous demande, dit Cabrillo. Pour y arriver, vous aurez besoin d'une prise en charge médicale. Je veux seulement que vous gardiez l'esprit assez clair pour répondre au téléphone et me donner des conseils si je suis confronté à des difficultés que je ne sais pas résoudre.

— Ça, je peux y arriver.

— Alors tenez le coup, dit Cabrillo en sortant son téléphone pour appeler l'*Oregon*, et laissez-moi m'occuper de tout.

Campbell huma le vent et regarda vers le nord. La Thiokol ronronnait paisiblement à quelques pas. La remorque était chargée de jerricans de carburant supplémentaires et des caisses de matériel que Cabrillo était allé rechercher à l'aéroport. Il finissait de ranger les caisses de nourriture et celles qu'il voulait protéger du gel à l'intérieur, sur le siège passager et en dessous. La porte était ouverte et la chaleur du radiateur créait des nuages de vapeur.

— Il y a une tempête de neige qui arrive, dit Campbell, mais je pense qu'elle n'éclatera pas avant demain après-midi ou demain soir.

— Bien, dit Cabrillo, qui avait terminé et s'était redressé. Vous vous rappelez comment fonctionne le téléphone satellite ?

— Je suis alcoolique, rétorqua Campbell, pas complètement demeuré.

Cabrillo se tourna vers lui dans l'obscurité.

— Combien de temps doit prendre le trajet, selon vous ?

— Vous y serez demain matin, dit Campbell, si vous suivez mon itinéraire.

— J'ai un GPS portable et une boussole dans le véhicule, en plus des cartes que vous avez annotées. Je crois que je suis paré.

— Quoi que vous fassiez, dit Campbell, suivez cet itinéraire. Vous allez longer la glace pendant un bon bout de temps, mais ensuite vous serez obligé de monter dessus. Ce sera accidenté et jamais pareil. Si vous avez des problèmes ou que vous vous retournez, les secours seront très longs à venir jusqu'à vous. Peut-être trop longs.

Cabrillo hocha la tête, puis il fit un pas en avant et serra la main de Campbell.

— Prenez soin de vous, dit-il en essayant de couvrir le rugissement grandissant du vent, et allez-y mollo sur le whisky en attendant que nous vous trouvions un traitement.

— Je ne vous laisserai pas tomber, monsieur Cabrillo, dit Campbell, et merci de vous occuper de ça ; pour la première fois depuis longtemps, j'ai l'impression qu'il y a de la lumière au bout du tunnel. Un espoir, peut-être.

Cabrillo hocha la tête, puis il grimpa dans la cabine de la Thiokol. Une fois à l'intérieur, il referma la porte et ôta sa parka. Il fit vrombir le moteur, puis le laissa tourner au ralenti. Ensuite il appuya sur l'embrayage, passa la première et s'éloigna lentement de la maison. Les chenilles de l'autoneige faisaient tourbillonner la neige sur leur passage.

Campbell attendit sous l'auvent à l'arrière de sa maison jusqu'à ce que les feux de la Thiokol aient disparu dans l'obscurité. Puis il rentra et se versa une dose de whisky mesurée avec soin. Il fallait calmer les démons qui commençaient à montrer leur vrai visage.

Cabrillo sentit la ceinture trois points tirer sur sa taille tandis que la Thiokol gravissait la colline en direction de la couche de glace qui menait au continent. Lorsque l'autoneige fut sur le plat et eut franchi les derniers mètres de terre recouverte de neige avant le fjord gelé, il sentit une montée d'adrénaline. Sous la glace, à quelques dizaines de centimètres sous lui, se trouvait une eau à 0°C, profonde de trois cents mètres avec un fond rocheux.

Si la Thiokol tombait sur un endroit fragile et qu'elle sombrait, Cabrillo ne vivrait que quelques secondes.

Bannissant cette pensée, il appuya sur l'accélérateur.

Les chenilles de l'autoneige touchèrent le bord de la glace, puis pénétrèrent sur le désert gelé. Les phares du toit illuminaient la neige qui tombait en rafales tandis que la Thiokol avançait sur la glace. Les rafales de vent faisaient danser les flocons de neige et tordaient leur reflet, donnant l'impression que l'horizon affluait et refluait sans cesse. Cabrillo était perdu dans un monde sans repères, ni spatiaux ni temporels.

Un homme d'une autre trempe aurait eu peur.

12

À Reykjavik, Max Hanley travaillait dur à bord de l'*Oregon*. Le Sommet pour la Paix des pays arabes touchait à sa fin et après les réunions du lendemain matin, l'émir devait embarquer à bord de son 737. Sa sécurité serait alors prise en charge par ses équipes habituelles.

Jusque-là, l'opération s'était parfaitement déroulée. L'émir avait pu se déplacer librement en Islande avec une équipe de sécurité presque invisible. Les membres de la Corporation étaient des experts pour se fondre dans le décor. Ce jour-là, après la conclusion des débats, l'émir avait voulu visiter le Trou Bleu, un bassin d'eau chaude naturelle non loin de là, qui avait été créé lors de la construction d'une nouvelle centrale géothermique. Là, une eau riche en minéraux courait sur des hectares de roche volcanique pour former une oasis de chaleur. La vapeur qui s'élevait des eaux naturellement chaudes montait en tourbillons et formait des nuages comme dans un hammam. Les baigneurs apparaissaient et disparaissaient comme des fantômes à travers la brume d'un cimetière.

Six membres de la Corporation s'étaient répartis au bord de l'eau tandis que l'émir se baignait.

Quelques minutes auparavant, Hanley avait reçu un message indiquant que l'émir se trouvait dans les vestiaires. A présent, Hanley coordonnait les deux convois qui devraient ramener ses coéquipiers à l'hôtel de l'émir.

— Avez-vous effectué l'échange? demanda Hanley à Seng sur son téléphone satellite.

— Un d'entré, un de sorti, répondit-il. Personne n'a rien pu voir.

— Voilà qui devrait gêner l'adversaire, dit Hanley.

— Tout se passe comme sur des roulettes, renchérit Seng.

— Assurez-vous que les deux convois arrivent à quelques minutes d'écart, dit Hanley, et entrez par les portes de derrière.

— Compris, dit Seng avant de raccrocher.

— Vous avez tout organisé? demanda Hanley au médecin de bord, Julia Huxley, lorsqu'elle entra dans la salle de contrôle.

— Le centre de désintoxication se trouve à Estes Park, dans le Colorado, dit Huxley. J'ai engagé une infirmière islandaise qui parle parfaitement anglais pour l'accompagner dans l'avion à destination de New York puis de Denver. Une navette du centre viendra le chercher à Denver. Tout ce qu'il a à faire seul, c'est le voyage Kulusuk-Reykjavik. J'ai averti le pilote et j'ai fait déposer à l'aéroport des cachets de Libarium que le pilote lui remettra. Cela devrait le calmer et empêcher les convulsions jusqu'à ce que l'infirmière prenne le relais.

— Bon travail, dit Hanley. On n'attend plus que le feu vert du chef pour y aller.

— Sur le deuxième point, dit-elle, le chef devra prendre garde aux radiations lorsqu'il aura retrouvé la météorite. J'ai de l'iodine de potassium à bord, que je pourrai lui administrer au retour, mais en attendant, moins il s'approchera de l'objet, mieux ce sera.

— Il a prévu de l'emballer dans du plastique puis dans une vieille couverture pour la porter à l'intérieur de l'autoneige, à l'arrière, dans une caisse à outils métallique.

— Ça devrait aller, déclara Huxley. Il faudra surtout qu'il prenne garde au risque d'inhalation de poussière.

— Nous estimons qu'il n'y aura pas de poussière radioactive : sur les photographies, la météorite ressemble à une énorme bille. Les éventuelles poussières ont dû brûler lors de l'entrée dans l'atmosphère. A moins que Juan n'ait un contact prolongé avec le globe qui l'exposerait à la radiation, ça devrait bien se passer.

— En effet, dit Huxley.

Elle se dirigea vers la porte mais s'arrêta sur le seuil.

— Chef? fit-elle à Hanley.

— Oui, Julia ?

— Je ne sais pas si vous avez déjà vu des cas d'exposition à la radiation ? dit-elle doucement. Ce n'est pas joli-joli. Dites au patron de rester le plus loin possible de la météorite.

— Je ferai passer le message, répondit Hanley.

13

ALEIMEIN Al-Khalifa parcourut encore une fois la télécopie, puis il la glissa dans une pochette plastique pour protéger la photo. Le coût de cette opération pour le Groupe Hammadi équivalait à un million de livres sterling en or. La cupidité et l'avarice dont faisaient preuve les êtres humains ne cessaient de stupéfier Al-Khalifa ; à condition d'y mettre le prix, la plupart des hommes étaient prêts à vendre leur pays, leur futur gagne-pain et même leur dieu. L'informateur du système Echelon n'avait pas fait exception à la règle. Une foule de dettes de jeu et une mauvaise gestion financière l'avaient mis dans une position vulnérable. Une tactique de séduction lente et des paiements de plus en plus importants pour sa trahison l'avaient placé fermement sous la coupe du Groupe Hammadi.

Au bout de deux ans, ils avaient touché le gros lot.

Le problème était que Al-Khalifa était déjà débordé. Il se tourna vers le second occupant de la cabine du yacht.

— Allah bénit tous les croyants.

Salmain Esky sourit et hocha la tête.

— Notre prière a été entendue, dit-il, même si la réponse arrive en des temps déjà généreux.

Al-Khalifa le regarda ; Esky mesurait à peine plus d'un mètre cinquante et il était aussi mince qu'un saule. Natif du Yémen, il avait la peau sombre et sèche, un menton fuyant et des petites dents pointues tachées de jaune et de brun. Esky était un suiveur, pas particulièrement intelligent, mais d'une extrême loyauté à la cause.

Tous les mouvements avaient besoin d'hommes tels que lui. Des pions à avancer sur un échiquier. De la chair à canon.

Al-Khalifa au contraire était grand, beau, et se déplaçait avec la prestance d'un héritier d'une dynastie de meneurs. Depuis des centaines d'années, ses ancêtres avaient été à la tête de tribus sur la péninsule arabique. Ce n'est que depuis une vingtaine d'années, lorsque le père d'Al-Khalifa était tombé en disgrâce auprès de la famille royale du Qatar, que son sang avait été relégué à un statut social ordinaire. Al-Khalifa projetait de rectifier cette situation au plus vite.

Ensuite, il frapperait un grand coup au nom de l'Islam.

— Allah nous a donné les moyens de réaliser les deux, dit Al-Khalifa, et c'est ce que nous ferons.

— Alors, vous voulez que le capitaine mette le cap au nord-est du site ? demanda Esky.

— Oui, répondit tranquillement Al-Khalifa. J'amènerai le passager à bord plus tard.

Avec son pavillon du Bahreïn et un acte de propriété au nom du consortium arabe d'investissement et de transaction, l'*Akbar*, avec ses cent mètres de long, figurait parmi les plus grands yachts privés au monde. Peu d'étrangers étaient déjà montés à bord, mais ces privilégiés avaient évoqué un salon luxueux, de vastes piscines chauffées sur le pont arrière et son équipement d'embarcations personnelles ainsi qu'un hélicoptère.

Vu de l'extérieur, l'*Akbar* ressemblait au palace flottant de quelque personnalité richissime. Personne ne pouvait deviner qu'il abritait une cellule terroriste. En plus du chef Al-Khalifa et de son lieutenant Esky, à présent à terre, s'y trouvaient six hommes : deux Koweïtiens, deux Saoudiens, un Libyen et un Egyptien. Tous pétris de la rhétorique islamiste fondamentaliste. Tous prêts à mourir pour la cause.

— Nous avons l'autorisation de quitter le port, annonça le capitaine dans une radio portative.

— Lorsque vous aurez quitté l'avant-port, vous pourrez naviguer à pleine puissance, ordonna Al-Khalifa depuis la terre. Je vous rejoindrai dans une heure et demie.

— Oui, monsieur.

Al-Khalifa glissa le petit téléphone dans la poche de sa veste puis il contempla une nouvelle fois le panneau électrique du sous-sol de l'hôtel.

— Installe les charges à cet endroit, dit-il à Esky en indiquant la ligne principale. Lorsque l'alarme aura sonné et qu'il n'y aura plus de lumière, retrouve-moi comme prévu au garage.

Esky hocha la tête et se mit à mouler l'explosif C-6 autour du tuyau en aluminium. Il prenait dans sa poche les mèches et les détonateurs lorsque Al-Khalifa s'éloigna. Traversant le parking souterrain, Al-Khalifa s'arrêta, ouvrit la porte arrière d'une camionnette, regarda à l'intérieur, puis referma et revint sur ses pas.

Il ouvrit la porte de l'escalier de secours et commença à monter les volées de marches.

Lorsqu'il eut atteint l'étage juste en dessous de la suite de l'émir du Qatar, il se servit de sa carte magnétique pour entrer dans une chambre réservée au nom de sa compagnie pétrolière. Al-Khalifa jeta un coup d'œil au lit, qu'il avait poussé contre le mur quelques heures plus tôt, puis il se tourna vers l'étrange machine rouge qui se situait à l'ancien emplacement du lit. En haut, près du plafond, se trouvait une scie sauteuse d'un mètre vingt de diamètre aux dents en diamant, qui ressemblait à une version agrandie de l'outil qu'un menuisier utiliserait pour creuser un trou dans le côté d'une maison à oiseaux. La lame était solidaire d'un arbre de transmission en acier manœuvré par des vérins hydrauliques. Sous l'arbre, une boîte métallique rectangulaire protégeait le moteur diesel qui alimentait le système de perçage. Sous cette boîte, des roues motrices permettaient de déplacer l'engin lorsque c'était nécessaire. Un panneau de commande manuel relié à la machine par un fil de six mètres lui permettait d'être actionnée à distance.

Lorsqu'il abaissait la lame, il restait un mètre quatre-vingts d'espace pour atteindre le plafond. Le long de la machine se trouvait un escabeau et un carré de contreplaqué. Tout cela avait été apporté pièce par pièce au fil des semaines et monté sur place. On avait donné des ordres stricts aux femmes de chambre pour qu'elles ne pénètrent pas dans la pièce.

Ce système était généralement utilisé sur les chantiers pour percer des trous dans le béton afin de faire passer des câbles.

Al-Khalifa se disait que cela conviendrait parfaitement pour percer un plafond.

L'émir du Qatar dormait paisiblement à l'étage supérieur. Des équipes de sécurité de la Corporation montaient la garde dans trois chambres de l'étage. Dans celle qui se trouvait en face de la suite, Jones et Meadows surveillaient attentivement les caméras. Dans la chambre adjacente à la suite, du côté gauche, Monica Crabtree prenait des notes tandis que Cliff Hornsby nettoyait une arme de poing ; dans celle du côté droit, Hali Kasim et Franklin Lincoln picoraient des sandwiches pour tromper leur attente.

Rien ne laissait présager ce qui allait se passer.

Un étage au-dessous, Al-Khalifa mit une paire de lunettes à vision nocturne, puis il appuya sur la commande à distance et regarda sa montre. Il attendit que la trotteuse ait dépassé les aiguilles qui indiquaient trois heures du matin. Puis Al-Khalifa entendit un grondement sourd se propager à tous les étages du bâtiment et les lumières s'éteignirent.

Al-Khalifa mit en marche le système et appuya sur le bouton qui faisait monter l'arbre et la lame tournante vers le plafond. Dès qu'elle fut en contact, elle déchira le plâtre et les poutres en bois, éparpillant des échardes et de la poussière à travers la chambre. Elle traversa le plancher en moins de dix secondes, laissant entrer l'air de l'étage supérieur. Al-Khalifa fit redescendre la scie circulaire, posa la plaque de contreplaqué sur la lame, puis il reprit la télécommande, grimpa sur le contreplaqué et fit remonter le mécanisme avec la lame éteinte. Une seconde plus tard, il était dans la chambre de l'émir et posait le pied sur le plancher.

A travers ses lunettes à vision nocturne, Al-Khalifa distinguait quelqu'un assis dans le lit, qui se frottait les yeux. Il se précipita sur la porte pour la barrer avec une chaise, puis il revint aussitôt vers le lit de l'émir. Il se pencha pour bâillonner l'homme et lui bander les yeux, puis il le sortit du lit et l'amena au bord du trou. Lorsqu'ils furent tous deux sur la plaque de bois, il utilisa la télécommande pour abaisser le vérin puis il fit descendre son prisonnier à terre et le tira jusqu'à la porte. Une fois dans le couloir, il le poussa jusqu'à l'escalier de secours et le fit descendre.

Moins de deux minutes s'étaient écoulées depuis le début de l'action d'Al-Khalifa.

Dans quelques instants, il serait sur la route.

— On y est, dit Jones.

Les membres de la Corporation étaient équipés de petites lampes puissantes attachées à leur ceinture. Huit minces faisceaux de lumière éclairèrent le couloir devant la suite de l'émir.

— La lumière a clignoté en vert, cria Meadows après avoir inséré un deuxième passe dans la fente devant la suite de l'émir, mais la porte ne s'ouvre pas.

— Hali! cria Jones, Lincoln et toi, descendez au garage et bloquez la sortie.

Les deux hommes s'en furent en courant.

— Crabtree, Hornsby! ajouta-t-il. Gardez la porte d'entrée.

— Bob, recule! fit Jones, je vais faire sauter la porte.

Jones sortit de sa poche un disque en métal et ôta le morceau de papier qui protégeait le puissant explosif qu'il colla sur la porte, puis il appuya sur un petit bouton sur le côté.

— Monsieur! cria-t-il, écartez-vous de la porte, on arrive!

Jones et Meadows reculèrent de quelques pas en attendant que la charge explose. Dès qu'elle eut sauté, Jones se précipita au milieu des débris de la porte et promena sa lampe-torche sur le lit. Vide. Il balaya la pièce et découvrit le trou dans le plancher. Puis il prit sa radio portative et appela l'*Oregon*.

— Code rouge, dit-il, notre homme a été enlevé.

En attendant une réponse, Jones étudia le reste de la chambre.

— Bob, va voir ce qu'il y a là-dessous.

Meadows descendit dans le trou.

— Que se passe-t-il? demanda Hanley qui venait de prendre la communication.

— Ils ont emmené notre homme.

— Alors ça, articula lentement Hanley, ça ne faisait pas partie du plan.

— Nous sommes en bas de l'escalier, indiqua Al-Khalifa à son prisonnier qui avait les yeux bandés.

D'après ce qu'il pouvait voir à travers ses lunettes, Son Excellence ne semblait pas inquiète outre mesure. Il suivait Al-Khalifa comme si ses gardes du corps lui avaient appris à ne pas opposer de résistance.

— Par ici, lui intima Al-Khalifa en ouvrant la porte du garage et en le tirant par le bras.

Al-Khalifa aperçut Esky au même moment où il entendait des bruits de pas derrière lui.

— Ouvre la porte de la camionnette et sors la moto, cria-t-il.

Esky courut vers la camionnette, ouvrit la porte arrière et fit glisser une rampe d'accès sur le sol. Les clous métalliques installés sur les pneus cliquetèrent comme des sauterelles. Pendant ce temps, Al-Khalifa avait amené l'émir à la camionnette. Il en sortit une mitrailleuse AK-47 et tenant d'une main l'émir par la chemise, il pivota et pointa la mitrailleuse vers la porte. Il ouvrit le feu dès que Kasim, suivi de Lincoln, poussa la porte. Au même instant, Esky enclencha le démarreur et la BMW 650 avec side-car démarra en vrombissant.

Kasim avait été touché au bras par une balle mais il parvint à se jeter à terre et à rouler sous une voiture. Lincoln, indemne, se coucha à côté de son coéquipier et sortit son arme. Il voulut viser mais l'émir était dans sa ligne de mire.

— Couvre-moi, ordonna Al-Khalifa à Esky en lui tendant la mitraillette.

Esky prit le AK-47 et se mit à arroser la zone près de la porte en rafales contrôlées. Al-Khalifa poussa l'émir dans le side-car et grimpa sur la moto. Il tendit la main vers le levier de vitesse, mit la BMW en marche, puis il empoigna l'accélérateur et s'éloigna de la camionnette. Esky continua à tirer de plus belle.

Al-Khalifa remonta la rampe qui sortait du parking souterrain et arriva au niveau du sol.

Lincoln attrapa son micro-cravate et appela l'*Oregon*.

— L'émir a été emmené à bord d'une moto BMW, cria-t-il.

Kasim fit passer son arme dans sa main valide et en visant soigneusement, il tira trois coups qui atteignirent Esky à l'aine, au cœur et à la gorge. Il s'écroula sur le sol comme un sac de patates et la mitraillette tomba sur le béton. Lincoln s'élança vers la camionnette, écarta l'arme et monta la garde auprès du mourant. Le bruit de la BMW s'éloignait peu à peu.

Une fois au sommet de la rampe d'accès au parking, la roue avant de la BMW resta suspendue en l'air et Al-Khalifa se pencha en avant pour la faire redescendre. Puis il emprunta la route qui passait devant l'hôtel, tourna à droite vers Steintún et longea quelques pâtés de maisons jusqu'à l'intersection avec Saebraut, puis il obliqua à droite, en direction du port. La route sortait de la ville et il n'y avait pas de circulation.

Al-Khalifa observa l'émir dans le side-car; il semblait étonnamment peu inquiet.

Après avoir traversé le hall de l'hôtel en courant et franchi la porte, Crabtree et Hornsby aperçurent la moto qui s'enfuyait. Ils coururent vers leur 4 × 4 noir garé devant l'hôtel.

— Ecoutez-moi tous, déclara Hanley depuis la salle de contrôle de l'*Oregon*, notre homme est à bord d'une moto BMW.

Hornsby appuya sur la clé pour déverrouiller les portes du 4 × 4 et s'installa au volant. Crabtree attrapa sa radio en s'asseyant.

— Ils ont tourné vers l'est et ils longent le port, déclara-t-elle. On les poursuit.

Al-Khalifa tourna la poignée pour faire monter la BMW à cent dix kilomètres à l'heure sur la route couverte de neige. Après trois changements de direction, ils gravirent une colline et se trouvèrent hors de vue de Reykjavik. Il surveilla attentivement le bord de la route jusqu'à ce qu'il découvre la piste sur laquelle il avait tassé la neige la veille à l'aide d'une motoneige de location. Il tourna sur l'étroite bande de neige et gravit une nouvelle petite colline. Un fjord recouvert d'une mince pellicule de glace s'étendait jusqu'à la base de la colline. La civilisation semblait soudain lointaine.

Là, sur un carré de neige damée, un hélicoptère Kawasaki attendait.

Hornsby fit ralentir le 4 × 4 à la première intersection et regarda la neige dans l'espoir de trouver des traces. N'en découvrant aucune, il poursuivit son chemin et fit de même à l'intersection suivante. Cela leur faisait perdre un temps précieux mais Hornsby et Crabtree n'avaient pas le choix.

La moto BMW restait invisible.

Al-Khalifa fit monter l'émir dans le siège passager de l'hélicoptère, puis il referma la porte depuis l'extérieur avec une clé. Il avait enlevé le verrou intérieur et l'émir n'avait aucun moyen de s'enfuir. Il contourna l'hélicoptère et grimpa à la place du pilote, puis tourna la clé. Tandis que les moteurs chauffaient, il se tourna vers son passager.

— Savez-vous qui je suis? demanda-t-il.

L'émir, toujours bâillonné et les yeux bandés, se contenta de hocher la tête.

— Bien, dit Al-Khalifa. Maintenant il est l'heure de partir en voyage.

Tournant la clé, il attendit que les turbines aient atteint la bonne vitesse. Puis il tira sur le collectif et le Kawasaki décolla du sol enneigé. Lorsqu'il fut à trois mètres de hauteur, il poussa le manche cyclique vers l'avant et l'hélicoptère avança en poursuivant son décollage et se dirigea vers la mer. Tout en volant à basse altitude pour que l'hélicoptère se confonde avec les montagnes, Al-Khalifa jeta un coup d'œil en arrière vers Reykjavik.

— Les traces s'arrêtent ici, remarqua Hornsby, les yeux fixés sur la neige par la portière ouverte du 4 × 4.

Crabtree regardait par sa fenêtre.

— Là-bas, dit-elle, il y a un chemin de neige damée.

Hornsby scruta l'étroite bande.

— La neige est trop molle, on va s'enfoncer.

Après avoir prévenu l'*Oregon*, qui envoya rapidement George Adams sur les lieux à bord de l'hélicoptère Robinson de la Corporation, Hornsby et Crabtree se mirent à parcourir le chemin à pied. Ils trouvèrent la moto BMW dix minutes plus tard. Lorsque Adams arriva au-dessus de la scène, ils avaient déjà compris ce qui s'était passé. Ils l'appelèrent sur la radio.

— Nous avons trouvé une rustine de pale d'hélicoptère, déclara Hornsby.

— Je vais me mettre à la recherche d'un autre hélico, dit le pilote.

George Adams vola le plus longtemps possible jusqu'à ce que le carburant vienne à manquer, mais il ne découvrit aucun autre hélicoptère. L'émir s'était tout simplement évanoui, comme si la main d'un géant l'avait cueilli à la surface de la terre.

14

C ABRILLO roulait à travers la nuit, et les phares sur le toit de la Thiokol traçaient un faible sentier sur l'océan de blanc. Après cinq heures de voyage, à quatre-vingts kilomètres au nord de Kulusuk, la routine commençait à s'installer. Les bruits du véhicule, qui lui avaient d'abord paru désordonnés et indistincts, commençaient à prendre forme. Il sentait le pouls du moteur, le fracas des chenilles et le grondement du châssis ; ces bruits lui permettaient d'évaluer sa progression. Les vibrations lui indiquaient une montée et le crissement des chenilles l'aidait à savoir sur quel type de surface il se trouvait.

Cabrillo ne faisait plus qu'un avec la machine.

Vingt minutes avant, il était monté pour la première fois sur l'épaisse couche de glace qui recouvrait la majeure partie du Groenland. A présent, grâce aux cartes de Campbell et à ses notes détaillées, il guidait la Thiokol à travers des vallées couvertes de glace. Si tout se passait comme prévu, il atteindrait le mont Forel à peu près à l'heure du petit déjeuner en Islande. Là, il s'emparerait de la météorite, la chargerait dans l'autoneige, puis regagnerait Kulusuk, où l'hélicoptère viendrait le chercher. Dans quelques jours, ils seraient payés et ce dossier serait classé.

En tout cas, c'était le plan : un aller-retour rapide avant de rentrer à la maison.

Cabrillo sentit soudain l'avant du véhicule s'alléger et il passa la marche arrière juste à temps. La Thiokol s'arrêta net et recula en rugissant. Depuis son départ de Kulusuk, tout s'était bien passé. L'impitoyable nature sauvage permettait toutefois rarement un voyage si facile et, si Cabrillo ne s'était pas arrêté rapidement pour faire marche arrière, lui et l'autoneige se seraient retrouvés en quelques secondes au fond d'une large crevasse.

Lorsqu'il eut suffisamment reculé pour être en sécurité, Cabrillo enfila sa parka et descendit du véhicule. Il orienta les phares en direction du précipice et s'approcha du bord pour regarder. L'épais mur du glacier scintillait de bleu et de vert dans la lumière.

Il estima que la crevasse devait mesurer quatre mètres de large ; quant à la profondeur, il était impossible d'en avoir une idée. Il rabattit la capuche de sa parka pour se protéger du vent qui hurlait. Quelques centimètres de plus et l'autoneige aurait glissé dans la crevasse jusqu'à l'endroit où elle se rétrécissait et se refermait, où le véhicule se serait retrouvé à l'envers. Même si Cabrillo avait survécu à la chute, il aurait certainement été coincé dans la cabine et serait mort de froid avant que quiconque ait pu le découvrir et encore moins monter une opération de sauvetage.

Tout tremblant à cette idée, Cabrillo revint vers la Thiokol et regarda l'horloge. Il était maintenant cinq heures du matin, mais il faisait toujours aussi sombre que pendant la soirée. Il étudia sa carte, puis il prit son compas et mesura la distance qui restait jusqu'au mont Forel. Encore quarante-huit kilomètres, c'est-à-dire trois heures de route. Il appela Campbell sur le téléphone satellite. Etonnamment, la sonnerie ne retentit qu'une seule fois.

— Oui, dit Campbell d'une voix claire.

— J'ai failli tomber dans une crevasse à l'instant.

— Donnez-moi vos coordonnées GPS, dit Campbell.

Cabrillo les lui dicta et attendit que Campbell consulte ses cartes.

— On dirait que vous vous êtes trompé de chemin il y a environ un kilomètre et demi ; vous avez pris à gauche au lieu d'aller à droite. Vous avez heurté le glacier Nunuk. Faites demi-tour et suivez le bord du glacier. Cela vous fera grimper sur une petite éminence puis redescendre sur le plateau. De là, vous pourriez voir le mont Forel s'il ne faisait pas nuit.

— Vous êtes sûr ?

— Parfaitement. Je me suis déjà retrouvé dans le canyon dont vous me parlez ; il est sans issue.

— Je fais demi-tour sur un kilomètre et demi et je tourne à droite, récapitula Cabrillo.

— Ce sera sur votre gauche, corrigea vivement Campbell, puisque vous êtes parti dans le mauvais sens.

— Ensuite, je dois suivre le bord du glacier.

— Oui, mais maintenant, puisque vous êtes arrêté, je vous suggère d'en profiter pour incliner le phare du côté passager. Ainsi, lorsque vous atteindrez le bord du glacier, vos phares l'illumineront et vous reconnaîtrez les reflets aux nuances jade ou saphir, ce qui vous permettra de vérifier votre progression. Il vous suffira de jeter quelques coups d'œil de temps à autre. Dès que le bord du glacier reculera, vous monterez sur une crête et redescendrez. A ce moment-là, vous saurez que vous êtes libéré du glacier Nunuk et vous pourrez gagner en ligne droite les pentes du mont Forel. C'est raide, mais la vieille Thiokol en est capable ; je l'ai déjà fait.

— Merci, déclara Cabrillo. Est-ce que vous pourrez tenir le coup quelques heures encore si j'ai besoin de vous ? Vous réussirez à y aller mollo sur le Jack Daniels ?

— Je bois juste assez pour tenir, répondit Campbell. Je serai là si vous avez besoin de moi.

— Bien, conclut Cabrillo.

Il descendit de sa cabine, puis monta sur le toit de la Thiokol et dévia le phare vers le côté. Puis il rentra, passa la première et fit tourner l'autoneige à 180 degrés. Conduisant lentement, il découvrit le bord du glacier à quelques mètres et se mit à le suivre.

Le mont Forel ne se trouvait pas loin, mais dans la neige et l'obscurité, il demeurait caché.

Cabrillo devait atteindre la montagne et lui arracher son secret. Mais quelqu'un d'autre avait le même plan que lui, quelqu'un qui ne suivait pas le même code de bonne conduite que la Corporation. Les deux hommes ne pouvaient manquer d'entrer en collision.

L'émir sentit l'hélicoptère ralentir au moment où Al-Khalifa alignait le Kawasaki sur la voûte de l'*Akbar*, puis le posait délicatement sur l'héliport. Lorsque des matelots eurent enchaîné les patins et que les pales eurent été immobilisées, Al-Khalifa fit le tour, déverrouilla la porte et traîna son prisonnier dans le salon principal. L'émir avait toujours les yeux bandés mais il entendit une demi-douzaine de voix arabes. L'air du salon sentait la poudre, l'huile et une étrange odeur douceâtre d'amande.

Poussé vers un pont inférieur, l'émir fut balancé sans cérémonie sur un lit et on lui attacha les mains et les pieds avec un adhésif épais. Il reposait sur le dos tel un rôti ficelé. L'émir entendit Al-Khalifa ordonner à un garde de se poster à sa porte. Puis on le laissa à son sort.

L'émir s'était mis à transpirer en raison de la chaleur de sa cabine, mais il ne s'inquiétait pas outre mesure. Si Al-Khalifa avait voulu le tuer, il l'aurait déjà fait. D'autre part, il comptait sur ses amis de la Corporation pour se lancer à sa recherche. Si seulement il pouvait se gratter le nez sous son bâillon en plastique, il se sentirait mieux.

— Attachez la nacelle d'armement à l'hélicoptère, dit Al-Khalifa en rentrant dans le salon principal. Je dois me rendre à la montagne dès que les conditions le permettront.

Quatre hommes entrèrent pour exécuter son ordre. La manœuvre fut laborieuse : le vent, la pluie et la neige fouettaient le pont de l'*Akbar*, mais les hommes étaient entraînés et persévérants. Vingt-sept minutes plus tard, leur chef revint et essuya la neige de ses gants.

— La nacelle est installée, déclara-t-il à Al-Khalifa.

— Dis aux hommes d'entrer et de se rassembler autour de la table.

Les terroristes se glissèrent dans leurs sièges autour de la longue table ouvragée : c'était une confédération de tueurs, un banquet de gangsters. Ils levèrent les yeux vers Al-Khalifa et attendirent.

— Allah nous a bénis de nouveau, commença Al-Khalifa. Ainsi que vous l'avez vu, j'ai capturé l'émir pro-occidental qui dirige mon pays et je l'ai fait prisonnier. Je monterai prochainement sur le trône. Quant au deuxième point, le traître occidental m'a informé de la localisation d'un globe d'iridium que nous pourrons utiliser en conjonction avec la bombe destinée à Londres. Si nous pouvons mettre la main sur cet iridium, il multipliera au moins par cent la force de l'explosion à Londres.

— Louanges à Allah ! cria spontanément le groupe.

— En ce moment l'*Akbar* se dirige vers la côte est du Groenland, déclara solennellement Al-Khalifa. A notre arrivée, dans quelques heures, je partirai en hélicoptère retrouver l'iridium. Dès mon retour, nous mettrons le cap sur l'Angleterre pour conclure notre mission.

— Il n'y a qu'un seul dieu et ce dieu est Allah! clamèrent les hommes.

— Que ceux d'entre vous qui ont fini leur travail se reposent, dit Al-Khalifa. Nous aurons besoin de tout le monde sur le pont lorsque nous atteindrons l'Angleterre. Très bientôt, ceux qui s'opposent à Allah vont subir notre colère.

— Allah est grand! cria le groupe.

Le groupe se dispersa et Al-Khalifa regagna sa cabine pour prendre quelques heures de repos. Il ignorait qu'il s'agissait du dernier avant le repos éternel.

15

À L'HÔTEL Kangerlussuaq, à deux mille kilomètres de là, Clay Hughes terminait son petit déjeuner composé de bacon, d'œufs, de pommes de terre et de pain grillé, accompagné d'une cafetière fumante pour faire couler le tout. Michael Neilsen s'approcha de sa table.

— Vous êtes prêt à partir ? demanda Hughes en se levant.

— Le temps ne s'est pas vraiment amélioré, déclara Neilsen, mais je veux bien tenter le coup si c'est ce que vous souhaitez. Quel est votre verdict ?

— On y va, dit Hughes.

— A votre place, je demanderais à l'hôtel de nous préparer des provisions pour le voyage, dit Neilsen. Si nous tombons en panne, les secours mettront un certain temps à arriver jusqu'à nous.

— Je vais commander un plateau de sandwiches et deux Thermos de café, dit Hughes. Vous pensez que nous pourrions avoir besoin d'autre chose ?

— Seulement d'un peu de chance, dit Neilsen en regardant le ciel.

— Je vais chercher la nourriture et je vous retrouve à l'hélicoptère.

— Je serai prêt à décoller, dit Neilsen en s'éloignant.

Quinze minutes plus tard, le EC-130B4 quittait la piste de neige damée et mettait le cap vers l'est. Une imperceptible teinte jaune colora les nuages tandis que la faible lueur du soleil tentait de percer l'obscurité. Mais le temps restait sombre et menaçant, comme un présage porté par un vent mauvais.

Plusieurs heures durant, l'Eurocopter survola à haute altitude le terrain enneigé.

La Thiokol s'arrêta et Cabrillo regarda sa carte. Il estimait qu'il se trouvait à une heure de la grotte du mont Forel. Lorsqu'il avait commencé à s'écarter du glacier, il avait remarqué que son téléphone satellite recevait de nouveau des signaux. Il appela l'*Oregon*.

— Nous avons essayé de te joindre, déclara Hanley dès qu'il eut décroché. L'émir a été kidnappé hier soir.

— Kidnappé ! répéta Cabrillo. Je croyais que nous maîtrisions la situation !

— Ils l'ont enlevé, dit Hanley, et depuis nous n'avons eu aucun contact avec les ravisseurs.

— Avez-vous une idée de l'endroit où ils l'ont emmené ?

— On y travaille.

— Ramenez-le-nous, dit Cabrillo.

— On va le ramener.

— Je suis presque arrivé, dit Cabrillo. Je me dépêche de régler ça et de me tirer. Pendant ce temps, trouve-moi un moyen de transport plus rapide pour rentrer.

— Oui, chef, dit Hanley.

Cabrillo raccrocha et jeta le téléphone sur le siège passager.

Au moment où Cabrillo commençait à gravir la pente du mont Forel, un agent de piste de l'aéroport international de Reykjavik balayait la neige du bas d'une rampe menant à un 737 privé. Des groupes électrogènes installés de chaque côté de l'avion lui fournissaient électricité et chauffage. L'intérieur de l'avion privé était aussi lumineux qu'un panneau d'affichage et il jetait un peu de lumière dans la pénombre extérieure.

Par la fenêtre du cockpit, le pilote regarda approcher une limousine noire qui se gara à l'extrémité de la rampe. Il vit quatre personnes en descendre ; deux hommes montèrent les marches tandis que deux autres surveillaient les abords de la piste pour s'assurer que personne ne les observait. Une fois satisfaits, ils montèrent en vitesse à leur tour et refermèrent la porte de l'avion.

L'agent de piste décrocha les groupes électrogènes puis il écarta la rampe et resta tranquillement en retrait tandis que le pilote faisait chauffer les moteurs. Après avoir demandé l'autorisation de décoller à la tour de contrôle, celui-ci roula sur la piste et prit ses repères pour le décollage. En comptant un arrêt pour le carburant en Espagne, ils arriveraient à destination quatorze heures plus tard.

Dès que le 737 eut quitté la piste, l'agent se baissa et parla dans un petit micro attaché à sa parka près de la capuche.

— Ils sont partis, dit-il simplement.

— Bien reçu, répondit Hanley.

Cabrillo et la Thiokol montaient depuis près d'une heure. Il s'arrêta, boutonna sa parka et sortit du véhicule. Il ajusta les phares pour pouvoir observer la montagne et fit le tour du véhicule pour faire tomber la glace de la grille. Il s'apprêtait à remonter en voiture lorsqu'il entendit un bruit sourd au loin. Se penchant à l'intérieur, il tourna la clé de contact pour éteindre le moteur. Puis il tendit l'oreille.

Le bruit flottait dans l'air, approchant et refluant comme la marée. Finalement, Cabrillo identifia le son et il remonta en voiture pour prendre son téléphone.

— Max, déclara-t-il, j'entends un hélicoptère qui approche. C'est toi qui m'as envoyé quelqu'un?

— Non, Juan. On y travaille toujours.

— Peux-tu découvrir ce qui se passe?

— Je vais essayer de me connecter à un satellite de l'armée pour savoir de qui il s'agit mais cela peut prendre quinze à vingt minutes.

— J'aimerais savoir qui vient me gâcher la vie.

— Nous nous sommes aperçus qu'il y avait un radar automatique de l'aviation américaine près du site, dit Hanley. Peut-être que l'armée s'en sert toujours et qu'elle a envoyé quelqu'un pour réparer les antennes.

— Occupe-t'en, dit Cabrillo en redémarrant. Je pense que je suis presque à la grotte.

— Ça marche, dit Hanley.

A l'aide d'un traîneau pour tasser la neige et d'une douzaine de paquets de Kool Aid, Ackerman était parvenu à créer une aire d'atterrissage très correcte marquée d'une croix sur un replat à moins de soixante mètres de l'entrée la moins élevée de la grotte. Il considéra son œuvre avec fierté; l'hélicoptère devrait pouvoir atterrir sans que ses pales heurtent le flanc de la montagne. C'était précaire, mais il ne pouvait pas faire mieux dans cet environnement.

Il retourna dans la grotte et attendit là tandis que l'hélicoptère se posait. Les pales ralentirent, puis s'arrêtèrent, et un homme descendit du côté passager.

Par sa fenêtre ouverte, Cabrillo avait entendu l'hélicoptère atterrir, mais du fait de l'obscurité et de la neige, il n'avait rien vu. Il était tout près; il le sentait. Il attacha des guêtres de nylon à son pantalon rembourré et sortit des après-ski de l'arrière du véhicule. Enfilant ses bottes sous les guêtres, il serra les sangles. Puis il prit le carton contenant le leurre fabriqué par Nixon.

A présent, tout ce qu'il avait à faire était de se glisser dans la grotte sans se faire remarquer et d'effectuer le transfert.

— C'est le patron qui m'envoie, dit Hughes à Ackerman après avoir grimpé jusqu'à l'ouverture de la caverne, pour jeter un coup d'œil à votre découverte.

Ackerman sourit fièrement.

— C'est une merveille, dit-il, et peut-être la découverte archéologique la plus importante du siècle.

— Il paraît, dit Hughes en s'enfonçant dans la grotte. Et il m'a envoyé pour être sûr que vous obtiendrez ce que vous méritez.

Ackerman se saisit d'une lanterne déjà allumée et conduisit Hughes dans le souterrain.

— Alors vous êtes attaché de presse?

— Entre autres choses, répondit Hughes en s'arrêtant sous le trou qu'Ackerman avait aménagé avec une échelle en bois pour faciliter le passage d'un étage à l'autre.

— Nous allons monter et je vais vous faire faire la visite complète, dit Ackerman.

Les deux hommes gravirent tour à tour l'échelle en bois.

Hughes jouait le jeu en écoutant Ackerman décrire avec emphase ses découvertes, mais en réalité, une seule chose lui importait. Et dès qu'il l'aurait trouvée, il mettrait les voiles.

Cabrillo contournait d'un pas lourd le flanc de la montagne lorsqu'il découvrit un endroit où la neige avait fondu. En se penchant, il se rendit compte qu'il y avait une petite ouverture marquée par des rochers éparpillés, comme s'ils avaient été crachés par les entrailles de la montagne. De l'air chaud filtrait de l'intérieur et faisait fondre la neige. Cabrillo dégagea l'ouverture pour pouvoir s'y glisser, emportant son carton de matériel.

Constatant qu'il pouvait se mettre debout, il emprunta le boyau pour voir où il menait.

Aussi endurci qu'il fût, Hughes n'en trouvait pas moins impressionnants la caverne et le sanctuaire qu'elle recelait. Ackerman se tenait devant l'autel de la météorite, le bras tendu comme s'il décernait un prix au concurrent d'un jeu télévisé.

— Magnifique, n'est-ce pas ? se rengorgea le scientifique.

Hughes hocha la tête et sortit un compteur Geiger portable de sa poche. L'allumant, il le passa sur la météorite. Les radiations dépassaient le maximum affichable. Deux heures d'exposition lui suffiraient pour être contaminé ; il se rendit compte qu'il faudrait la mettre bien à l'abri pendant le voyage de retour à Kangerlussuaq.

— Vous avez passé beaucoup de temps près de cette pierre ? demanda Hughes.

— Je l'ai examinée sous toutes les coutures, répondit fièrement Ackerman.

— Est-ce que vous avez été souffrant ? Vous avez remarqué des changements physiques au cours des derniers jours ?

— J'ai eu des saignements de nez, dit Ackerman, mais j'ai mis ça sur le compte de l'air trop sec.

— Je pense que vous avez été irradié, dit Hughes. Je vais aller chercher dans l'hélicoptère quelque chose qui puisse nous protéger de cet objet.

Cabrillo se hâta de descendre le boyau en direction de l'endroit où il entendait des voix. Caché derrière un rocher, il écouta les deux hommes.

— Je vais aller chercher dans l'hélicoptère quelque chose qui puisse nous protéger de cet objet, dit l'un.

89

Il écouta les bruits de pas s'éloigner et observa l'obscurité qui revenait. Il attendit de voir ce qui allait se passer.

— Attendez-moi ici, dit Hughes lorsqu'ils eurent atteint l'orifice de la caverne du bas.

Ackerman observa Hughes qui descendait la pente, s'approchait de l'hélicoptère et ouvrait la porte.

— Je serai de retour dans quelques minutes, dit Hughes à Neilsen en prenant une caisse à l'arrière, et ensuite, nous pourrons y aller.

— Ça me va, dit Neilsen en jetant un coup d'œil au ciel.

Hughes se mit à remonter la pente. Lorsqu'il entra, il déclara à Ackerman :

— J'ai apporté quelque chose qui devrait vous soulager. Je vous le donnerai dans quelques minutes.

Cabrillo attendit un instant afin d'être sûr qu'il était seul, puis il tira de sa parka une pochette en plastique dont il déchira le bord supérieur. Il en sortit une barre chimique lumineuse, qu'il plia en deux comme s'il essayait de casser une baguette de pain, et le tube se mit à diffuser une lumière verte. Il se dirigea vers la météorite grâce à cette lueur; il s'approchait de l'autel lorsqu'il entendit résonner un coup de feu.

Rapidement, il sortit de sa poche un sachet en aluminium, qu'il ouvrit avec ses dents avant de saupoudrer le contenu sur la météorite. Puis, alors que les bruits de pas se rapprochaient, il se glissa derrière un rocher et enfouit la lumière dans sa poche.

Un homme de haute taille, muni d'une lanterne, s'approcha de l'autel, jaugea du regard la météorite et la rangea dans une boîte. Cabrillo avait laissé son fusil dans la Thiokol, il n'avait donc guère de moyen de s'opposer à lui. Il lui faudrait intercepter la météorite plus tard.

L'homme saisit le crochet métallique de la lanterne entre ses dents pour pouvoir transporter la caisse au-dehors.

Cabrillo attendit que la lumière se soit évanouie avant de descendre lentement dans la grotte à l'aide de sa lumière chimique. Il supposait que les deux hommes allaient examiner la météorite ailleurs et qu'il allait pouvoir les surprendre.

C'est alors qu'il buta contre l'échelle et faillit tomber dans le trou.

Cabrillo tendit l'oreille pour voir si ce bruit avait attiré l'attention des deux hommes, mais comme rien ne se produisait, il descendit l'échelle.

En bas, il trébucha sur le corps d'Ackerman.

16

LORSQUE Hanley eut reçu la confirmation qu'aucun hélicoptère islandais civil ou militaire n'était en vol au moment de l'enlèvement de l'émir, ce fut pour lui un jeu d'enfant de croiser cette information avec les fichiers du port pour savoir quels bateaux étaient en mouvement à cette heure-là.

En peu de temps, il détermina que l'*Akbar* constituait leur principal suspect.

En se connectant à diverses bases de données, il constata que l'*Akbar* avait emprunté le détroit du Danemark entre le Groenland et l'Islande. Quittant le port immédiatement, il donna l'ordre que l'on mette en marche les moteurs magnétohydrodynamiques dès que l'on serait au large. L'*Oregon* naviguait à trente nœuds et slalomait entre les icebergs comme un skieur sur une pente verglacée.

Il essaya de nouveau de joindre Cabrillo mais sa ligne ne répondait pas.

A ce moment-là, Michael Halpert entra dans la salle de contrôle.

— Ils ont opacifié la chaîne de propriété, dit-il, c'est pourquoi nous n'avons pas pris immédiatement conscience de la menace.

— Qui est le vrai propriétaire ? demanda Hanley.

— Le Groupe Hammadi.

— Al-Khalifa, soupira Hanley. Nous nous doutions qu'il tramait quelque chose contre l'émir, mais si nous avions su qu'il contrôlait un yacht, les choses auraient peut-être été différentes.

Eric Stone pivota dans son fauteuil.

— Chef! appela-t-il. J'ai mis en place la liaison que vous avez demandée. L'identification de l'hélico est sur l'écran; il s'agit d'un Eurocopter, de modèle EC-130B4. Je cherche l'immatriculation en ce moment.

Hanley jeta un coup d'œil à l'écran.

— Pourquoi y a-t-il deux points qui clignotent?

Stone regarda l'image et l'agrandit.

— Le deuxième signal vient juste d'apparaître, dit-il. Je suppose qu'il s'agit d'un deuxième hélicoptère qui vient d'arriver sur la zone.

Cabrillo éclaira la scène avec son tube vert, puis se baissa et posa ses doigts sur le cou d'Ackerman. L'archéologue, dont le pouls battait faiblement, remua et ouvrit des yeux larmoyants. Il avait le teint grisâtre et pouvait à peine bouger les lèvres.

— Ce n'est pas vous...

— Non, répondit Cabrillo. Ce n'est pas moi qui vous ai tiré dessus.

Ecartant le manteau d'Ackerman, Cabrillo tira un couteau de sa poche et découpa la chemise de l'archéologue. La blessure était profonde et du sang artériel jaillissait de la plaie comme d'une fontaine.

— Avez-vous un kit de premiers secours? demanda Cabrillo.

Ackerman désigna un sac en nylon près d'une table pliante à quelques pas. Cabrillo se précipita pour ouvrir le sac et en sortir la trousse de secours. Dans l'étui en plastique, il trouva des compresses de gaze et du sparadrap. Il déchira les sachets en revenant vers Ackerman, puis il se mit en devoir de panser la blessure. Il posa la main d'Ackerman sur le sparadrap.

— Laissez votre main comme ça, dit Cabrillo. Je reviens tout de suite.

— Le Fantôme, souffla le blessé, c'est le Fantôme qui a fait ça.

Pivotant sur ses talons, Cabrillo courut vers l'entrée de la grotte. Ecarquillant les yeux dans la pénombre, il entendit vrombir le moteur de l'Eurocopter et entrevit le contour des phares sur le fuselage.

Puis une deuxième paire de phares clignotants apparut au loin.

Al-Khalifa était un excellent pilote d'hélicoptère. Un faux visa étudiant et cent mille dollars de frais d'inscription lui avaient permis de prendre une année de cours à l'école de pilotage du sud de la Floride. Il observa attentivement le terrain du mont Forel et venait d'apercevoir une autoneige orange garée sur le flanc de la montagne lorsqu'il découvrit un autre hélicoptère.

Le hasard est étrange ; à cinq minutes près, Al-Khalifa manquait sa chance.

En une seconde, il avait évalué la situation et élaboré un plan.

Cabrillo se glissa précautionneusement hors de la grotte et se mit à l'abri d'une saillie rocheuse. Il fallait qu'il atteigne la Thiokol pour y prendre son fusil, mais le deuxième hélicoptère lui faisait face. Il sortit le téléphone satellite de sa poche et consulta l'écran : à présent qu'il était sorti de la grotte, il recevait de nouveau des signaux. Il appuya sur une touche et attendit qu'Hanley réponde.

— On dirait la chute de Saigon ici. A mon arrivée, il y avait un hélicoptère sur place et maintenant, en voilà un deuxième. Qui sont donc ces gens ?

— Stone n'en a identifié qu'un, répondit Hanley. Il appartient à un certain Michael Neilsen, de l'ouest du Groenland. On a essayé de découvrir ses liens avec des organisations criminelles mais il n'y a rien, donc on suppose qu'il s'agit seulement d'un pilote qui loue ses services.

— Et le deuxième ?

Eric Stone pianotait furieusement sur son clavier.

— C'est un Bell Jet Ranger loué par une société minière canadienne.

— Le deuxième est un Bell Jet Ran..., commença Hanley.

— Je l'ai sous les yeux, coupa Cabrillo. Ce n'est pas un Jet Ranger, on dirait plutôt un Mc Donnell Douglas série 500.

Stone appuya encore sur quelques touches et la photo d'une épave d'hélicoptère s'afficha bientôt sur son écran.

— Quelqu'un a volé la plaque d'immatriculation et le numéro de série pour éviter d'être repéré. Est-ce que M. Cabrillo peut voir les chiffres sur la queue ?

— Stone dit qu'il s'agit d'une plaque volée, répéta Hanley. Tu vois les numéros sur la queue ?

Cabrillo saisit ses petites jumelles et écarquilla les yeux dans l'obscurité.

— Deux choses, dit-il lentement. D'abord, il y a une nacelle d'armes attachée sous le fuselage. Ensuite, le numéro n'est pas visible, mais je vois des lettres peintes sur le côté. Il y a un A, puis un K et ensuite un B. Le reste est recouvert de glace. La suivante est peut-être un A, je n'en suis pas sûr.

Hanley relata à Cabrillo leurs découvertes au sujet du yacht *Akbar*.

— C'est ce salopard d'Al-Khalifa ? fulmina Cabrillo. Et dans l'autre hélico, c'est qui ? Al Capone ?

Les pales tournaient à présent assez vite pour que Neilsen puisse tirer sur la commande de pas, soulevant l'Eurocopter au moment même où le deuxième appareil arrivait dans son champ de vision.

— Regardez ! dit-il à Hughes dans son micro.

— Décollez tout de suite ! cria Hughes.

— Je pense que nous devrions nous poser et voir ce qui se passe, dit Neilsen.

Rapide comme l'éclair, Hughes tira une arme de sa poche et la braqua sur la tête de Neilsen.

— J'ai dit : décollez !

Un regard à Hughes et à son arme suffit à Neilsen pour prendre sa décision ; il déplaça le manche cyclique et l'hélicoptère se mit à avancer. Au même moment, une flamme surgit du dessous de l'autre appareil et un projectile fusa vers l'endroit où il se trouvait une seconde auparavant. Le missile manqua son but et se perdit dans l'immensité glacée.

Stone transmit une image au moniteur de la salle de contrôle.

— Voilà une photo satellite du ministère de la Défense d'il y a une heure, dit-il rapidement. L'hélico numéro deux vient d'un endroit au large de la côte est du Groenland en ligne droite jusqu'au mont Forel.

Adams entra alors dans la pièce.

— Notre hélicoptère est armé et paré, dit-il.

— Avez-vous un rayon d'action suffisant pour faire l'aller-retour ? s'enquit Hanley.

— Non, reconnut Adams. Il va nous manquer cent à cent quarante litres pour le retour.

— Quel carburant utilisez-vous ?

— Du sans-plomb indice d'octane 100.

— Juan, dit Hanley dans le téléphone, Adams est prêt à partir mais il va manquer de carburant pour le retour. Est-ce qu'il t'en reste dans l'autoneige ?

— Il me reste pas loin de quatre cents litres, répondit Cabrillo.

Hanley interrogea du regard Adams, qui avait écouté attentivement la réponse.

— Si j'emporte un lubrifiant, on pourra enrichir l'indice d'octane pour que ça fonctionne. De toute façon, je veux y aller pour donner un coup de main au patron.

— Je vais appeler l'atelier de mécanique et demander qu'on vous apporte le lubrifiant au plus vite, dit Hanley. Faites vos préparatifs de vol et décollez dès que possible.

Adams opina et fonça vers la porte.

— J'envoie la cavalerie, Juan, dit Hanley dans le combiné. Il sera là d'ici deux heures.

Cabrillo regarda le deuxième hélicoptère s'aligner sur le premier pour tenter un nouveau tir.

— Tant mieux, répondit-il, parce que l'hélicoptère avec une fausse immatriculation vient juste de lancer un missile sur l'Eurocopter.

— Tu plaisantes ! laissa échapper Hanley, stupéfait.

— Ce n'est pas tout, cher ami ! rétorqua Cabrillo. Je n'ai pas encore eu l'occasion de vous annoncer les mauvaises nouvelles.

— Qu'est-ce qui pourrait être pire ?

— La météorite est à l'intérieur du premier appareil, répondit Cabrillo. Ils s'en sont emparés avant moi.

Dans l'Eurocopter, Hughes tenait d'une main son arme braquée sur la tempe de Neilsen et de l'autre son téléphone satellite.

— Partez vers l'ouest en direction de la côte, lui dit-il. Il y a eu un changement de programme.

Neilsen hocha la tête et modifia sa trajectoire.

Dans le même temps, Hughes appuya sur une touche du clavier de son téléphone et attendit.

— Monsieur, dit-il alors que Neilsen prenait de la vitesse au-dessus des pentes enneigées, j'ai retrouvé l'objet et viré le gardien mais maintenant, il y a un hic.

— Lequel ?

— Nous avons été attaqués par un hélicoptère non identifié.

— Vous vous dirigez vers la côte, n'est-ce pas ?

— Oui, monsieur, comme prévu.

— Une équipe vous attend là-bas, répondit son patron. Si l'hélicoptère vous suit jusqu'à la mer, ils pourront régler le problème très facilement.

Avant que Hughes puisse répondre, un deuxième missile frappa la queue de l'Eurocopter et sectionna une pale. Neilsen se débattit vainement avec les commandes de l'appareil qui entama une mortelle spirale en direction du sol.

— Nous allons nous écraser ! parvint à crier Hughes avant que la force centrifuge de l'Eurocopter qui tournoyait lui écrase la main contre le hublot, ce qui fêla la vitre et brisa le téléphone.

Une fois les deux hélicoptères partis, Cabrillo avait regagné l'endroit où il avait laissé ses après-ski. Il les fixait à ses pieds lorsque le bruit du missile frappant l'hélicoptère lui fit lever les yeux. Au début, il eut du mal à distinguer quoi que ce soit dans l'obscurité, mais au bout de quelques secondes apparut une lumière éclatante au loin. Elle dansa au sol comme une maléfique aurore boréale, puis perdit de son intensité.

Cabrillo finit d'attacher ses chaussures et regagna la Thiokol pour se précipiter vers l'endroit de l'explosion. Lorsqu'il y parvint, dix minutes plus tard, l'incendie n'était pas éteint. L'hélicoptère gisait sur le flanc comme un jouet cassé. Cabrillo descendit et força la porte du dessus de l'épave. Le pilote et le passager étaient morts tous les deux. Il s'empara de tout ce qui pouvait permettre d'identifier les corps puis il se mit à la recherche de la caisse contenant la météorite.

Il ne trouva rien, à l'exception de traces de pas inconnues.

Lorsque la communication avec Hughes fut coupée, son employeur appela un autre numéro.

— Nous avons eu un souci, dit-il avant d'expliquer la situation.

— Ne vous inquiétez pas, monsieur, le rassura son interlocuteur, nous sommes préparés à ce genre d'imprévus.

17

Dès que la neige et le froid eurent commencé à éteindre les flammes qui sortaient du réservoir percé, Al-Khalifa avait ouvert la porte de l'Eurocopter. Un examen rapide des corps lui avait révélé des yeux ouverts et aveugles qui semblaient indiquer que la mort avait été rapide. Al-Khalifa ne s'était pas donné la peine d'identifier les hommes – il se moquait franchement de leur identité. C'était des Occidentaux et ils étaient morts, voilà qui lui suffisait.

Son seul souci était de retrouver la météorite et pour cela il lui fallut grimper par la porte arrière pour atteindre la caisse qui s'était coincée contre un siège. Il l'avait extirpée et quitté l'hélicoptère, puis ouvert le loquet et le couvercle.

La météorite se trouvait à l'intérieur, posée sur de la mousse et protégée par des panneaux de plomb.

Il referma la caisse et se fraya un chemin dans la neige jusqu'au Kawasaki HK-500D, la plaça sur le siège passager et la maintint en place grâce à la ceinture de sécurité. Puis il s'installa aux commandes et décolla. Tandis qu'il volait au-dessus de l'étendue enneigée, la caisse sur le siège lui faisait l'effet d'un invité d'honneur plus que d'une sphère de mort destinée à empoisonner une population innocente.

Prenant sa radio, Al-Khalifa alerta l'équipage de l'*Akbar* de son arrivée imminente. Lorsqu'il aurait atteint le bateau, ils se dirigeraient vers Londres pour mener à bien leur mission. La colère des justes se déchaînerait bientôt.

Ensuite, il s'occuperait de l'émir et du renversement du gouvernement du Qatar.

— Donne-moi de bonnes nouvelles, déclara Cabrillo en tournant le dos au vent qui forcissait.

— Nous avons localisé l'*Akbar* sur le radar, dit Hanley. Nous sommes à deux heures de lui. Je suis en train de préparer un assaut pour libérer notre homme.

Cabrillo, les yeux fixés sur son écran, se déplaça pour obtenir un meilleur signal.

— Je suis sur le site où l'Eurocopter s'est écrasé, dit-il. Il a été abattu en plein vol par l'hélico mystérieux. Le pilote et le passager sont morts et la météorite s'est envolée.

— Tu en es sûr ?

— Parfaitement. Il y a des traces de pas sur les lieux et en les suivant, j'ai découvert des traces de l'autre hélico. Celui qui a abattu l'Eurocopter, quel qu'il soit, est maintenant en possession de la météorite.

— Je vais demander à Stone de repérer cet hélico sur le radar, dit Hanley. Il n'a pas pu aller bien loin. S'il s'agit d'un MD, il ne peut pas avoir un rayon d'action de plus de cinq cent soixante kilomètres, et comme il n'a pas pu se ravitailler, il se trouve dans un rayon de deux cent quatre-vingts kilomètres de ta position.

— Dis à Stone d'essayer autre chose, dit Cabrillo. J'ai réussi à sabler la météorite avant qu'elle soit volée.

« Sable » était le terme utilisé par la Corporation pour désigner les émetteurs microscopiques que Cabrillo avait saupoudrés sur le globe dans l'obscurité de la caverne. On aurait dit de la poussière mais ils émettaient des signaux qui étaient reçus par les équipements électroniques de l'*Oregon*.

— On peut dire que t'es fort ! s'exclama Hanley.

— Pas tant que ça puisque quelqu'un d'autre a emporté notre trophée.

— On va la retrouver, dit Hanley.

— Appelez-moi quand vous aurez du nouveau.

Après avoir raccroché, Cabrillo reprit le chemin de la grotte.

A cent trente kilomètres de l'*Akbar* et indétectable sur son écran radar, la scène qui se déroulait à bord du yacht *Free Enterprise* était des plus feutrées. Les hommes à bord étaient imprégnés d'une ferveur qui rivalisait avec celle des islamistes de l'*Akbar*, mais ils étaient simplement plus entraînés et n'avaient pas l'habitude de trahir leurs émotions. Tous étaient blancs, mesuraient plus de 1,80 mètre et étaient dans une forme physique excellente. Ils avaient servi dans l'armée américaine et avaient une raison personnelle d'accepter cette mission. Tous étaient prêts à mourir pour la cause.

Scott Thompson, le chef de l'équipe du *Free Enterprise*, attendait un appel dans la timonerie. Dès qu'il l'aurait reçu, l'assaut serait lancé. L'Occident et l'Orient allaient entrer en collision dans cette affaire menée dans le plus grand secret.

Le *Free Enterprise* filait vers le sud à travers un brouillard épais. Au cours de l'heure qui venait de s'écouler, le bateau avait rencontré un trio d'icebergs, dont la partie émergée faisait plus d'un demi-hectare. Les plus petits icebergs étaient innombrables, qui flottaient sur la banquise comme des glaçons dans un verre d'eau. Il faisait un froid cinglant à l'extérieur et le vent forcissait.

— Mécanisme de furtivité engagé ! cria le capitaine.

Tout en haut de la superstructure du *Free Enterprise*, un système électronique se mit à détecter les signaux radar émis par les autres bateaux, après quoi il les renvoyait à des vitesses variables. Sans un retour radar cohérent, les radars des autres bateaux ne pouvaient localiser le *Free Enterprise*.

Le bateau était devenu un spectre invisible sur la mer noire et tourmentée.

Un homme de grande taille et aux cheveux courts entra dans la timonerie.

— Je viens de finir l'exploitation des données, dit-il. On a de bonnes raisons de croire que Hughes est mort.

— Dans ce cas, on peut penser que celui qui l'a abattu a récupéré la météorite, fit remarquer le capitaine.

— Le grand chef suit la trace de l'hélicoptère depuis l'une de ses entreprises aérospatiales à Las Vegas.

— Et où se dirige l'hélicoptère ? demanda le capitaine.

— Ça, c'est la bonne nouvelle, répondit l'homme : droit sur notre cible.

— On dirait qu'on va pouvoir faire d'une pierre deux coups.

— Exactement.

Adams était un excellent pilote, mais à cause de l'obscurité et du vent grandissants, il avait les mains moites. Il naviguait entièrement aux instruments depuis qu'il avait quitté l'*Oregon*. Essuyant ses mains sur sa combinaison, il baissa le chauffage du cockpit et étudia son écran de navigation. S'il maintenait sa vitesse actuelle, il survolerait la côte deux minutes plus tard. Augmentant son altitude pour amorcer la montée au-dessus des montagnes, il scruta de nouveau les instruments.

Le manque de visibilité lui donnait l'impression de déambuler avec un sac en papier sur la tête.

Cabrillo n'arrivait pas à déterminer si Ackerman était mort ou vivant.

De temps à autre, Cabrillo sentait ce qui ressemblait à un faible pouls mais la blessure ne saignait plus, ce qui était mauvais signe. Ackerman n'avait pas bougé le moindre muscle depuis que Cabrillo était rentré dans la grotte. Ses yeux étaient fermés et les paupières immobiles. Cabrillo le redressa pour que son cœur soit surélevé par rapport à la blessure puis il le recouvrit d'un sac de couchage. Il ne pouvait guère faire plus.

Son téléphone sonna.

— Le signal envoyé par la météorite mène tout droit à l'*Akbar*, dit Hanley.

— Al-Khalifa! cracha Cabrillo. Je me demande comment il a appris l'existence de cette météorite.

— J'ai prévenu Overholt qu'il devait y avoir des fuites chez Echelon, dit Hanley. C'est la seule possibilité.

— Alors le Groupe Hammadi essaie de fabriquer une bombe radiologique, à grand rayon d'action, dit Cabrillo. Mais ceci n'explique pas qui étaient les premiers à s'être emparés de la météorite.

— Nous n'avons trouvé aucune information sur le passager de l'hélico, dit Hanley, mais je suppose qu'il travaillait avec Al-Khalifa et qu'ils ont eu un différend.

Cabrillo réfléchit un instant. L'explication était plausible ; c'était peut-être même la seule raisonnable, mais il ne pouvait s'empêcher de se sentir mal à l'aise.

— Bon, eh bien, nous le saurons après avoir repris la météorite et libéré l'émir.

— C'est ce qui est prévu, acquiesça Hanley.

— Ensuite ce sera terminé, dit Cabrillo.

— Impeccable.

Ni Cabrillo ni Hanley ne prévoyaient que le dénouement prendrait encore des jours.

Et que ce dénouement serait tout sauf impeccable.

— Demande à Huxley de m'appeler, dit Cabrillo. J'ai besoin de conseils médicaux.

— Je transmets, répondit Hanley avant de raccrocher.

A bord de l'*Akbar*, de puissantes rampes furent allumées pour indiquer les limites de l'aire d'atterrissage. Sur le côté, deux Arabes regardaient Al-Khalifa s'aligner, avancer tout en douceur et se poser. Dès que les patins de l'hélicoptère eurent touché le pont, les deux hommes se précipitèrent sous les pales pour arrimer l'appareil.

Les pales ralentirent lorsque Al-Khalifa tira sur le frein du rotor. Dès qu'elles se furent arrêtées, il descendit et contourna l'appareil pour ouvrir la portière du passager. Il prit la caisse entre ses mains, se dirigea vers la porte du salon principal et attendit qu'on lui ouvre.

Une fois entré, il s'approcha de la longue table et posa la caisse dessus.

Tandis qu'il désactivait le loquet et ouvrait le couvercle, les terroristes se rassemblèrent en silence autour de la sphère. Puis Al-Khalifa se pencha sur le globe et le souleva au-dessus de sa tête.

— Un million de morts parmi les infidèles, déclara-t-il avec grandiloquence, et Londres en ruine.

— Louanges à Allah ! crièrent les terroristes.

— Un kilomètre et demi droit devant, dit le capitaine du *Free Enterprise*, il se déplace à quinze nœuds.

Un groupe de neuf hommes vêtus de combinaisons noires étanches se serraient les uns contre les autres dans la timonerie. Ils étaient armés de fusils en bandoulière, d'armes de poing et de grenades.

Le *Free Enterprise* avait mis en panne. Dehors, sur le pont arrière, on préparait la mise à l'eau d'un vaste bateau pneumatique résistant aux balles. Des canons de cinquante millimètres étaient montés à la proue et à la poupe du bateau. Sur le sol en fibre de verre rigide de l'embarcation, se trouvait un moteur diesel à haute performance.

Le bateau disparut par-dessus bord et atterrit à la surface de l'eau dans une gerbe d'éclaboussures.

— On aborde par la proue, déclara le chef, on neutralise les cibles, on récupère la météorite, et on repart. Je veux qu'on soit de retour à bord dans cinq minutes max.

— Est-ce qu'il y a des alliés à bord ? demanda un homme.

— Un seul, répondit le chef en leur montrant une photo.

— Qu'est-ce qu'on fait de lui ?

— Protégez-le si vous pouvez, répondit-il, mais pas au prix de votre propre vie.

— On le laisse à bord ?

— Il ne nous est d'aucune utilité, répondit Scott Thompson.

Les hommes sortirent un par un de la timonerie sur le pont arrière. Ils descendirent en file indienne une volée de marches creusées dans la coque et qui menaient à une petite plate-forme à laquelle était amarré le bateau pneumatique. Dès que les hommes eurent embarqué, l'un d'eux prit position derrière la barre, mit le moteur en route et s'éloigna du *Free Enterprise*.

A une vitesse de cinquante-cinq nœuds, il ne leur fallut pas longtemps pour atteindre l'*Akbar*.

Une fois qu'ils furent à l'arrière du yacht, l'homme qui était aux commandes maintint l'embarcation tout près de la plate-forme arrière en ajustant judicieusement la puissance. Les huit autres montèrent sur la plate-forme et se dirigèrent vers le haut tandis que le barreur s'écartait légèrement du yacht tout en restant à la même vitesse.

Le prisonnier dans la cabine de l'*Akbar* était parvenu à dégager ses mains mais pas ses jambes. Sautillant jusqu'aux toilettes, il vida sa vessie, puis se rassit sur le lit et renoua ses liens. Si personne ne se pointait rapidement pour le secourir, il devrait prendre les choses en main. Il avait faim, et la faim le mettait en colère.

Un pont au-dessus, le seul son que l'on entendait était celui d'un léger martèlement de bottes recouvertes de feutre, émis par les hommes du *Free Enterprise* qui se disséminaient sur l'*Akbar*. Au bout de quelques secondes, le bruit d'un éclatement léger sembla-ble à celui de grains de pop-corn paresseux se fit entendre à travers le bateau, bientôt suivi de celui de corps s'effondrant sur le pont.

Quelques secondes plus tard, la porte de la cabine du prisonnier s'ouvrit en grand et un homme vêtu d'une combinaison noire lui braqua une lampe-torche en pleine figure, puis consulta une photographie qu'il tenait à la main et referma la porte. Le prison-nier commença à tirer sur la pellicule qui lui recouvrait le visage.

L'*Akbar* ralentit et s'arrêta.

Rapidement, quatre hommes lestèrent les corps des terroristes, en commençant par celui de leur chef, et les jetèrent par-dessus bord tandis que le reste de l'équipe nettoyait les traces de sang. Quatre minutes après avoir mis le pied sur le pont de l'*Akbar*, ils redescendaient vers la plate-forme de plongée.

Le chef de l'équipe du *Free Enterprise* déposa avec soin une caisse à l'arrière du bateau pneumatique et ses hommes s'installèrent à bord. Le pilote mit les gaz et le bateau noir fendit les flots jusqu'à son vaisseau-mère.

L'assaut avait été fulgurant.

Une fois que tous furent de retour à bord et que le bateau gon-flable fut hissé sur le pont, le capitaine du *Free Enterprise* vint se ranger le long de l'*Akbar*. Le brouillard s'était un peu dissipé et les feux de l'*Akbar* scintillaient sur l'eau moirée de l'océan. Le yacht était chahuté comme un bateau ancré au-dessus d'un récif; sauf qu'à cet endroit, l'eau était trop froide pour la plongée, et qu'il n'y avait plus personne – sauf une – pour sortir s'amuser.

Le *Free Enterprise* doubla l'autre bateau et le capitaine augmen-ta progressivement sa vitesse.

18

Aᴅᴀᴍs maintint le Robinson en vol stationnaire au-dessus du mont Forel, puis il utilisa le haut-parleur télécommandé pour envoyer le son d'un avertisseur à air comprimé. Au bout de quelques minutes, il discerna une lueur verte au sol. Il se dirigea vers elle et lança un deuxième coup d'avertisseur pour que Cabrillo s'éloigne de l'aire d'atterrissage, après quoi il posa l'hélicoptère sur la neige et descendit.

— Monsieur le président, dit-il à Cabrillo qui arrivait à sa rencontre, je suis bien content de vous avoir trouvé. Il fait aussi noir que dans un sachet de réglisse ici.

— Tout le monde a pu quitter l'Islande sans difficulté ?

— Tout s'est déroulé selon le plan, répondit Adams.

— Voilà un point positif, déclara Cabrillo. On en est où côté capacité ?

— Avec nous deux à bord, plus le carburant, il nous reste quelques dizaines de kilos de marge. Pourquoi ?

— Nous avons un autre passager, dit Cabrillo.

— Qui ?

— Un civil qui s'est fait tirer dessus, dit Cabrillo. Je crois qu'il s'est simplement trouvé au mauvais endroit au mauvais moment.

— Il est vivant ?

— Je ne sais pas trop, mais son état semble grave, dit Cabrillo en tendant le doigt vers l'entrée de la grotte. Allez-y et portez-le dans l'hélico. Je vais avancer l'autoneige jusqu'ici pour faire le transfert de carburant.

Adams hocha la tête et commença à gravir la pente. Une fois sur le seuil, il s'arrêta et regarda vers le nord. Sur la ligne d'horizon, des lueurs vertes et bleues scintillaient et dansaient comme de délicates pièces d'étoffe illuminées par des lumières vacillantes. Cette aurore boréale exerçait une fascination sinistre et Adams ne put réprimer un frisson.

Pivotant sur ses talons, il entra dans la grotte.

Cabrillo monta dans l'autoneige et conduisit jusqu'à l'hélicoptère, où il se mit à effectuer le transfert de carburant à l'aide d'une pompe à manivelle qui se trouvait sur le réservoir de secours. Il achevait de remplir le deuxième réservoir du Robinson lorsque Adams surgit dans l'obscurité, portant Ackerman qui était toujours dans son sac de couchage. Avec un luxe de précautions, il déposa l'archéologue sur le siège arrière, attacha la ceinture et rejoignit Cabrillo.

— J'ai des bidons de lubrifiant qu'il faut ajouter au carburant pour enrichir l'indice d'octane, dit-il.

— Donnez-les-moi, je m'en charge. Je voudrais que vous appeliez Huxley par radio pour lui demander s'il y a quelque chose que nous puissions faire pour notre passager. Expliquez-lui qu'il est gravement blessé par balle et qu'il a perdu beaucoup de sang.

Adams hocha la tête et fouilla dans le compartiment à matériel d'où il sortit deux bidons de lubrifiant qu'il tendit à Cabrillo. Puis il s'installa aux commandes et alluma sa radio. Une fois qu'il eut terminé, il redescendit et se rendit de nouveau près du compartiment à matériel, d'où il tira cette fois une pelle à manche télescopique. Lorsque Cabrillo eut terminé le transfert de carburant, Adams se mit à pelleter de la neige dans le sac de couchage d'Ackerman.

— Elle m'a dit de le refroidir et de ralentir ses battements de cœur, expliqua Adams à Cabrillo, pour entraîner une hypothermie et stabiliser son état.

— Combien de temps faut-il pour regagner l'*Oregon*? demanda Cabrillo.

— Ils avançaient à pleine vitesse lorsque j'ai décollé, répondit Adams, ce qui va nous faire gagner un peu de temps sur le trajet du retour. Je dirais qu'il faudra environ une heure.

106

Cabrillo opina et brossa la neige accrochée à ses sourcils.

— Je déplace l'autoneige, dit-il, vous n'avez qu'à faire chauffer le moteur.

— Très bien.

Quatre minutes plus tard, Cabrillo s'installait dans le siège passager de l'hélicoptère et Adams enclenchait le levier pour mettre en mouvement les pales du rotor. En une minute, il fit décoller l'hélicoptère.

A bord de l'*Oregon*, Hanley élaborait un plan d'assaut sur l'*Akbar*. Sur un côté de la salle de contrôle, Eddie Seng prenait des notes sur un bloc. Eric Stone s'approcha de Hanley et attira son attention sur le grand moniteur qui retransmettait une image des côtes du Danemark avec la position de l'*Akbar* et la trajectoire de l'*Oregon*.

— Monsieur, dit-il en montrant l'écran, l'*Akbar* n'a pas bougé depuis quinze minutes. En revanche, ce n'est pas le cas de la météorite. Si les signaux sont corrects, elle s'éloigne.

— C'est impossible ! s'exclama Hanley. Est-ce que nous pourrions avoir une réception faussée ?

Stone fit un signe de tête affirmatif.

— Avec l'aurore boréale et la courbure de la terre à cette latitude, les signaux pourraient être déviés par l'ionosphère.

— Combien de temps nous faudra-t-il pour atteindre l'*Akbar* ? demanda Hanley.

— Nous étions à une heure, répondit Stone. Maintenant qu'il s'est arrêté, nous avons gagné environ dix minutes sur cette estimation.

— Eddie, demanda Hanley, est-ce que vos hommes pourront être prêts plus tôt que prévu ?

— Sans problème, répondit Seng. C'est le premier à bord qui fait tout le boulot. Quand il aura vaporisé l'agent paralysant dans les conduits d'aération et que les méchants seront au pays des rêves, il suffira de faire le ménage et de prendre le contrôle du bateau.

Stone avait regagné sa place pour étudier un graphique de fréquences radio qui montrait l'intensité des signaux sur les différentes bandes.

— Nous captons quelque chose dans les basses fréquences, dit-il.

— Essayez de régler ça, lui ordonna Hanley.

Stone se débattit avec la fréquence puis il appuya sur un bouton de sa console pour amplifier la réception et alluma le haut-parleur.

— Portland, Salem, Bend [1], dit une voix. Prêt à transmettre.

Sur l'*Akbar*, le prisonnier était parvenu à libérer de nouveau ses mains et ses jambes. Il avait collé son oreille à la porte de sa cabine sans entendre aucun bruit, et s'était donc risqué à entrouvrir la porte et à passer la tête à l'extérieur. Il n'y avait personne dans le couloir. Il avait fouillé tout le bateau de la proue à la poupe et n'avait rien trouvé.

Puis il avait ôté son masque en latex et s'était rendu à la timonerie pour passer un appel radio.

— Portland, Salem, Bend, répétait-il, prêt à transmettre.

Sur l'*Oregon*, Hanley attrapa le micro pour répondre.

— Ici l'*Oregon*, identifiez-vous.

— Six, onze, cinquante-neuf.

— Murphy? demanda Hanley. Qu'est-ce que vous faites à la radio?

— Plutôt audacieux, comme plan, remarqua Adams en pilotant l'hélicoptère dans le ciel noir, d'utiliser une doublure pour l'émir du Qatar.

— Nous savions qu'Al-Khalifa préparait une attaque contre l'émir depuis quelque temps, et l'émir s'est plié à notre petite opération. Il veut se débarrasser d'Al-Khalifa autant que nous.

— Vous avez mangé? demanda Adams. J'ai apporté des sandwiches, des petits gâteaux et du lait. Tout est dans un sac à l'arrière.

Cabrillo fit un signe de tête et attrapa le sac à côté d'Ackerman. Il ouvrit un sac isotherme matelassé et en sortit un sandwich.

— Vous avez du café? demanda-t-il.

— Un pilote sans café? s'exclama Adams. Ce serait comme un pêcheur sans appâts. Il y a une Thermos par terre. C'est mon mélange spécial torréfié à l'italienne.

Cabrillo se servit une tasse de café et après en avoir avalé deux

---

1. Trois villes américaines de l'Etat de l'Oregon. (NdlT)

gorgées, il la reposa sur le sol près de ses pieds et attaqua son sandwich.

— Alors, l'enlèvement du faux émir, c'était prévu dès le début?

— Non, répondit Cabrillo. Nous pensions pouvoir prendre Al-Khalifa sur le fait. Le point positif, c'est que nous sommes certains qu'il n'envisage pas de tuer l'émir; il veut seulement le faire abdiquer en faveur de son clan à lui. Notre homme devrait être aussi en sécurité qu'une vache à un colloque végétarien, tant que personne ne découvre qu'il s'agit d'un imposteur.

Cabrillo mangea encore une bouchée de son sandwich.

— Chef, fit Adams, je peux vous demander quelque chose?

— Bien sûr, répondit Cabrillo en avalant la dernière bouchée et se baissant pour prendre son café.

— Qu'est-ce que vous foutiez au Groenland et qui est ce type à moitié mort sur le siège arrière de mon hélico?

— Al-Khalifa et ses hommes se sont volatilisés, annonça Murphy. Apparemment, je suis seul à bord.

— Ça ne rime à rien! fit Hanley. Est-ce que l'hélicoptère est toujours à bord?

— Je l'ai vu posé sur le pont arrière, dit Murphy.

— Et vous avez parcouru tout le yacht?

— Oui. C'est comme s'ils n'avaient jamais existé.

— Ne quittez pas, dit Hanley en se tournant vers Stone.

— Trente-huit minutes, répondit Stone à la question muette.

— Murphy, dit Hanley, nous serons là dans une demi-heure. Tâchez de trouver quelque chose avant qu'on arrive.

— D'accord, répondit Murphy.

— Nous n'allons pas tarder, dit Hanley, et nous allons comprendre ce qui se passe.

— J'ai reçu un appel de notre contact à la CIA, expliqua Cabrillo. Pendant que nous étions à Reykjavik, Echelon a intercepté un e-mail au sujet d'une météorite constituée d'iridium. La CIA s'est inquiétée qu'elle puisse tomber entre de mauvaises mains, et on m'a demandé d'y aller pour la mettre en sécurité. Ce monsieur, dit-il en faisant un geste vers l'arrière, est l'archéologue qui l'a découverte.

— Il l'a trouvée en faisant des fouilles dans la grotte?

— Pas exactement, dit Cabrillo. Vous n'avez pas pu visiter, mais il y a un grand sanctuaire à l'étage au-dessus de celui que vous avez vu ; très élaboré. Quelqu'un il y a longtemps a dû découvrir la météorite et en faire un objet religieux ou spirituel. L'archéologue devait avoir des indices et il est parvenu à retrouver la trace du site.

Adams ajusta ses commandes de pilotage et parla dans son micro.

— *Oregon*, ici Air One. Nous arrivons dans vingt minutes.

Après avoir reçu la réponse de Stone, il poursuivit.

— Tout ça me semble bizarre. Même si la météorite a une valeur historique, je ne vois pas des archéologues rivaux s'entre-tuer pour une trouvaille. Ils en rêvent peut-être, mais je n'en ai jamais entendu parler dans la réalité.

— Pour l'instant, dit Cabrillo, on dirait que ce sont Al-Khalifa et le groupe Hammadi qui ont intercepté l'e-mail et volé la météorite à cause de l'iridium qu'elle contient. Ils ont sans doute l'intention de fabriquer une bombe radiologique.

— Si c'est le cas, ils doivent déjà être en possession d'une quelconque bombe en état de marche qui constitue le catalyseur. Sinon, c'est comme s'ils avaient du bois sans pouvoir l'allumer.

— C'est exactement ce que je crois.

— Donc, une fois que notre équipe aura repris la météorite, il faudra chercher la bombe initiale.

— Lorsque nous tiendrons Al-Khalifa, dit Cabrillo, nous lui ferons avouer la position de l'arme. Ensuite, on enverra une équipe pour la désamorcer et ce sera terminé.

Cabrillo ne savait pas encore qu'Al-Khalifa reposait au fond de l'océan.

Juste à côté d'une série de sources géothermiques.

19

THOMAS Dwyer, un nom qui sonnait sérieux et posé. Même le titre de Dwyer, chercheur en physique théorique, évoquait un universitaire fumant la pipe, une caricature d'intello ou un homme qui menait une existence soigneusement réglée. Rien n'aurait pu être plus éloigné de la vérité.

Dwyer était capitaine de son équipe de fléchettes au pub du coin, il participait à des rallyes automobiles le week-end et poursuivait les femmes célibataires avec une ténacité que ses quarante ans n'avaient pas émoussée. Physiquement, Dwyer avait des airs du comédien Jeff Goldblum, il s'habillait plus comme un producteur de cinéma que comme un scientifique et il lisait une vingtaine de journaux et magazines par jour. Il était intelligent, plein d'imagination et d'audace, et autant au courant de l'actualité et des dernières tendances qu'un expert de la mode.

Son univers professionnel révélait cependant un aspect plus sérieux de sa personnalité. On pouvait lire sur ses cartes de visite : *Central Intelligence Agency, Thomas W. Dwyer (TD) – Chercheur senior en physique théorique.* Dwyer était un scientifique espion.

A cet instant, Dwyer était suspendu la tête en bas, chaussé d'une paire de bottes à inversion de gravité qui étaient attachées à une barre suspendue au-dessus de la porte de son bureau. Il s'étirait le dos tout en réfléchissant.

— Monsieur Dwyer, lança un de ses jeunes collaborateurs d'une voix discrète.

Dwyer tourna la tête ; il vit une paire de chaussures en cuir marron et des chaussettes de sport blanches sous un pantalon un peu trop court. Courbant le dos, Dwyer remonta la tête pour voir qui lui parlait.

— Oui, Tim ?

— On m'a confié une mission que je juge trop importante pour mon niveau de responsabilité, dit doucement le jeune physicien.

Dwyer releva les bras et empoigna la barre au-dessus de la porte, puis il pivota comme un gymnaste, ôta ses bottines de la barre et se laissa souplement tomber au sol.

— J'ai vu ce mouvement aux derniers JO, dit Dwyer avec un sourire. Qu'est-ce que tu en penses ?

— Très bien, monsieur, dit le jeune homme d'une petite voix.

Regagnant son bureau, Dwyer s'assit et se baissa pour enlever ses chaussures. Le jeune homme le suivit modestement, chargé d'un dossier intitulé ECHELON A-1. Lorsque Dwyer eut enlevé ses bottes, il les jeta dans un coin et tendit la main pour recevoir le dossier. Il en détacha une étiquette, la parapha vivement et la rendit à son jeune collègue.

— C'est mon problème, maintenant, dit-il avec un sourire. Je vais faire l'analyse et rédiger le rapport.

— Merci, monsieur Dwyer, dit Tim.

— Appelle-moi TD, dit Dwyer, tout le monde le fait.

Thomas « TD » Dwyer était assis et avait les pieds posés sur son bureau.

Il avait en main une thèse sur la formation naturelle des buckminsterfullerènes, plus communément appelées ballons de Bucky, sur les météorites. Ces molécules sphériques, dont le nom scientifique fait référence à l'architecte américain R. Buckminster Fuller, qui a inventé le dôme géodésique, sont les grandes molécules les plus rondes et les plus symétriques que connaisse l'homme. Découvertes en 1985 au cours d'une expérience spatiale avec des molécules de carbone, les ballons de Bucky ont continué à plonger les scientifiques dans la perplexité. Lorsque le creux à l'intérieur de la sphère est rempli de césium, il produit le semi-conducteur organique le plus fin qui ait jamais été testé. Des expériences menées sur des ballons de Bucky en carbone pur sont parvenues à créer un lubrifiant presque sans aucun frottement. Parmi les applications possibles, le développement de moteurs non polluants, la diffusion progressive de médicaments dans le corps, et des nanotechnologies plus perfectionnées. Le champ d'application était vaste et ne cessait de croître.

Bien que ces utilisations futures soient intéressantes, Dwyer ne s'en souciait guère. Ce qui l'intéressait, c'était le présent. On avait trouvé des ballons de Bucky naturels dans des cratères creusés par des météorites et en les examinant, on avait trouvé de l'argon et de l'hélium à l'intérieur des sphères.

Dwyer médita ces informations.

D'abord, il imagina deux dômes géodésiques emboîtés l'un dans l'autre de manière à former un globe de la taille d'un ballon de football. Puis il imagina le creux rempli de gaz. Si on perçait le globe avec une pique ou qu'on le décapitait avec une épée, les gaz s'échapperaient. Et alors ? L'hélium et l'argon étaient inoffensifs et on les rencontrait souvent dans la nature. Mais que se passerait-il si les gaz contenaient autre chose ? Des éléments inconnus sur Terre ?

Il ouvrit l'annuaire téléphonique de son ordinateur, sélectionna un numéro et le logiciel le composa.

A l'autre bout du pays, à trois fuseaux horaires, un homme s'approcha de son téléphone qui sonnait.

— Nasuki, répondit-il.

— Mike, vieux pirate, c'est TD.

— TD, sacré pseudo-scientifique, comment va l'espionnage ?

— Je te le dirais avec plaisir mais c'est tellement secret que je préfère mourir.

— Alors ça c'est un secret ! fit Nasuki.

— J'ai un service à te demander.

Miko « Mike » Nasuki était un astronome de la NOAA, l'administration nationale océanographique et atmosphérique, une division du ministère du Commerce. L'agence avait un vaste champ de recherches possibles, même si elles se restreignaient en général à l'hydrographie.

— Un service du genre « cette conversation n'a jamais eu lieu » ?

— Tout à fait, répondit Dwyer. Que des hypothèses, rien d'officiel.

— Très bien, fit Nasuki, je t'écoute.

— Je cherche des infos sur les météorites et en particulier la formation des ballons de Bucky.

— C'est tout à fait mon domaine, dit Nasuki, les trucs de pointe.

— Est-ce que tu connais des théories sur la fabrication des gaz à l'intérieur des sphères elles-mêmes? demanda prudemment Dwyer. Par exemple, pourquoi l'argon et l'hélium sont-ils prédominants?

— D'abord parce que ce sont les gaz les plus répandus sur les autres planètes.

— Donc, répliqua Dwyer, l'intérieur des sphères pourrait tout aussi bien être rempli d'autres substances. Des substances qui n'existent pas sur Terre.

Nasuki prit le temps de réfléchir à la question.

— Sans doute, TD. J'ai assisté à une conférence il y a quelques mois, au cours de laquelle quelqu'un a fait une présentation sur l'extinction des dinosaures qui pourrait être due à un virus venu de l'espace.

— Apporté par une météorite?

— Exactement, dit Nasuki. Il y a quand même un truc qui cloche.

— Quoi?

— On n'a jamais découvert une météorite vieille de soixante-cinq millions d'années.

— Cette théorie, tu t'en souviens en détail?

Nasuki fit un effort de mémoire.

— Le principe était que des microbes extraterrestres à l'intérieur de l'hélium auraient été libérés lors de l'impact et que ceux qui n'avaient pas brûlé empoisonnèrent les formes de vie existant à l'époque. Il y avait deux hypothèses intéressantes, poursuivit Nasuki. Selon la première, ces microbes étaient des virus à propagation rapide comme une forte grippe, le SRAS ou le SIDA, qui avaient attaqué les dinosaures.

— Et la deuxième?

— Elle envisageait que ce qui se trouvait à l'intérieur de l'hélium était capable de modifier l'atmosphère elle-même, peut-être en modifiant la structure moléculaire de l'air.

— C'est-à-dire?

— Un gaz capable d'appauvrir tout l'oxygène, ce genre de choses.

— Alors les dinosaures seraient morts asphyxiés? demanda Dwyer, incrédule.

Nasuki émit un petit gloussement.

— TD, ce n'est qu'une théorie !

— Et si une météorite constituée principalement d'iridium existait sous une forme intacte, demanda Dwyer, et qu'elle ait résisté à l'impact ?

— L'iridium, comme tu le sais, est à la fois très dur et extrêmement radioactif, dit Nasuki. Cela constituerait un système de livraison rêvé pour un agent pathogène transporté par le gaz. La radiation pourrait même faire muter le virus en quelque chose de différent, de plus coriace.

— Donc, résuma Dwyer, il serait possible qu'un virus vieux de millions d'années et venu d'une planète distante de milliards de kilomètres soit contenu dans les molécules à l'intérieur de la météorite ?

— Flippant mais possible, répondit Nasuki.

— Je dois te laisser, déclara vivement Dwyer.

— Je me doutais que tu allais me dire ça.

20

Tandis que Cabrillo se posait sur le sol du Groenland, deux hommes se retrouvaient dans un entrepôt désaffecté sur les quais d'Odessa en Ukraine, à un quart de globe de là. Cet échange, contrairement à ceux mis en scène par Hollywood, qui voient des hordes d'hommes armés converger vers un endroit pour échanger des mallettes de billets contre des armes, n'avait rien de bien fascinant. Rien que deux hommes, une grande caisse en bois et un sac en nylon qui contenait l'argent.

— Le paiement est mixte, comme vous avez demandé, dit un homme en anglais : dollars, livres sterling, francs suisses et euros.

— Merci, répondit le second avec un accent russe.

— Avez-vous changé les fichiers pour que cette arme apparaisse comme vendue secrètement à l'Iran en 1980 ?

— Oui. Vendue par l'ancien gouvernement communiste aux forces radicales de Khomeyni qui ont renversé le Chah, l'argent de la vente ayant été utilisé pour financer l'occupation russe de l'Afghanistan.

— Le détonateur ?

— Nous en avons mis un nouveau dans la caisse.

— Sympa de votre part, dit le premier en souriant. Appelez ce numéro en cas de problème.

— Très bien.

— Vous quittez l'Ukraine, n'est-ce pas ? demanda le premier en faisant glisser la caisse sur une rampe pour la charger dans une camionnette d'une tonne.

— Ce soir.

— A votre place, j'irais très loin, dit l'homme en refermant et verrouillant la porte du camion.

— L'Australie, c'est assez loin ?

— Ça me paraît parfait.

Puis il monta à l'avant du camion, s'installa au volant, ferma la porte et démarra. Moins d'une heure plus tard, sur un autre quai, la caisse était chargée à bord d'un vieux cargo pour transiter par la mer Noire, première étape d'un très long voyage.

Après avoir quitté Odessa, le cargo grec *Larissa* s'était dirigé vers l'ouest sur la Méditerranée et oscillait sur les vagues houleuses. A tribord, les falaises de Gibraltar s'élevaient vers le ciel.

— Moteur encrassé, déclara le mécanicien maculé de taches. J'ai nettoyé le filtre et ça devrait aller maintenant. En ce qui concerne le bruit sourd, je pense que c'est juste un piston. Les moteurs diesel ont salement besoin d'être réparés.

Le capitaine hocha la tête et tira sur sa cigarette sans filtre, puis il se gratta le bras. Depuis la Sardaigne, une éruption cutanée s'était formée et elle s'étendait à présent du poignet au coude. Il ne pouvait pas y faire grand-chose ; le *Larissa* se trouvait encore à vingt-deux mille kilomètres et quatre jours de sa destination. Il regarda un grand pétrolier qui les doublait puis tendit la main et ouvrit un bocal de vaseline et s'en appliqua sur la peau à vif.

L'échéance pour livrer sa mystérieuse cargaison était le 31 décembre.

Maintenant que le problème de moteur était réglé, il commençait à penser qu'il allait respecter cette échéance. Une fois sur place, après avoir effectué sa livraison, il fêterait la nouvelle année dans un bar des quais, puis il se mettrait en quête d'un médecin pour examiner ses boutons.

Il ignorait que le prochain médecin qu'il verrait serait un légiste.

21

DEPUIS l'hélicoptère, on voyait un champ de lumières ; sur les ordres de Hanley, l'équipage de l'*Oregon* avait allumé toutes les lumières et le bateau ressemblait à un sapin de Noël qui se détachait sur le ciel noir. La navigation aux instruments était épuisante pour les nerfs et Adams était heureux d'atterrir. Il s'aligna sur la poupe, effectua sa descente puis resta en surplace quelques instants avant de parcourir les derniers mètres jusqu'à l'aire d'atterrissage.

Lorsqu'il se fut posé, il commença à accomplir les procédures d'arrêt du moteur.

— C'était coton ce vol, dit Cabrillo en attendant que les pales aient fini de tourner.

— Terrifiant, la plupart du temps, reconnut Adams.

— Beau boulot, George ! le félicita Cabrillo.

Avant qu'Adams ait pu répondre, Julia Huxley, le médecin de bord, arriva en courant, suivie de Franklin Lincoln.

— Il est à l'arrière, déclara Cabrillo.

Huxley fit un signe de tête et ouvrit la porte arrière pour prendre le pouls d'Ackerman. Puis elle se recula et Lincoln s'approcha pour prendre dans ses bras l'archéologue, toujours dans son sac de couchage. Il portait Ackerman devant lui, à hauteur de sa taille, en courant vers l'infirmerie, suivi de près par Huxley. Hanley arriva au moment où Cabrillo descendait de l'hélicoptère ; il ne perdit pas de temps en plaisanteries.

— Murph a appelé de l'*Akbar*.

— Il s'est fait prendre ? demanda Cabrillo avec inquiétude.

— Non, dit Hanley en poussant Cabrillo vers la porte qui donnait sur l'intérieur de l'*Oregon*, il a entendu du bruit et il a pu se libérer. Après avoir attendu un certain laps de temps, il est sorti de la cabine où il était retenu prisonnier et il a commencé à explorer les lieux. Le yacht était vide et rien n'indiquait où avaient pu partir Al-Khalifa et son équipage, donc il s'est risqué à nous appeler.

Les hommes avaient quitté le pont arrière et ils se dirigeaient vers la salle de contrôle.

— A-t-il retrouvé la météorite ? demanda Cabrillo.

— Elle s'est envolée, répondit Hanley en ouvrant la porte. Nous recevons des signaux des émetteurs que tu as laissés dessus mais ils sont intermittents.

Ils entrèrent dans la salle de contrôle.

— D'où viennent les signaux ? demanda Cabrillo.

Hanley tendit la main en direction d'un écran.

— Regarde, dit-il, la piste se dirigeait vers le nord, mais maintenant, c'est vers l'est, dans la mer au-dessus de l'Islande.

— Elle a changé de bateau, dit Cabrillo. Mais pourquoi ?

— C'est la question, dit Hanley.

— Est-ce que nous sommes loin de l'*Akbar* ?

Sans répondre, Stone pianota sur son clavier et une image apparut sur un écran mural. Une caméra vidéo installée à la proue de l'*Oregon* et éclairée par des projecteurs transmit son image.

L'*Akbar* se trouvait droit devant.

Le *Free Enterprise* voguait à pleine vitesse sur une mer agitée.

— Arrêtez-vous aux îles Féroé, ordonna une voix sur une liaison sécurisée. Je vais envoyer quelqu'un à l'aéroport pour prendre possession du paquet.

— Où devons-nous aller ensuite ? demanda le capitaine.

— A Calais, répondit l'homme. C'est là que se trouve le reste du groupe.

— Très bien, monsieur, répondit le capitaine.

— Encore une chose, ajouta l'homme.

— Oui, monsieur ?

— Expliquez aux membres de l'équipe qu'ils vont recevoir chacun une prime de cinquante mille dollars, dit-il, et prévenez-les

119

que la famille de Hughes sera généreusement dédommagée pour son décès.

— Comptez sur moi, monsieur, dit le capitaine.

L'homme se déconnecta et attrapa un dossier sur son bureau. Il en sortit le contrat de vente de l'usine de tissage anglaise et l'autorisation de paiement. Il signa les deux documents puis les inséra dans son télécopieur.

Lorsque la réception fut confirmée, il fit un pas en arrière.

Le premier volet de son plan était achevé. L'heure de la vengeance allait bientôt sonner.

A l'instant où le fax voyageait vers l'Angleterre sur les lignes téléphoniques, le cargo *Larissa* contournait le Cabo de Finisterre, en Espagne. Le capitaine mit le cap sur Brest pour se diriger ensuite vers la Manche. L'air de la nuit était frais et dans le ciel clair brillaient des millions d'étoiles.

Il aperçut une étoile filante qui traversait le ciel.

Hochant la tête avec satisfaction, il alluma une cigarette, avala une gorgée d'ouzo contenu dans une flasque argentée, et il gratta les boutons sur son bras. Une fine goutte de sang apparut à la surface et il la tamponna avec un vieux chiffon.

Dans deux jours, ils seraient à Londres et il pourrait faire examiner ces boutons.

Grâce aux propulseurs commandés par ordinateur, Hanley positionna l'*Oregon* parallèlement à l'*Akbar*. Cabrillo fut le premier à monter à bord du yacht, suivi de Seng, Jones, Meadows et Linda Ross. Murphy les attendait sur le pont. Des lambeaux de son masque en vinyle étaient toujours visibles près de ses cheveux. Dès que Cabrillo eut grimpé sur le pont, Murphy lui indiqua la porte ouverte.

— Dites-moi ce que vous avez entendu et ce qui s'est passé ensuite, déclara Cabrillo en suivant Murphy dans le salon principal.

Murphy lui parla des détonations étouffées qu'il avait entendues et de l'homme masqué qui était entré dans sa cabine.

— Ça n'a duré que cinq minutes, dit-il tandis que le reste de l'équipe entrait dans le salon. Puis j'ai attendu encore dix minutes avant de me risquer dehors.

— Fouillez tous les recoins, ordonna Cabrillo. Je veux des réponses.

L'équipe se divisa et s'éparpilla sur le bateau. Des fusils et des armes de poing étaient éparpillés dans les cabines, ainsi que des vêtements, des effets personnels et des valises. Les lits étaient froissés et les couvertures de certains étaient repoussées. Des exemplaires du Coran se trouvaient dans chaque cabine et les chaussures étaient encore alignées sur le sol près des lits.

On aurait dit qu'un OVNI était passé par là et avait embarqué tous les occupants du yacht.

A bord de l'*Oregon*, Hanley s'assura que les propulseurs étaient convenablement réglés, puis il se tourna vers Stone.

— Prenez la barre, lui dit-il, j'y vais.

Stone se glissa dans le siège de Hanley et se mit en devoir d'ajuster les caméras sur le pont afin de pouvoir observer ce qui se passait.

Hanley passa sur l'*Akbar* et se dirigea vers le grand salon. Meadows appliquait un compteur Geiger sur la grande table.

— La météorite a été posée là, dit-il à Hanley qui traversait la pièce.

A l'entrée de la coursive, Ross tenait à la main un vaporisateur contenant un liquide bleu. Elle en aspergea les murs, puis enfila des lunettes spéciales tandis que Hanley passait derrière elle et se dirigeait vers l'escalier.

— S'ils ont changé de bateau, disait Cabrillo à Murphy au moment où Hanley ouvrit la porte de la cabine, pourquoi n'ont-ils pas emporté leurs effets personnels?

— Peut-être parce qu'ils ne voulaient rien emporter qui puisse les relier à l'*Akbar*? avança Hanley.

— Ça n'aurait pas de sens, répondit Cabrillo. Ils se donnent la peine de capturer celui qu'ils pensent être l'émir du Qatar, pour ensuite l'abandonner sur un yacht qui vaut des millions de dollars?

— Ils doivent avoir prévu de revenir, dit Murphy.

A ce moment-là, Seng passa la tête par la porte de la cabine.

— Chef, Ross a quelque chose à vous montrer, dit-il.

Les quatre hommes empruntèrent la coursive en file indienne jusqu'à l'endroit où se trouvait Ross. Elle avait vaporisé de la mousse sur le mur pour délimiter les zones teintées en bleu. Ross enleva ses lunettes et elle les tendit à Cabrillo sans rien dire.

121

Il les enfila et regarda le mur. La lueur fluorescente des éclaboussures de sang évoquait une toile de Jackson Pollock. Il passa ensuite les lunettes à Hanley.

— Ils ont essayé de nettoyer, dit Ross, mais c'est un boulot vite et mal fait.

A ce moment-là, la voix de Stone se fit entendre sur la radio accrochée à la ceinture de Cabrillo.

— Monsieur Cabrillo, monsieur Hanley ! s'écria-t-il. Il faut que vous veniez voir ça !

Les deux hommes remontèrent le couloir, traversèrent le salon et repassèrent sur l'*Oregon* où ils se rendirent rapidement dans la salle de contrôle.

Cabrillo ouvrit la porte et Stone tendit la main vers un écran mural.

— J'ai d'abord cru que c'était un baleineau mort, dit-il, mais il s'est retourné et j'ai vu un visage.

Soudain un autre corps fit surface.

— Dis à Reyes et Kasim de les repêcher, demanda Cabrillo à Hanley. Je repars de l'autre côté.

Cabrillo tourna les talons et se rendit sur l'*Akbar*. Seng se trouvait dans le grand salon lorsque Cabrillo y entra.

— Meadows pense que l'objet n'a été posé qu'à cet endroit, dit Seng. Il examine le reste du bateau mais pour l'instant, il n'y a pas de trace de radiation.

Cabrillo hocha la tête.

— Ross a trouvé du sang dans la timonerie et les cabines ainsi que dans le salon et les coursives. Le capitaine devait être à la barre, quelques gardes à leurs postes, et les autres dormaient. C'est mon hypothèse.

Cabrillo acquiesça de nouveau.

— En tout cas, chef, reprit Seng, ceux qui les ont attaqués ont frappé un grand coup, d'une extrême rapidité.

— Je vais à la timonerie, annonça Cabrillo en s'éloignant.

Là-bas, il examina le journal de bord. La dernière entrée avait eu lieu deux heures plus tôt et on n'avait rien consigné qui sorte de l'ordinaire. Les visiteurs, quels qu'ils soient, étaient arrivés sans s'annoncer.

Après avoir quitté la timonerie, Cabrillo empruntait le couloir lorsqu'on l'appela sur sa radio.

— Monsieur Cabrillo, dit la voix de Huxley, venez vite à l'infirmerie.

Et Cabrillo de retraverser l'*Akbar* pour regagner l'*Oregon* une nouvelle fois.

Reyes et Kasim étaient sur le pont, munis de gaffes, et ils poussaient un cadavre en direction d'un filet accroché à une grue par un câble. Cabrillo rentra à l'intérieur, emprunta le couloir qui menait à l'infirmerie, et ouvrit la porte.

Ackerman était étendu sur la table d'examen, recouvert de couvertures chauffantes.

— Il a essayé de parler, dit Huxley. J'ai tout noté, mais c'était inintelligible jusqu'à il y a quelques minutes.

— Et ensuite ? demanda Cabrillo en se tournant vers Ackerman, dont les paupières commençaient à frémir.

Un de ses yeux s'entrouvrit.

— Il s'est mis à parler d'un fantôme, dit-elle. Pas d'un fantôme, du Fantôme, comme s'il s'agissait d'un surnom.

Soudain Ackerman se remit à parler.

— Je n'aurais jamais dû faire confiance au Fantôme, dit-il d'une voix qui s'affaiblissait à chaque mot. Il a acheté et payé pour l'un... ivers....ité...

Ackerman fut pris de convulsions. Son corps était secoué comme celui d'un chien qui s'ébroue.

— Maman, dit-il faiblement.

Puis il mourut.

Huxley eut beau lui prodiguer de multiples électrochocs, son cœur refusait de repartir. Il était minuit passé lorsqu'elle le déclara mort.

Cabrillo tendit doucement la main pour fermer les yeux d'Ackerman, puis le recouvrit d'une couverture.

— Vous avez fait tout ce que vous pouviez, dit-il à Huxley.

Puis il quitta l'infirmerie et reprit la coursive.

Les paroles d'Ackerman résonnaient encore dans sa tête.

A la proue du navire, il trouva Hanley penché sur trois cadavres. Il tenait à la main une photo de format A4.

— J'ai modifié la photo par ordinateur pour déformer le visage afin de prendre en compte le gonflement, dit-il à Cabrillo qui s'était approché.

Cabrillo lui prit la photo des mains, s'accroupit près du corps et l'approcha du visage. Il regarda le cadavre puis la photo.

— Al-Khalifa, articula-t-il doucement.

— Ils ont dû lester les corps et les jeter par-dessus bord, dit Hanley. Seulement, ils ignoraient que le fond de l'océan par ici est plein de cheminées géothermiques. L'eau chaude a fait rapidement gonfler les corps et le lest n'a pas été suffisant. Sinon, on ne les aurait jamais retrouvés.

— Est-ce que tu as identifié les autres ? demanda Cabrillo.

— Ils n'apparaissent dans aucun fichier pour l'instant, dit Hanley, et en plus, il y en a d'autres qui remontent à la surface en ce moment même. Il doit seulement s'agir des larbins d'Al-Khalifa.

— Pas des larbins, dit Cabrillo, des fous.

— La question c'est..., déclara Hanley.

— Qui a été assez fou pour s'attaquer à d'autres fous ?

22

L ANGSTON Overholt IV était assis dans son bureau et il rattrapait une balle en caoutchouc rouge avec une raquette en bois. Le combiné du téléphone était coincé entre son oreille et son épaule. Il était à peine huit heures du matin et il travaillait déjà depuis deux heures.

— J'ai laissé deux mécaniciens à bord, dit Cabrillo à Overholt. Nous allons réclamer la prime de sauvetage.

— Pas mal, fit Overholt.

— Je suis sûr que nous en aurons l'utilité, renchérit Cabrillo.

— Quelle est votre position actuelle ? demanda Overholt.

— Nous sommes au nord de l'Islande et nous nous dirigeons vers l'est. Nous essayons de retrouver la trace des émetteurs de la météorite. Ceux qui ont tué Al-Khalifa et volé la météorite doivent être à bord d'un autre bateau.

— Tu es sûr que le cadavre que vous avez repêché est bien celui d'Al-Khalifa ? demanda Overholt.

— Je vais te faxer les empreintes digitales et des photos du corps, dit Cabrillo, pour que tes gars puissent faire une identification certaine. Mais je suis sûr à quatre-vingt-dix-neuf pour cent.

— Quand tu m'as réveillé ce matin, j'ai demandé à quelques-uns de mes hommes d'essayer d'identifier le type qui était à bord de l'Eurocopter. Ça n'a rien donné. J'envoie une équipe au Groenland pour rapatrier les corps, en espérant que ça nous en apprendra plus.

— Désolé de t'avoir appelé au milieu de la nuit, mais j'ai pensé qu'il fallait que tu sois au courant le plus vite possible.

— Pas de problème, j'ai sans doute dormi plus que toi.

— Je me suis accordé quelques heures après avoir quitté l'*Akbar*, dit Cabrillo.

— Alors, quelle est ton intuition sur tout ça, cher ami? demanda Overholt. Si Al-Khalifa est mort, la menace de la bombe radiologique semble s'éloigner. La météorite est radioactive mais sans catalyseur, le danger est bien moindre.

— Certes, répondit Cabrillo en prenant son temps, mais la bombe nucléaire ukrainienne est toujours dans la nature et nous ne pouvons pas être certains qu'Al-Khalifa n'ait pas été tué par certains de ses hommes, qui voudraient mener eux-mêmes cette mission à bien.

— Voilà qui expliquerait beaucoup de choses, dit Overholt, notamment le fait que les tueurs aient eu si facilement accès à l'*Akbar*.

— S'il ne s'agissait pas d'hommes d'Al-Khalifa, alors nous allons devoir compter avec un autre groupe. Dans ce cas, il faudra être prudents. Ceux qui ont pris d'assaut l'*Akbar* étaient très entraînés et aussi mortels que des vipères.

— Un autre groupe terroriste?

— J'en doute, répondit Cabrillo. Cette opération ne portait aucune marque de fanatisme religieux. On aurait plutôt dit une opération militaire. Pas d'émotion, pas de coup d'éclat, seulement une élimination chirurgicale et sans faute de l'adversaire.

— Je vais fouiner un peu, dit Overholt, pour essayer d'en savoir plus.

— Ce serait bien.

— C'est une bonne chose que tu aies pu mettre un émetteur sur la météorite, ajouta Overholt.

— C'est le seul atout dont nous disposons, admit Cabrillo.

— Tu n'avais rien d'autre à me dire?

— Juste avant de mourir, l'archéologue s'est mis à parler du Fantôme, dit Cabrillo, comme s'il s'agissait d'un homme et pas d'une apparition désincarnée.

— Je vais me renseigner, dit Overholt.

— On dirait un épisode de Scooby-Doo, dit Cabrillo. Trouvez qui est le fantôme et le mystère sera résolu.

— Je ne me souviens pas d'un épisode de Scooby-Doo qui parlait d'armes nucléaires, dit Overholt.

— C'est parce qu'il faut le mettre au goût du vingt et unième siècle, dit Cabrillo avant de raccrocher. Le monde est bien plus dangereux, maintenant.

Le *Free Enterprise* filait sur l'eau froide de l'océan vers les îles Féroé. L'équipage commençait à se détendre ; après avoir livré la météorite, ils seraient tranquilles pour un moment. Ils ramèneraient le bateau à Calais et attendraient qu'on les appelle si on avait besoin d'eux. L'humeur à bord du navire était légère.

Ils ignoraient qu'un lévrier des mers déguisé en vieux cargo les suivait.

Ils ignoraient également que, bientôt, se ligueraient contre eux à la fois la Corporation et la puissance du gouvernement américain. Bref, ils étaient dans une bienheureuse ignorance.

— C'est important, expliqua TD Dwyer à l'hôtesse d'accueil.

— C'est-à-dire ? demanda l'hôtesse. Il se prépare pour une réunion à la Maison-Blanche.

— Très important, répondit Dwyer.

Elle hocha la tête et appela Overholt sur l'interphone.

— J'ai ici un M. Thomas Dwyer, des applications théoriques. Il dit qu'il doit vous voir immédiatement.

— Envoyez-le-moi, répondit Overholt.

L'hôtesse se leva et alla ouvrir la porte du bureau d'Overholt. Celui-ci était assis à son bureau. Il referma un dossier, pivota dans son fauteuil et glissa le dossier dans un coffre derrière son bureau.

— Vous pouvez entrer, dit-il.

Dwyer se glissa devant l'hôtesse qui referma la porte derrière lui.

— Je suis TD Dwyer, déclara-t-il, le scientifique chargé d'analyser la météorite.

Overholt se leva pour serrer la main de Dwyer et il lui fit signe de prendre place dans un des deux fauteuils.

— Qu'avez-vous découvert ? lui demanda-t-il.

Dwyer parlait depuis moins de cinq minutes lorsque Overholt l'interrompit.

Il regagna son bureau et appuya sur l'interphone.

— Julie, il faut que nous nous organisions pour que M. Dwyer m'accompagne à la Maison-Blanche.

— Pouvez-vous lui demander quelle autorisation il possède, monsieur ?

— Niveau A-1, répondit Dwyer.

— Dans ce cas, nous pouvons passer par l'entrée principale, comme prévu, dit Overholt à Julie.

— J'appelle pour prévenir de votre arrivée, monsieur.

Overholt regagna le fauteuil et se rassit.

— Lorsque ce sera à nous de parler, je veux que vous expliquiez votre découverte sans exagération, dit-il. Exposez les faits tels que vous les connaissez. Si on vous demande votre opinion personnelle, ce qui sera sûrement le cas, donnez-la, tout en rappelant qu'il ne s'agit que d'une opinion.

— Oui, monsieur, répondit Dwyer.

— Bien, conclut Overholt. Maintenant, entre nous, racontez-moi le reste, y compris les théories les plus tirées par les cheveux.

— Le point essentiel, c'est ceci : il existe une possibilité pour que, si la structure moléculaire de la météorite est percée, un virus soit libéré, qui pourrait avoir de funestes conséquences.

— Au pire ?

— La fin de toute vie organique sur Terre.

— Cette fois c'est sûr, déclara Overholt, je crois qu'on peut affirmer que vous avez gâché ma matinée.

Dans la salle de contrôle de l'*Oregon*, Eric Stone scrutait un écran. Dès qu'il parvenait à localiser la météorite, elle lui échappait. En combinant les différentes positions, Stone essayait d'obtenir la trajectoire de l'objet. Puis il appuya encore sur quelques touches et regarda un autre écran. Il utilisait un satellite commercial dont la Corporation louait une partie.

L'image s'afficha sur l'écran mais la mer était cachée par un épais nuage.

— Chef, dit-il à Cabrillo, il nous faudrait le KH-30. Les nuages sont trop épais.

Le KH-30 était le tout nouveau satellite ultra-secret du ministère de la Défense. Il était capable de percer les nuages, et même l'eau. Stone, malgré des tentatives renouvelées, avait été incapable de pirater le système.

— Je demanderai à Overholt dès que je l'aurai au téléphone, répondit Cabrillo. Peut-être pourra-t-il convaincre le National

Reconnaissance Office [1] de lui accorder un peu de temps sur le satellite. Bien tenté, Stone.

Hanley regardait la trace sur un autre écran. L'*Oregon* fendait les flots mais l'autre bateau avait une bonne longueur d'avance.

— Nous pourrons les rattraper avant l'Ecosse, en tout cas, s'ils maintiennent leur vitesse.

Cabrillo jeta un coup d'œil à l'écran.

— On dirait qu'ils ont mis le cap sur les Féroé.

— Si c'est le cas, ils auront touché terre avant que nous ayons pu les rattraper.

Cabrillo hocha la tête et réfléchit.

— Où se trouvent nos avions privés ?

Hanley fit apparaître une carte sur son écran.

— Dulles, Dubaï, Le Cap et Paris.

— Quel appareil se trouve à Paris ?

— Le Challenger 604, répondit Hanley.

— Envoie-le sur Aberdeen en Ecosse, dit Cabrillo. La piste d'atterrissage des îles Féroé n'est pas assez longue pour lui, et Aberdeen est la ville la plus proche. Qu'il fasse le plein et soit prêt à décoller si nous en avons besoin.

Hanley hocha la tête et s'approcha d'un ordinateur pour y entrer ces instructions. La porte de la salle de contrôle s'ouvrit et Michael Halpert entra, muni d'un dossier en papier kraft. Il se servit d'abord une tasse de café, puis s'approcha de Cabrillo.

— Monsieur le président, dit-il d'un air las, j'ai épuisé toute la base de données ; il n'y a aucun terroriste ni autre criminel qui se fasse appeler le Fantôme.

— Avez-vous trouvé autre chose ?

— Un acteur hollywoodien, qui se prend pour un tenant du côté obscur, un auteur de livres de vampires, un industriel et 4 382 adresses e-mail diverses.

— Vous pouvez éliminer l'acteur et l'écrivain, dit Cabrillo. Tous ceux que j'ai rencontrés sont incapables de planifier ne serait-ce qu'un déjeuner, alors un assaut sur un navire terroriste... Qui est l'industriel ?

— Un certain Halifax Hickman, dit Halpert en lisant son dossier,

---

1. Organisme dépendant du ministère de la Défense, chargé de surveiller les communications internationales et de diriger le système de satellites espions des Etats-Unis. (NdlT)

129

un type très riche du style Howard Hughes, qui possède des entreprises très diverses.

— Trouvez-moi tout ce que vous pouvez sur lui, ordonna Cabrillo. Je veux tout savoir, jusqu'à la couleur de ses caleçons.

— Je m'y mets, dit Halpert en ressortant de la salle de contrôle.

Halpert allait passer encore douze heures dans son bureau.

Et lorsqu'il en sortirait, la Corporation en saurait bien plus.

TD Dwyer aurait menti en prétendant qu'il n'avait pas le trac.

Les hommes assemblés autour de la table de conférence étaient les vainqueurs de la lutte pour le pouvoir suprême. Nombre d'entre eux apparaissaient tous les soirs dans les journaux télévisés et la plupart auraient été reconnus par quiconque ne vivant pas en ermite.

Il y avait des directeurs de cabinet, le secrétaire d'Etat, le Président et ses conseillers, ainsi qu'un échantillon de généraux à quatre étoiles et de dirigeants des services de renseignement. Lorsque ce fut le tour d'Overholt de s'adresser au groupe, il dressa un rapide tableau de la situation et laissa Dwyer répondre aux questions.

La première vint de son auditeur le plus imposant.

— Cette possibilité a-t-elle déjà été étudiée dans un laboratoire ? demanda le Président.

— Il est admis que des isotopes de l'hélium ont été détectés dans des ballons de Bucky qui se trouvaient à l'intérieur de fragments découverts dans le cratère de la météorite dans le nord de l'Arizona, ainsi que dans un site sous-marin près de Cancun au Mexique. Toutefois, ces recherches ont été menées par des laboratoires universitaires et les résultats ne furent pas totalement concluants.

— Donc tout cela n'est qu'une théorie, déclara le secrétaire d'Etat, pas une vérité scientifique.

— Monsieur le secrétaire d'Etat, répondit Dwyer, tout ce champ d'études est vierge. Il existe seulement depuis 1996, lorsque le Prix Nobel de chimie a été décerné aux trois hommes qui ont découvert les ballons de Bucky. Dès lors, en raison de coupes budgétaires ou autres, le champ a surtout été exploré par des entreprises en vue d'applications commerciales.

— Y a-t-il un moyen de vérifier cette théorie ? poursuivit le secrétaire d'Etat.

— Nous pourrions prélever des débris et transpercer les atomes dans un environnement contrôlé, répondit Dwyer, mais rien ne dit que nous trouverions un échantillon qui contienne le virus intact. Il peut résider dans certains débris et pas dans les autres.

Le Président reprit la parole.

— Monsieur Overholt, pourquoi avez-vous envoyé des prestataires au Groenland et non pas nos propres agents ?

— D'abord, répondit Overholt, parce qu'à ce moment-là, je pensais que nous avions affaire à un objet relativement inoffensif et je ne pouvais me douter qu'il y avait eu des fuites à l'intérieur d'Echelon. Cette information relative à une menace plus importante ne m'est parvenue de M. Dwyer qu'aujourd'hui. Ensuite, nous voulions confisquer cet objet et je souhaitais protéger votre administration d'éventuelles conséquences négatives.

— Je comprends, déclara le Président. Qui avons-nous engagé pour cette mission ?

— La Corporation, répondit Overholt.

— Ce sont eux qui ont ramené le Dalaï-Lama au Tibet, n'est-ce pas [1] ?

— Oui, monsieur.

— Je pensais qu'ils avaient pris leur retraite, maintenant, dit le Président. Ils ont dû toucher un beau pactole avec cette opération. Bon, je ne doute pas de leurs capacités. J'aurais agi de même à votre place.

— Merci, monsieur, répondit Overholt.

Le chef d'état-major de l'Armée de l'air prit la parole ensuite.

— Pour résumer, nous avons un globe d'iridium dans la nature, au même moment où une arme nucléaire ukrainienne a été volée. Si les deux se rencontrent, nous allons avoir un sacré problème.

Le Président hocha la tête et prit le temps de réfléchir.

— Voilà ce que je veux que nous fassions, dit-il finalement. Il faudrait que M. Dwyer retrouve ces ballons de Bucky extraterrestres et se livre à des expériences. S'il existe une chance qu'un virus extraterrestre en sorte, je veux le savoir. Ensuite, je veux que les forces militaires et les services de renseignement coordonnent leurs efforts pour localiser cette météorite. Troisièmement, je veux que M. Overholt poursuive son travail avec la Corporation ; ils sont sur

---

1. Voir du même auteur dans la même collection, *Bouddha*.

le coup depuis le début, donc je ne veux pas les exclure. Je débloquerai le budget nécessaire pour leurs honoraires. Quatrièmement, je veux qu'on garde le secret : si je lis quoi que ce soit à ce sujet demain dans le *New York Times*, le responsable de la fuite quel qu'il soit sera démis de ses fonctions. Enfin, le plus évident : il nous faut retrouver à la fois l'arme nucléaire ukrainienne et la météorite aussi vite que possible si nous ne voulons pas commencer la nouvelle année par une crise.

Il s'arrêta et balaya la table du regard.

— Très bien, vous savez tous ce que vous avez à faire. Maintenant, allons-y et réglons cette histoire.

La pièce commença à se vider mais le Président fit signe à Overholt et Dwyer de rester. Lorsque le Marine posté à l'entrée eut raccompagné tous les autres, il referma derrière lui et monta la garde dans le couloir.

— TD, c'est bien cela ?

— Oui monsieur, dit Dwyer.

— Quel est le pire scénario possible ?

Dwyer interrogea du regard Overholt, qui hocha la tête.

— S'il y a bien un virus dans les molécules qui constituent la météorite, articula lentement Dwyer, une explosion nucléaire pourrait bien s'avérer le moindre de nos problèmes.

— Appelez-moi Cabrillo au téléphone, dit le Président à Overholt.

23

A bord de l'*Oregon*, la salle de conférences était pleine.

— Lorsque nous serons à cinq cent soixante kilomètres, nous pourrons lancer le Robinson, dit Cabrillo. Si nous volons à cent soixante kilomètres à l'heure contre un vent de face, nous devrions pouvoir arriver aux îles Féroé en même temps que notre mystérieux bateau.

— Le problème, déclara Hanley, c'est qu'avec seulement Adams et toi à bord, vous ne pourriez pas prendre d'assaut le bateau.

— Ces types ne sont pas des marioles, renchérit Seng.

A ce moment-là, la porte de la salle s'ouvrit et Gunther Reinholt, le plus vieux des ingénieurs de propulsion de l'*Oregon*, passa la tête dans l'entrebâillement.

— Chef, dit-il, il y a un appel que vous devez prendre.

Cabrillo hocha la tête et se leva de sa place en bout de table pour suivre Reinholt dans le couloir.

— Qui est-ce ? demanda-t-il.

— Le Président, monsieur, répondit Reinholt en conduisant Cabrillo à la salle de contrôle.

Cabrillo ne dit rien, parce qu'il n'y avait rien à dire. Il ouvrit la porte de la salle de contrôle, se dirigea vers le téléphone sécurisé et décrocha.

— Ici Juan Cabrillo.

— Veuillez patienter, le président des Etats-Unis va vous parler, dit l'opérateur.

Une ou deux secondes plus tard, une voix nasillarde se fit entendre au bout du fil.

— Monsieur Cabrillo, bon après-midi.

— Bon après-midi à vous, monsieur, répondit Cabrillo.

— J'ai M. Overholt à côté de moi ; il m'a déjà briefé. Pourriez-vous m'expliquer où nous en sommes ?

Cabrillo esquissa un rapide résumé de la situation.

— Je pourrais faire décoller des avions d'Angleterre et éliminer le bateau avec un missile Harpoon, déclara le Président lorsque Cabrillo eut terminé, mais ensuite il y aurait encore la tête nucléaire, n'est-ce pas ?

— Oui monsieur le Président, acquiesça Cabrillo.

— Nous ne pouvons pas faire atterrir un avion de transport de troupes aux îles Féroé, poursuivit le Président. J'ai vérifié, l'aéroport est trop petit. Donc notre seul possibilité serait d'envoyer une équipe par hélicoptère et, selon mes estimations, le temps de préparer et de déployer cette force prendrait six heures.

— Nous pensons que nous disposons de trois heures et demie au maximum, monsieur, dit Cabrillo.

— Je viens de demander à la Navy, nous n'avons rien dans le coin, dit le Président.

— Monsieur le Président, reprit Cabrillo. Nous avons un émetteur sur la météorite. Tant qu'elle n'est pas couplée avec une arme nucléaire, sa menace n'a qu'une portée limitée. Si vous nous en donnez la permission, nous pensons pouvoir suivre la météorite jusqu'à l'endroit où elle doit retrouver l'arme nucléaire de manière à récupérer les deux en même temps.

— C'est une tactique risquée, répondit le Président.

Il se tourna vers Overholt.

— Juan, déclara Overholt, quelles sont les chances que ton équipe réussisse ?

— De bonnes chances, répondit vivement Cabrillo, mais il y a toujours un impondérable.

— C'est-à-dire ? demanda le Président.

— Nous ne savons pas à qui nous avons affaire. Si c'est une faction du Groupe Hammadi qui détient la météorite, je pense que nous pouvons les contrer.

Le Président se tut quelques secondes.

— D'accord, dit-il enfin. Faites comme vous avez prévu.

— Très bien, monsieur, dit Cabrillo.

— D'autre part, ajouta le Président, nous avons découvert un problème différent concernant cette météorite. Je suis avec un scientifique qui va vous expliquer.

Dwyer exposa sa théorie en quelques minutes. Cabrillo sentit un frisson lui parcourir la colonne vertébrale. L'Apocalypse était proche.

— Voilà qui augmente les enjeux, monsieur le Président, commenta Cabrillo, mais notre adversaire doit ignorer cette possibilité de virus puisque nous venons de l'apprendre nous-mêmes. D'ailleurs, ils causeraient ainsi leur propre destruction. Le seul scénario crédible est l'utilisation de la météorite pour la construction d'une bombe radiologique.

— C'est vrai, dit le Président, et nous avons eu du mal à déterminer des circonstances dans lesquelles les molécules se trouveraient percées. Il faudrait qu'ils brisent la météorite d'une manière quelconque pour que cela se produise. Pourtant, la menace perdure et les conséquences seraient épouvantables et irréversibles.

— Si la Corporation avait été embauchée pour cette opération, demanda Overholt, comment vous y seriez-vous pris ?

— Tu veux dire, si la Corporation avait une branche jumelle maléfique qui voulait tuer le plus possible de gens ? demanda Cabrillo. Il faudrait inoculer la radioactivité de l'iridium au maximum de victimes.

— Dans ce cas il faudrait un moyen de dispersion quelconque ? demanda le Président.

— Tout à fait, monsieur le Président.

— Et donc si nous faisons fermer l'espace aérien de la Grande-Bretagne, la menace d'une dispersion aérienne serait éliminée, conclut le Président. Il ne nous resterait plus que le problème de la bombe.

— Il faudrait également augmenter la sécurité dans les stations de métro et les lieux publics, ajouta Cabrillo, au cas où leur plan serait de contaminer les lieux publics en y saupoudrant de la poussière radioactive. Peut-être qu'ils ont réussi à démanteler l'arme et à dégager le cœur, et qu'ils projettent de combiner cela avec l'iridium sous forme de poudre pour empoisonner la population.

— Ainsi il faudrait également que les Britanniques surveillent leurs services postaux, dit le Président. Vous voyez autre chose ?

135

Les quatre hommes réfléchirent en silence.

— Prions le Ciel pour que vous retrouviez la météorite et la bombe en même temps, dit le Président, pour protéger la Grande-Bretagne de la destruction. Toute autre éventualité est trop épouvantable à envisager.

La conversation se termina et Cabrillo regagna la salle de conférences.

Ce qu'il ignorait, c'est que si la Grande-Bretagne était bien la cible d'une opération terroriste, l'autre se trouvait trois fuseaux horaires plus loin à l'est.

— Je viens de parler au téléphone avec le Président, dit Cabrillo en reprenant sa place en bout de table. Nous sommes couverts par les ressources du gouvernement américain.

Le groupe attendit que Cabrillo poursuive.

— Il y a autre chose, déclara-t-il. Un scientifique de la CIA a émis une théorie selon laquelle il pourrait y avoir des traces de gaz inconnus sur Terre à l'intérieur des molécules de la météorite. Ces gaz pourraient contenir un virus ou un agent pathogène potentiellement mortel. Dans tous les cas, lorsque nous aurons retrouvé la météorite, il ne faudra pas la manipuler.

Julia Huxley prit la parole. En tant que médecin de bord, elle devait se soucier de la sécurité de l'équipage.

— Qu'en est-il de l'exposition à l'extérieur de la météorite ? demanda-t-elle. Vous vous êtes trouvé tout près d'elle.

— Le scientifique a dit que si un virus s'était trouvé sur l'écorce extérieure, il aurait brûlé en entrant dans l'atmosphère. Le problème pourrait survenir par exemple si on perçait la météorite. Si les molécules se sont combinées d'une certaine manière, elles peuvent avoir produit des poches de gaz plus grandes que la taille d'une molécule.

— Quelle taille peuvent atteindre ces poches ? demanda Huxley.

— Il ne s'agit que d'une théorie, précisa Cabrillo, mais la météorite pourrait être une sphère creuse, un peu comme un œuf de Pâques en chocolat. Or, ce creux pourrait contenir des amas de gaz comme en ont les géodes naturelles, qui contiennent des cristaux de tailles diverses. Il n'y a pas moyen de savoir avant de l'avoir retrouvée et étudiée.

— Avez-vous une idée du type de virus dont il s'agit ? demanda Huxley. Je pourrais peut-être préparer un sérum...

— Aucune idée, articula Cabrillo avec circonspection. Mais s'il vient de l'espace et qu'il est libéré sur Terre, ce sera épouvantable.

Il régnait un tel silence dans la pièce que l'on aurait entendu une mouche voler.

Cabrillo interrogea Hanley du regard.

— Adams est presque prêt à partir, dit Hanley, et notre Challenger 604 arrivera très prochainement à Aberdeen.

— Où est Truitt ?

Richard Truitt, surnommé Dick, était le vice-président de la Corporation chargé des opérations.

— Il se trouvait à bord de l'avion de l'émir, répondit Hanley, pour le raccompagner au Qatar. J'ai ordonné à notre Gulfstream de Dubaï d'aller le chercher au Qatar. Ils doivent probablement survoler l'Afrique en ce moment même.

— Envoie-le à Londres, déclara Cabrillo. Que les pilotes du Gulfstream se tiennent prêts également.

Hanley acquiesça.

— Je veux que vous continuiez tous à planifier un assaut sur ce mystérieux bateau, dit Cabrillo. Si tout se déroule comme prévu, nous pourrons en avoir terminé au cours des douze prochaines heures. Comme d'habitude, M. Hanley me remplacera pendant la durée de mon absence.

Tous exprimèrent leur assentiment par un hochement de tête et retournèrent à leur travail de préparation tandis que Cabrillo quittait la pièce et se dirigeait vers le bureau de Halpert.

— Entrez, répondit Halpert lorsque Cabrillo frappa.

Cabrillo ouvrit la porte.

— Qu'avez-vous découvert ? demanda-t-il.

— Je suis encore en train de faire des recherches, répondit Halpert. J'étudie en ce moment toutes les entreprises qu'il possède.

— N'oubliez pas de couvrir sa vie privée et d'établir son profil psychologique.

— Oui, chef, dit Halpert, mais jusqu'ici, ce type semble être un vrai patriote américain. Il a un laissez-passer du ministère de la Défense, il compte quelques sénateurs parmi ses amis et il a même été invité au ranch du Président.

— Oui, tout comme le président de la Corée du Nord, répliqua Cabrillo.

— Vous n'avez pas tort, concéda Halpert, mais soyez certain que si ce type a un cadavre dans son placard, je le découvrirai.

— Je quitte le navire. Vous ferez part de vos découvertes à M. Hanley.

— Oui, monsieur.

Cabrillo reprit la coursive puis emprunta l'escalier en direction de la plate-forme de décollage.

George Adams était assis aux commandes du Robinson, vêtu d'une combinaison de pilote kaki toute propre. Il n'avait pas encore fait démarrer le moteur et il faisait froid dans le cockpit. Il frotta l'une contre l'autre ses mains gantées et acheva de remplir le journal de bord sur un porte-bloc à pince.

Il enclencha l'interrupteur du circuit d'alimentation principal pour en vérifier le fonctionnement puis, en levant la tête, il vit Cabrillo s'approcher et ouvrir la portière passager. Il était muni d'un sac contenant des armes, des vêtements de rechange et des instruments électroniques, et d'un autre qui renfermait provisions et boissons. Il les installa soigneusement à l'arrière, puis se tourna vers Adams.

— Vous avez besoin que je fasse quelque chose, George ? demanda-t-il.

— Non, chef, dit Adams, tout est déjà prêt. J'ai un relevé météo, un plan de vol et les points de passage sont entrés dans le GPS. Si vous voulez monter et attacher votre ceinture, le spectacle va pouvoir commencer.

Au fil des ans, l'efficacité du pilote ne se démentait pas et ne cessait d'impressionner Cabrillo. Adams ne se plaignait ni ne s'énervait jamais ; Cabrillo avait volé avec lui dans des conditions difficiles, mais à l'exception de quelques commentaires désinvoltes, Adams n'avait jamais laissé paraître ni trouble ni peur.

— Ah ! parfois je voudrais pouvoir vous cloner, George, dit Cabrillo en montant et en attachant sa ceinture.

— Oh, non, patron, répondit Adams en relevant les yeux des instruments, je m'amuserais deux fois moins !

Il se baissa, tourna la clé et le moteur à piston se mit à ronronner régulièrement. Adams surveilla les jauges jusqu'à ce que le moteur ait atteint la température opérationnelle, puis il appela la timonerie par radio.

— Est-ce que nous sommes sous le vent ?

— Affirmatif.

Puis, d'un mouvement souple, il tira sur la commande de pas et l'hélicoptère décolla du pont. L'*Oregon* continua d'avancer à toute allure jusqu'à ce que l'hélicoptère soit dégagé ; puis Adams accéléra et doubla le bateau. Deux minutes plus tard, l'*Oregon* disparaissait au loin derrière eux et, à travers le pare-brise de l'hélicoptère, on ne voyait plus que les nuages et la mer noire.

— C'est tout ce que nous avons jusqu'ici, monsieur le Premier ministre.

— Je vais déclarer l'état d'alerte, répondit le Premier ministre, et donner une conférence de presse pour expliquer que nous craignons qu'un chargement de Ricine se soit égaré. Cela devrait éviter que les terroristes se doutent de quelque chose.

— J'espère que nous pourrons régler cela au plus vite, dit le Président.

— Je vais alerter le MI5 et le MI6 pour leur demander de coordonner leurs efforts avec vos hommes. En revanche, dès que la météorite aura touché le sol britannique, nous serons obligés de prendre le commandement.

— Je comprends, déclara le Président.

— Alors bonne chance.

— Bonne chance à vous aussi.

Truitt regardait par son hublot du Gulfstream tandis que l'avion filait dans le ciel à plus de huit cents kilomètres à l'heure. En dessous, la côte espagnole scintillait au soleil. Se levant de son siège, il s'avança et frappa à la porte du cockpit.

— Entrez ! lança Chuck « Tiny » Gunderson.

Truitt ouvrit la porte. Gunderson était aux commandes et Tracy Pilston dans le siège du copilote.

— Comment ça se passe ? demanda-t-il.

— Voilà où on en est, dit Pilston : Tiny a mangé un sandwich au pain de seigle à la dinde, un paquet entier de M&M's et une demi-boîte d'amandes grillées. Je vous conseille de ne pas approcher vos doigts de sa bouche.

— Il y a deux choses qui me donnent faim, rétorqua Gunderson. La première c'est de voler, et la deuxième, vous la connaissez.

— La pêche au saumon ? suggéra Truitt.

— Ça aussi, concéda Gunderson.

— Le VTT ? proposa Pilston.

— Oui, ça aussi.

— Ce serait sans doute plus simple de trouver quelque chose qui ne te donne pas faim.

— Dormir, déclara Gunderson en s'effondrant et feignant de piquer un somme.

— De quoi aviez-vous besoin, monsieur Truitt ? demanda Pilston tandis que Gunderson continuait de faire semblant de dormir, laissant le Gulfstream voler de ses propres ailes.

— J'étais seulement curieux de savoir si nous atterrissions à Heathrow ou à Gatwick.

— Selon les derniers ordres, Heathrow, répondit Pilston.

— Merci, dit Truitt en tournant les talons.

— Pouvez-vous me rendre un service ? demanda Pilston.

— Bien sûr, dit Truitt en se tournant vers elle.

— Dites à Tiny de me laisser piloter ; il squatte toujours les commandes.

Gunderson ouvrit à peine la bouche pour répondre.

— On est sur pilote automatique.

— Soyez sages, les enfants, déclara Truitt en s'éloignant.

— Je te donne un Snickers si tu me laisses piloter, proposa Pilston.

— Eh bien alors, femme, s'exclama Gunderson, il fallait le dire plus tôt !

L E vent qui soufflait d'est en ouest apportait de fines particules de poussière, enrobant tout sur leur passage. En Arabie Saoudite, la poussière était aussi banale que les courants marins dans l'océan. En revanche une température aussi fraîche était rarissime.

Saud Al-Sheik contemplait l'espace vide du stade géant de La Mecque.

L'Arabie Saoudite avait reçu de Dieu d'immenses réserves de pétrole, de bons hôpitaux et le site le plus sacré de l'islam, La Mecque. Il est recommandé aux dévots musulmans de faire le pèlerinage à La Mecque, le hadj, au moins une fois dans leur vie pour témoigner de leur foi. Chaque année, des milliers de fidèles convergent, généralement début janvier, vers La Mecque, ainsi que vers la ville toute proche de Médine, où est enterré le prophète Mahomet.

L'afflux de tant de pèlerins dans un laps de temps aussi court est un véritable cauchemar logistique. Le logement, la nourriture, les soins aux malades et blessés, la sécurité de ces masses de gens sont à la fois un casse-tête et une opération coûteuse.

C'est l'Arabie Saoudite qui supporte aussi bien le coût du pèlerinage que les critiques du public si quelque chose tourne mal.

Avec l'occupation de l'Irak et de l'Afghanistan par les forces américaines et britanniques, la haine latente de l'Ouest qui imprégnait la région l'avait transformée en une véritable poudrière. La sécurité cette année à La Mecque serait pointilleuse et implacable. Les fondamentalistes musulmans voulaient écraser les Occidentaux et les éliminer de la surface de la planète.

Cette haine trouvait son reflet au sein du monde occidental qui, après le 11 septembre et les nombreuses menaces et attaques terroristes, avait perdu toute patience quant au message fondamentaliste. Si un attentat de plus devait se produire qui mette en cause des ressortissants saoudiens, la plupart des citoyens américains seraient favorables à une occupation de ce pays riche en ressources pétrolières. Les frontières du monde occidental seraient encore plus manichéennes. Il y aurait dans le monde deux sortes de gens, les amis et les ennemis ; les amis se trouveraient récompensés tandis que les ennemis devraient être éradiqués.

Malgré cette tension, cette haine, cette violence et cette colère, il fallait que tout soit en place pour que le hadj se déroule avec succès et sécurité ; il devait commencer le 10 janvier.

Il restait moins de deux semaines pour accomplir les préparatifs nécessaires.

Saud Al-Sheik étudiait une liasse de documents sur son porte-bloc à pince. Il avait encore mille et un détails à régler et l'époque du pèlerinage se rapprochait. Le dernier problème qui s'annonçait était celui des tapis de prière qu'il avait commandés en Angleterre ; ils n'étaient pas terminés et la filature venait de changer de propriétaire.

Cela, ajouté au fait que le peuple saoudien ne portait pas précisément l'Angleterre dans son cœur, à cause du soutien britannique aux forces armées américaines pour occuper l'Irak, lui créait des ennuis. Al-Sheik se demandait s'il serait utile d'accorder un dessous-de-table aux propriétaires de la filature. Il pourrait leur payer un supplément pour finir la commande à temps et acheminer ensuite les tapis par Paris pour dissimuler leur origine.

Cela devrait régler ses deux problèmes à la fois.

Satisfait de cette idée, il avala une gorgée de thé, puis il tendit la main vers son téléphone portable pour appeler l'Angleterre.

A ce moment-là, le cargo grec *Larissa* entrait lentement dans la Manche. Le capitaine regardait ses cartes. On lui avait ordonné de s'amarrer à l'île de Sheppey, ce qu'il n'avait jamais fait auparavant. Il avait l'habitude des ports de Douvres, Portsmouth et Felixstowe. Ce que le capitaine ignorait, c'était que les autorités britanniques avaient récemment installé des détecteurs de radioactivité dans ces ports. En revanche, l'île de Sheppey était aussi ouverte que le Grand Canyon, ce que savaient ceux qui l'avaient embauché.

Ayant étudié ses cartes, le capitaine corrigea son cap, puis il gratta la croûte sur son bras. Le *Larissa* avançait avec détermination, et la fumée du vieux moteur diesel sortait par une seule cheminée. Ce navire à l'agonie portait une cargaison mortelle.

DWYER regarda le sol aride du désert tandis que l'hélicoptère Sikorsky S-76 survolait le nord de l'Arizona. A des kilomètres sur sa gauche, il aperçut une chaîne de sommets enneigés, ce qui ne manqua pas de le surprendre, comme la plupart des gens qui ne s'étaient jamais rendus dans cet Etat.

— Il neige souvent ici ? demanda-t-il au pilote.

— Ces pics sont au-dessus de Flagstaff, répondit le pilote. Ils sont assez enneigés pour qu'on y ait créé une station de ski. Le plus haut sommet est Humphries ; il fait plus de quatre mille mètres.

— Je ne m'attendais pas à cela, avoua Dwyer.

— C'est ce que disent la plupart des gens, répliqua le pilote.

Celui-ci s'était montré assez circonspect dès le moment où il avait rencontré Dwyer deux heures auparavant à Phoenix. Dwyer ne pouvait l'en blâmer ; il était certain que les huiles en charge de la sécurité intérieure de l'Arizona n'avaient rien dit au pilote de sa profession ni du but de son voyage, or la plupart des gens préfèrent avoir au moins une vague idée de leur mission.

— Nous nous rendons au cratère pour que je puisse prélever des échantillons rocheux, dit Dwyer, afin de les faire analyser par un labo.

— C'est tout ? demanda le pilote, visiblement détendu.

— Oui, répondit Dwyer.

— Tant mieux, déclara le pilote, parce que vous ne me croiriez pas si je vous racontais les missions que j'ai eues dernièrement. Il y a des jours où je déteste aller bosser.

— Je vous crois.

— J'ai fini mes missions par une douche de décontamination plus d'une fois. Ce n'est pas vraiment l'idée que je me fais d'une bonne journée de boulot.

— Aujourd'hui, ce sera du gâteau, lui assura Dwyer.

Cela eut pour effet de desserrer les dents du pilote qui se mit à gratifier Dwyer d'un exposé sur les différents sites qu'ils survolèrent pendant le reste du trajet. Vingt minutes plus tard, il fit un geste de la main.

— Le voici.

Le cratère de la météorite défigurait le paysage poussiéreux. En le voyant depuis les airs, on imaginait bien la force qu'il avait fallu pour faire une telle empreinte dans l'écorce terrestre. C'était comme si un géant s'était emparé d'un énorme marteau à panne ronde et l'avait abattu sur la terre. Les nuages de poussière après l'impact avaient dû être visibles pendant des mois. Le bord du cratère, un cercle semblable à une pâte à tarte, apparaissait devant eux.

— De quel côté, monsieur ? demanda le pilote.

Dwyer étudia les lieux.

— Ici, dit-il, près du camion blanc !

Le pilote fit ralentir le Sikorsky, puis resta sur place et le posa en douceur.

— On m'a ordonné de rester à bord, déclara le pilote, pour surveiller le trafic par radio.

Dwyer descendit et s'approcha d'un homme vêtu de bottes et d'un chapeau de cow-boy qui se tenait non loin de l'hélicoptère. Dwyer lui donna une ferme poignée de main.

— Merci d'avoir accepté de m'aider, dit Dwyer.

— Vous savez, répondit l'homme, on ne dit pas non au président des Etats-Unis. Je suis ravi de pouvoir vous être utile.

Il regagna son pick-up, sortit du coffre quelques outils et un seau, et tendit une pelle à Dwyer. Puis il tendit la main vers le bord du cratère.

— Je pense que ce que vous cherchez se trouve par là-bas.

Les deux hommes escaladèrent la crête de remblai qui entourait le cratère et descendirent d'une vingtaine de mètres à l'intérieur. La température augmentait à mesure qu'ils progressaient.

L'homme au chapeau de cow-boy s'arrêta.

— Nous voilà au bord du cratère, fit-il remarquer en s'essuyant le front avec un bandana. J'ai toujours trouvé les plus gros échantillons par ici.

Dwyer balaya le sol du regard, détermina un endroit et commença à creuser.

Tandis que Dwyer creusait en Arizona, sur l'*Oregon*, en mer d'Islande, la température était nettement plus basse. Dans son bureau sous le pont, Michael Halpert travaillait dur depuis des heures et ses yeux le brûlaient à force de scruter son écran d'ordinateur. Il enfonça quelques touches pour afficher les données qu'il avait rassemblées, et examina une nouvelle fois les notes de Cabrillo.

Il relut ce qu'il avait imprimé puis rassembla le tout et regagna la salle de contrôle.

— Richard, disait Hanley lorsque Halpert entra dans la pièce, que le Gulfstream fasse le plein et se tienne prêt à partir. Je vous appellerai dès que nous aurons besoin de vous.

Après avoir raccroché, Hanley se tourna vers Halpert.

— Vous avez découvert quelque chose ?

Hanley parcourut rapidement le document que lui tendait Halpert.

— Cela peut avoir une importance, déclara-t-il lentement, comme cela peut ne pas en avoir. C'est une grosse somme que Hickman a donnée à l'université, mais c'est peut-être qu'il a l'habitude de faire ce genre de choses.

— J'ai vérifié, dit Halpert, il fait souvent de tels dons, toujours dans le domaine de l'archéologie.

— Intéressant, commenta Hanley.

— Si on pense à ce qu'a dit l'archéologue avant de mourir, ajouta Halpert, *il a acheté et payé pour l'université.*

— Je vois où vous voulez en venir, dit Hanley, de plus je trouvais étrange qu'Ackerman ait envoyé un e-mail à Hickman en premier. Pourquoi n'a-t-il pas d'abord contacté la direction de son département pour le prévenir de sa découverte ?

— Peut-être Hickman et Ackerman ont-ils monté l'opération à eux deux, suggéra Halpert, ainsi Ackerman s'assurait de recevoir les honneurs d'une éventuelle découverte, et qu'ils n'aillent pas à son patron.

146

— Cela n'explique pas comment Hickman a pu être certain qu'Ackerman ferait une découverte, dit Hanley, et encore moins qu'il s'agirait d'une météorite constituée d'iridium.

— Peut-être Hickman s'est-il impliqué de manière purement altruiste au départ, conclut Hanley. Ackerman a un projet et Hickman s'intéresse à Eric le Rouge, donc il décide de financer l'expédition. Puis, lorsque la météorite est découverte, il y voit une opportunité.

— Nous ne sommes même pas sûrs que Hickman soit en cause, rappela Hanley, mais si c'est le cas, qu'est-ce qui pourrait pousser un homme si riche à tuer et risquer tout ce qu'il a ?

— C'est toujours l'un ou l'autre, dit Halpert, l'amour ou l'argent.

La silhouette des îles Féroé commençait à se dessiner à travers la brume lorsque Hanley joignit Cabrillo dans l'hélicoptère pour lui faire part de la découverte de Halpert.

— Merde alors ! s'exclama Cabrillo, ça c'est pour le moins inattendu ! Qu'est-ce que tu en penses ?

— Je pense qu'on peut se baser sur cette théorie.

Les îles grossissaient à travers le pare-brise.

— Est-ce que Dick est arrivé à Londres ? demanda Cabrillo.

— Je viens de lui parler, répondit Hanley. On faisait le plein de l'avion et il devait se rendre dans un hôtel pour y attendre notre appel.

— Et le Challenger, il se tient prêt à Aberdeen ?

— Il est posé, dit Hanley, le plein est fait et il attend.

— Alors appelle Truitt et son équipe et dis-leur qu'il faut qu'ils se rendent à Las Vegas pour essayer d'en savoir plus sur Hickman.

— Les grands esprits se rencontrent, fit observer Hanley.

Devant l'hélicoptère, on distinguait de mieux en mieux le port ; Cabrillo raccrocha et se tourna vers Adams.

— Allez, on descend, cher ami.

Le *Free Enterprise* se trouvait juste derrière le brise-lames lorsqu'il ralentit et s'arrêta. Une petite barque de pêche, propulsée par deux moteurs hors-bord de deux cent cinquante chevaux, vint se ranger à côté, au niveau de l'escalier qui descendait jusqu'à l'eau. Le capitaine de la barque de pêche fit tourner son moteur au ralenti

147

tandis qu'un de ses hommes attrapait une caisse des mains d'un matelot du *Free Enterprise*. Il la fit glisser dans une cale à poissons tandis que le capitaine mettait les gaz et s'éloignait du grand bateau.

Bondissant sur la mer agitée, le bateau de pêche se dirigea vers une petite crique. Le matelot descendit de la barque et s'approcha de la route où attendait une camionnette rouge d'un service local de livraison. Dix minutes plus tard, le colis avait été livré à l'aéroport.

C'est là qu'il resta en attendant d'être transféré dans un avion, lequel n'était plus qu'à quelques kilomètres.

Adams remplit les deux réservoirs et parcourut sa check-list. Lorsqu'il eut terminé, il remplit son journal de bord. L'hélicoptère s'était bien comporté depuis son départ de l'*Oregon* et il n'y avait donc pas grand-chose à écrire, seulement le temps de vol, la météo et la présence d'une très légère vibration. Adams achevait de rédiger ses commentaires lorsque Cabrillo se rangea à côté de l'hélicoptère dans une minuscule voiture de location et ouvrit sa vitre.

— Hé, patron, demanda Adams, on vous a fait une ristourne sur la location ?

— Ça s'appelle une Smart, déclara Cabrillo en esquivant la plaisanterie. Ils n'avaient rien d'autre ; c'était ça ou la marche à pied. Allez, apportez-moi les jumelles et le détecteur, et grimpez.

Adams sortit de sous le siège de l'hélicoptère une paire de jumelles et le boîtier métallique qui lisait les signaux envoyés par les émetteurs déposés sur la météorite. Puis il avança vers la Smart et monta à l'avant. Il posa les jumelles par terre et garda le boîtier sur ses genoux. Tandis que Cabrillo redémarrait, Adams régla la fréquence des signaux reçus.

— Apparemment, l'objet se trouve tout près, déclara Adams.

Cabrillo gravit une colline pour sortir de l'aéroport ; le port se trouvait juste en dessous.

Sur l'autre voie, une camionnette rouge approchait et le chauffeur lui fit un appel de phares. Cabrillo se rendit compte qu'il conduisait à droite comme aux États-Unis et il se rabattit sur sa voie.

— Chef, dit Adams, nous sommes juste à côté.

Cabrillo regarda passer la camionnette ; le chauffeur lui fit un signe de reproche amical pour son erreur de conduite, puis poursuivit sa route vers l'aéroport. Au bas de la colline, Cabrillo aperçut un grand bateau qui s'apprêtait à s'amarrer.

— Là, dit-il en le montrant du doigt. Ça doit être ce bateau !

Ce dernier avait la ligne d'un yacht privé mais sa couleur noire évoquait un bombardier furtif. Cabrillo distinguait parfaitement les matelots qui se tenaient debout, les amarres à la main, tandis que le capitaine rapprochait le bateau de la jetée.

— Le signal diminue, déclara Adams.

Cabrillo se gara sur le bord de la route et observa le yacht avec ses jumelles tandis qu'on l'amarrait. Sur le flanc qu'il apercevait, un escalier menait du pont arrière jusqu'au niveau de l'eau. C'est alors qu'une révélation le frappa.

Il attrapa son téléphone portable et composa le numéro abrégé de l'*Oregon*.

Il mit la main sur le micro en attendant que Hanley réponde, pour dire à Adams :

— Ils ont dû faire l'échange en haute mer. Je vais vous ramener à l'hélicoptère et essayer de suivre le signal.

— Max, appelle Washington, pour qu'ils demandent aux autorités danoises de saisir le bateau qui vient d'accoster.

Puis Cabrillo éteignit le téléphone, braqua son volant et accéléra. La Smart fit un demi-tour en vrombissant et Cabrillo repartit dans l'autre sens. Pénétrant de nouveau dans l'aéroport, il se rangea à côté du Robinson. Adams descendit en vitesse et laissa le détecteur sur son siège.

— Décollez, George, cria Cabrillo. Je vous appelle.

Puis il accéléra de nouveau et se mit à suivre le signal.

James Bennett avait appris à piloter au sein de l'armée américaine mais il n'avait jamais volé sur un hélicoptère. Il avait une licence de pilote d'aéronef à voilure fixe et comme l'armée de l'air américaine gardait jalousement son domaine, il était l'un des rares pilotes militaires avec cette qualification. Le peu d'avions à voilure fixe que possédait l'armée étaient utilisés pour des missions d'observation ou de reconnaissance, et une douzaine aménagés comme des avions privés servaient à transporter les généraux ici et là.

Bennett avait piloté des avions d'observation Cessna alors qu'il était encore officier d'active et le 206 qu'il pilotait était aussi confortable que de vieilles pantoufles. Bennett avait fait voler le vieux coucou à une vitesse de croisière de cent soixante kilomètres à l'heure en montant vers le nord. A présent il ralentissait pour se préparer à atterrir et jeta un coup d'œil par le hublot sur la piste. Elle était courte et se terminait par une falaise, mais cela n'était rien. Bennett avait atterri sur des pistes taillées dans la jungle, de minuscules bandes de terrain à flanc de montagne en Asie du Sud-Est et une fois dans le champ d'un fermier en Arkansas, lorsqu'il avait perdu son moteur.

Comparé à cela, l'aéroport des îles Féroé, c'était du gâteau.

Bennett acheva son circuit d'approche et s'aligna pour l'atterrissage. Descendant doucement dans le vent, il redressa le Cessna à la dernière seconde et l'avion toucha le sol avec seulement un léger crissement de pneus. Bennett ralentit tout en observant les directions inscrites sur son bloc.

Puis il ralentit encore et s'engagea dans une allée perpendiculaire vers un terminal de fret.

Dans sa Smart, Cabrillo roulait pied au plancher ; il avait l'impression de piloter un kart après avoir avalé une cafetière entière et un demi-paquet de Guronsan. La Smart rebondissait sur la chaussée et faisait des embardées. Cabrillo longea la rangée de hangars en surveillant son détecteur. Un Cessna venait de quitter la piste et roulait sur une taxiway. Cabrillo regarda la queue de l'appareil, puis il s'arrêta et se gara pour voir ce qu'indiquait son détecteur.

Trois minutes après que Cabrillo l'eut déposé, Adams avait fait décoller le Robinson. Le moteur n'avait même pas eu le temps de refroidir. Il longea l'aéroport, déclarant à la tour de contrôle qu'il testait son équipement, et se mit à décrire de grands cercles nonchalants dans le ciel.

Le seul avion visible était un Cessna qui venait d'atterrir. Il le regarda ralentir et s'arrêter devant un hangar. Puis il vit Cabrillo qui s'approchait au volant de la Smart.

Un employé vêtu d'un uniforme avança vers le Cessna et cria pour couvrir le bruit du moteur :

— Vous êtes là pour le gisement pétrolier ?

— Oui, c'est ça ! répondit Bennett.

L'employé hocha la tête et pénétra en courant dans le hangar dont la porte était ouverte. Un instant plus tard, il ressortait avec la caisse. Longeant le hangar, il la posa sur le sol et s'adressa au pilote par la fenêtre.

— A l'avant ou à l'arrière ?

— A l'avant, sur le siège du passager ! cria Bennett.

L'employé ramassa la caisse et se mit à contourner le Cessna.

Cabrillo regarda de nouveau son compteur. L'aiguille était au maximum, sur le chiffre dix. Il releva les yeux au moment où l'employé de l'aéroport faisait le tour de l'avion avec la caisse. C'était celle qu'il avait entraperçue au Groenland.

Il appuya sur l'accélérateur au moment où l'employé posait la caisse sur le siège et refermait la porte de l'avion.

Le Cessna repartit sur la taxiway. L'avion avait une longueur d'avance et il s'apprêtait à s'engager sur la piste lorsque Cabrillo atteignit sa vitesse maximale. Il cala le volant entre ses genoux tandis qu'il plongeait la main droite dans son holster, d'où il sortit un Smith & Wesson calibre .50. De la main gauche, il baissa sa vitre.

Bennett s'apprêtait à s'élancer sur la piste lorsqu'il aperçut la Smart dans son rétroviseur. Il crut d'abord qu'il s'agissait de l'employé de l'aéroport qui voulait l'arrêter pour une raison technique. Puis Bennett remarqua une main qui sortait de la fenêtre, avec un revolver plaqué en nickel. Bennett poussa la manette des gaz et s'engagea sur la piste. Ayant déjà obtenu le feu vert pour le décollage, il poussa le moteur du Cessna jusqu'à la vitesse de rotation optimale. La course allait être serrée.

Cabrillo poursuivit le Cessna sur la piste ; l'avion accélérait et le pilote n'avait à l'évidence aucune intention de s'arrêter. Dès que Cabrillo fut à quatre-vingts kilomètres à l'heure, il enclencha le régulateur de vitesse et s'assit sur le rebord de la fenêtre.

Après avoir visé soigneusement, il se mit à tirer sur l'avion.

Bennett entendit et sentit un impact de balle sur le hauban de son aile gauche. D'autres coups de feu suivirent. Ayant atteint la vitesse nécessaire au décollage, il tira sur le manche afin d'effectuer son arrondi. L'appareil s'éleva dans les airs et Bennett attendit d'être à cent mètres d'altitude pour regarder en arrière.

La Smart était arrêtée en bout de piste.

Quant à l'homme qui la conduisait, il courait à présent vers un hélicoptère qui venait d'atterrir. Bennett mit les gaz tandis que Cabrillo montait à bord du Robinson.

— Vous croyez qu'on peut l'avoir ? cria-t-il à Adams tandis qu'ils décollaient.

— Ça va être juste, répondit le pilote.

26

Au sud des îles Féroé, une couche de nuages descendait presque jusqu'à la mer. Ces nuages, qui constituaient le bord d'une perturbation remontant du sud au nord, avaient arrosé de pluie et de neige les îles britanniques pendant deux jours. Dès que le Robinson R-44 fut entré dans la tourmente, Cabrillo et Adams eurent l'impression de se trouver dans un labyrinthe.

Ils avaient tantôt une trouée dégagée, tantôt des nappes de nuages qui dissimulaient le Cessna ainsi que la mer. Les rafales de vent ballottaient l'hélicoptère qui changeait de vitesse et de direction aussi vite qu'un palet de hockey sur une table à coussins d'air. La côte écossaise n'était qu'à quatre cent cinquante kilomètres au sud et Inverness, la première ville où ils pourraient se ravitailler en carburant, cent dix kilomètres plus loin.

Avec leurs deux réservoirs pleins, Adams et Cabrillo pouvaient y arriver, mais seulement si les vents se montraient favorables. Sans les réserves, le Robinson avait un rayon d'action de six cent quarante kilomètres au maximum. Le Cessna 206 pouvait lui parcourir plus de mille deux cents kilomètres mais Bennett n'avait pas eu le temps de faire le plein aux îles Féroé, les deux appareils étaient donc à égalité.

Quant aux vitesses de croisière, elles étaient de part et d'autre de deux cent dix kilomètres à l'heure.

— Le voilà ! s'écria Cabrillo en indiquant une trouée dans la couverture nuageuse, il est à quelques kilomètres devant.

Adams hocha la tête. Il regardait le Cessna apparaître et disparaître depuis une dizaine de minutes.

— Je doute qu'il puisse nous voir, dit-il. Nous sommes en dessous de lui et assez loin pour être hors du champ de vision arrière.

— Il peut toujours nous détecter sur son radar.

— Je ne pense pas qu'il y en ait un sur ce vieux modèle de Cessna, répondit Adams.

— Est-ce que vous pouvez accélérer?

— On est au maximum, chef, répondit Adams en indiquant le compteur de vitesse, et lui aussi je pense. Si je monte pour replonger et gagner de l'élan, je perdrai trop de vitesse à la montée et nous risquons de le perdre de vue.

Cabrillo garda le silence un instant.

— Dans ce cas, tout ce que nous pouvons faire, c'est continuer et appeler du renfort, dit-il.

— En effet, acquiesça Adams.

James Bennett ignorait qu'il était suivi. Il ne connaissait pas la vitesse de croisière du Robinson R-44 mais il savait que la plupart des petits hélicoptères ne pouvaient dépasser les cent soixante kilomètres à l'heure. D'après ses estimations, l'hélicoptère aurait au moins une demi-heure de retard sur lui à son arrivée en Ecosse. Bennett attrapa son téléphone satellite et émit un appel.

— J'ai le paquet, déclara-t-il, mais je crois que je suis suivi.

— Vous êtes sûr? demanda la voix.

— Pas à cent pour cent, répondit Bennett, et si c'est le cas, je pense que je peux le distancer. Mais lorsque j'aurai atterri, je ne disposerai que d'une demi-heure pour le transfert. Est-ce que ça suffira?

L'homme à l'autre bout de la ligne se mit à réfléchir.

— Je vais trouver une solution et je vous rappellerai, conclut-il.

— J'attends votre appel, dit Bennett.

Le pilote ajusta le gîte de l'appareil pour que la trajectoire soit rectiligne, puis il observa les différents instruments, en particulier la jauge de carburant. Ce serait serré, songea-t-il. Il maintint le manche au moment où le Cessna fut soulevé par un courant ascendant et attendit que l'avion soit revenu à son altitude de croisière. Puis il ouvrit la Thermos cabossée qu'il possédait depuis une vingtaine d'années et se servit une tasse de café.

154

— Je vais appeler Overholt, déclara Hanley, pour qu'il demande aux Britanniques d'envoyer des avions de chasse et qu'ils fassent atterrir de force l'avion. Ça devrait régler le problème.

— Assure-toi que les Britanniques attendent que le Cessna survole la terre, dit Cabrillo. Je ne veux pas qu'on perde la météorite maintenant.

— OK, je m'en occupe.

— A combien de temps êtes-vous du port des Féroé ?

— Environ vingt minutes.

— Est-ce que les Danois ont arraisonné le yacht ? demanda Cabrillo.

— D'après le dernier message de Washington, ils ne disposaient pas des effectifs nécessaires, répondit Hanley. Mais un officier de police s'est posté sur la colline derrière l'aéroport pour observer le bateau. Ils ne peuvent rien faire de plus pour le moment.

Cabrillo prit le temps de réfléchir.

— Est-ce que quelqu'un a retrouvé la tête nucléaire ?

— Pas d'après mes dernières informations.

— Elle se trouve peut-être sur le yacht, déclara Cabrillo.

— La source d'Overholt parlait d'un vieux cargo.

— En tout cas, dit Cabrillo, on dirait que ces types-là adorent faire des échanges en pleine mer. Il y a de bonnes chances pour qu'ils aient retrouvé le cargo quelque part et pris la bombe à leur bord.

— Qu'est-ce que tu proposes ?

— On peut recommander à Overholt de laisser le yacht quitter le port, dit Cabrillo. Que l'*Oregon* reste en dehors de ça ; laissons la marine britannique ou américaine régler le problème. S'ils abordent le yacht en pleine mer, il y aura beaucoup moins de risques.

— J'appelle Overholt tout de suite, dit Hanley et je lui fais part de tout ça.

La communication fut coupée et Cabrillo se laissa aller dans son siège. Il ne pouvait deviner que la bombe et la météorite étaient en possession de deux factions différentes.

L'un de ces groupes préparait une offensive au nom de l'Islam.

Le second contre l'Islam.

Une même haine les animait.

27

Dès que le Gulfstream eut atterri à Las Vegas, Truitt quitta Gunderson et Pilston et il héla un taxi. Le temps était clair et dégagé et une légère brise soufflait des montagnes environnantes. Celles-ci, distantes de plusieurs kilomètres, semblaient toutes proches grâce à la sécheresse de l'air.

Truitt jeta son sac sur la banquette arrière et grimpa à l'avant avec le chauffeur.

— Vous allez où? demanda le chauffeur, d'une voix qui ressemblait à celle de Sean Connery, la toux de fumeur en plus.

— A Dreamworld, répondit Truitt.

Le chauffeur démarra et quitta l'aéroport à vive allure.

— Vous avez déjà séjourné à Dreamworld? lui demanda-t-il alors qu'ils atteignaient le célèbre Strip.

— Non.

— C'est un paradis high-tech, déclara le chauffeur, un environnement naturel créé de toutes pièces par l'homme.

Il ralentit et entra dans la file de taxis et de voitures privées qui attendaient pour se garer devant l'entrée.

— Ne manquez pas le show des éclairs dans le jardin ce soir, dit-il en se tournant légèrement vers Truitt. Le spectacle a lieu toutes les heures, à l'heure pile.

La file progressa et le chauffeur roula jusqu'à une allée qui menait à l'hôtel. A quelques pas de la route, il passa par un portique muni de bandes de plastique qui traînaient jusqu'au sol et qui rappela à Truitt les entrées des chambres froides.

Ils se trouvèrent soudain au cœur d'une forêt tropicale. Au-dessus de leurs têtes, c'était la jungle et les vitres du taxi commencèrent à s'embuer sous l'effet de l'humidité. Le chauffeur se gara devant l'entrée et s'arrêta.

— Quand vous sortirez, dit-il, faites attention aux oiseaux. J'ai eu un client la semaine dernière qui prétend avoir subi une attaque en piqué.

Truitt hocha la tête et régla la course, puis il sortit, ouvrit la portière arrière pour reprendre son sac, après quoi il fit signe au taxi qu'il pouvait s'éloigner. Il pivota et aperçut un portier qui chassait un gros serpent noir avec un balai. Puis il leva les yeux vers la verrière. On ne distinguait pas la lumière du soleil et les cris des oiseaux emplissaient l'espace.

Soulevant son sac, Truitt s'avança vers le comptoir du portier.

— Bienvenue à Dreamworld, dit le portier. Vous arrivez ?

— Oui, répondit Truitt en lui tendant un faux permis de conduire du Delaware et une carte de crédit au même nom.

L'employé passa les deux dans une machine, puis il en sortit une étiquette sur laquelle était imprimé un code-barre qu'il colla sur le sac de Truitt.

— Nous allons acheminer votre sac jusqu'à votre chambre par tapis roulant, dit-il avec un air compétent. La chambre sera prête et le sac dans la chambre d'ici... (il s'interrompit pour consulter son écran) dix minutes. A la réception à l'intérieur, vous pourrez demander des jetons de casino ou tout ce dont vous pourrez avoir besoin. Je vous souhaite un excellent séjour à Dreamworld.

Truitt lui tendit un billet de dix dollars, prit la carte magnétique pour accéder à sa chambre et se dirigea vers l'entrée. Les portes vitrées coulissèrent immédiatement et Truitt découvrit un décor incroyable : c'était comme si on avait fait entrer le monde entier à l'intérieur de l'hôtel.

Tout près de la porte serpentait une rivière artificielle sur laquelle des clients naviguaient dans de petites embarcations. Plus loin, sur la gauche, Truitt distinguait les silhouettes de montagnards qui escaladaient un sommet artificiel. Il regarda la neige qui dégringolait la pente, récupérée par une ouverture à la base de la montagne. Truitt secoua la tête, ébahi, puis poursuivit sa route jusqu'à un bureau d'information.

— Où se trouve le bar le plus proche? demanda-t-il à un employé.

— Juste après Stonehenge sur la droite, répondit celui-ci avec un geste de la main.

Truitt pénétra sous un dôme où il découvrit la reproduction grandeur nature de Stonehenge. Un soleil artificiel figurait le solstice d'été et les ombres formaient un bras qui pointait vers le centre. Il trouva la porte du bar, en planches épaisses sous un toit de chaume, l'ouvrit et entra dans une pièce faiblement éclairée.

Le bar était la réplique d'une vieille taverne anglaise. Truitt prit place sur un tabouret en bois, cuir et défenses de sangliers, et se mit à contempler le comptoir lui-même. Il s'agissait d'une poutre de bois massive qui devait peser aussi lourd qu'un camion-benne.

La pièce était vide à l'exception de Truitt, et la barmaid s'approcha rapidement.

— Hydromel ou grog, monseigneur? demanda-t-elle.

Truitt se donna le temps de réfléchir.

— Euh... hydromel, répondit-il finalement.

— Bon choix, déclara la barmaid, il est un peu tôt pour un grog.

— C'est ce que je me suis dit, répondit Truitt tandis que la serveuse attrapait un verre et le remplissait à un tonneau en bois derrière le bar.

Elle portait une robe de servante généreusement décolletée. Après avoir posé le verre devant Truitt, elle fit une semi-révérence puis se retira derrière le bar. Truitt sirota sa boisson et se mit à réfléchir dans la pénombre à l'homme qui avait créé de toutes pièces ce pays des merveilles.

Ainsi qu'à la manière dont il allait s'y prendre pour entrer par effraction dans le bureau de cet homme et le fouiller.

— Combien vous dois-je? demanda Truitt à la barmaid.

— Je peux mettre ça sur votre note, proposa-t-elle.

— Je préfère payer comptant.

— Tarif du matin, dit-elle, un dollar.

Truitt déposa quelques pièces sur le bar puis il sortit de la taverne.

158

Tournant à gauche après Stonehenge, il pénétra dans un immense atrium. Au loin, un télésiège grimpait une montagne dont le sommet était couvert de nuages. Contournant la base de la montagne, où des skieurs attendaient leur tour sur le télésiège, il regarda quelques personnes dévaler la piste en faisant voltiger la neige artificielle comme de la véritable poudreuse. Poursuivant son chemin, il arriva à un guichet d'information.

— Auriez-vous un plan de l'hôtel ? demanda-t-il à l'employé.

L'homme sourit, sortit une carte de sous son comptoir et fit une croix au feutre pour indiquer leur position. Truitt lui tendit la carte magnétique portant son numéro de chambre.

— Où se trouve ma chambre ? demanda-t-il.

L'employé passa la carte dans une machine et consulta son écran. Puis il reprit son feutre pour noter quelques éléments dans la marge de la carte.

— Prenez la Rivière des Rêves jusqu'au Canyon de la Chouette et sortez du bateau n° 17. Ensuite vous prendrez l'ascenseur 41 pour accéder à votre étage.

— Ça n'a pas l'air trop compliqué, dit Truitt en reprenant le plan et en glissant la carte dans sa poche.

— Par ici, monsieur, lui indiqua l'employé.

A une trentaine de mètres du kiosque d'informations, Truitt atteignit une rambarde le long de la rivière, qui menait à un quai d'embarquement. Là, une file de canoës attendait les passagers. Attachés à un câble comme dans une attraction foraine, les canoës faisaient le tour de l'hôtel sur cette rivière circulaire. Truitt grimpa dans le premier de la file et regarda l'écran. Il sélectionna le puits n° 17 sur son clavier, puis s'installa confortablement en attendant que le canoë s'ébranle. L'embarcation se dirigea vers un faux canyon bordé de murs de rochers.

Lorsque le canoë parvint à la destination programmée, il s'arrêta automatiquement, et Truitt en descendit pour se diriger vers les ascenseurs. Il trouva le 41 qu'il emprunta jusqu'à son étage, puis sortit et parcourut un long couloir jusqu'à sa chambre. Il ouvrit la porte grâce à la carte magnétique.

La chambre était décorée selon un motif de ville minière ; les murs étaient lambrissés de planches patinées, et le plafond était recouvert de carreaux en fer-blanc. Une étagère affaissée contenant de vieux livres et romans adossée au mur. En face se trouvait un

159

vieux râtelier chargé de fausses carabines Winchester. Le lit était en fer forgé, couvert de ce qui ressemblait à d'antiques courtepointes. Truitt avait l'impression d'avoir effectué un voyage dans le temps.

Il s'approcha de la fenêtre, écarta les rideaux et contempla Las Vegas comme pour s'assurer que le monde extérieur était bien resté le même. Puis il les referma et se dirigea vers la salle de bains. Bien que décorée de manière à paraître ancienne, elle était pourvue d'une cabine de douche-vapeur et de lampes à bronzer. Il s'aspergea le visage d'eau, puis se sécha et regagna sa chambre pour appeler Hanley.

— Hickman est capable de planifier une opération de grande envergure, déclara Truitt à Hanley, ça c'est sûr. Cet endroit est incroyable ; on dirait un parc à thème, les machines à sous en plus.

— Halpert est toujours en train de faire des recherches sur lui, dit Hanley, mais ce type cache bien son jeu. Est-ce que vous avez trouvé un moyen de pénétrer dans son bureau ?

— Pas encore, mais j'y travaille.

— Faites attention, lui conseilla Hanley. Hickman est très puissant et nous n'avons pas envie de subir de retour de flamme si nous découvrons qu'il n'est pas impliqué.

— Je vais être aussi discret que possible, assura Truitt.

— Bonne chance, monsieur Phelps, dit Hanley.

Truitt se mit à fredonner le thème de *Mission : Impossible* tout en raccrochant.

Assis devant un bureau à cylindre, Truitt étudia le plan de l'hôtel et la télécopie que Hanley avait envoyée à bord du Gulfstream avant l'atterrissage. Puis il se doucha, se changea et quitta sa chambre. Il reprit l'ascenseur, puis un canoë, et regagna l'entrée principale d'où il héla un taxi.

Après avoir donné sa destination au chauffeur, il se laissa aller dans son siège. Quelques minutes plus tard, le véhicule s'arrêtait devant l'hôtel le plus haut de Las Vegas. Truitt régla la course et descendit. Puis il entra dans le hall, acheta un ticket et emprunta un ascenseur à grande vitesse jusqu'à la plate-forme d'observation de l'hôtel. Toute la ville s'offrait à son regard.

Truitt contempla la vue pendant quelques minutes puis il s'approcha de l'un des télescopes et y inséra des pièces. Tandis que la plupart des touristes promenaient leurs télescopes de tous côtés, Truitt gardait le sien braqué sur un seul point.

Lorsqu'il eut achevé son travail de reconnaissance, Truitt redescendit, reprit un taxi et regagna Dreamworld. Comme il était encore tôt, il s'accorda une petite sieste. Il se réveilla peu après minuit et se fit un café pour se donner un coup de fouet. Puis il se rasa, prit encore une douche et revint dans sa chambre.

Il sortit de son sac un tee-shirt et un jean noirs et les enfila, ainsi qu'une paire de chaussures noires à semelles de crêpe. Puis il boucla son sac et appela le chasseur pour qu'il l'apporte à la réception, où Gunderson devait venir le prendre dix minutes plus tard. Avant de quitter la chambre, il tira encore de son sac une veste aux épaules étrangement rembourrées et la revêtit. Il se rendit ensuite au casino après un nouveau trajet en bateau.

Des groupes de vacanciers aux yeux rougis par le manque de sommeil occupaient la plupart des sièges aux tables de jeu comme devant les machines à sous. Même à cette heure tardive de la soirée, le casino remplissait ses tiroirs-caisses. Truitt ne fit que le traverser pour gagner le centre commercial au cœur de l'hôtel.

C'était un temple de la consommation avec tous ses excès. Presque vingt-cinq magasins et boutiques de marques étaient répartis des deux côtés d'une allée pavée. En plus d'une vingtaine de boutiques de vêtements de créateurs, il y avait des magasins de chaussures, une maroquinerie, des bijouteries, des restaurants et une librairie. Truitt, qui avait encore du temps à tuer, pénétra dans la librairie et feuilleta le dernier Stephen Goodwin. Ce jeune auteur de l'Arizona était en tête des ventes depuis plusieurs mois. Truitt ne pouvait s'encombrer d'un livre pour le moment mais il se promit de se le procurer avant de quitter Las Vegas. Puis il entra dans un restaurant de grillades où il commanda des côtelettes et un thé glacé. Après quoi, il décida que l'heure était venue.

Le penthouse de Hickman, perché au-dessus de Dreamworld, comportait des terrasses sur les quatre côtés. Des baies vitrées permettaient l'accès à ces terrasses, peuplées de véritables forêts d'arbustes en pots. Le faîte de l'édifice était pyramidal, avec un toit en cuivre encore neuf et brillant. De petites guirlandes lumineuses éclairaient les arbres et le pinacle.

Truitt prit l'ascenseur jusqu'à l'avant-dernier étage, en se remémorant les plans du bâtiment. En sortant, il s'assura que le couloir était vide, puis il se rendit au bout du palier, où il découvrit une échelle métallique blanche fixée au mur. Truitt grimpa et se trouva devant une porte cadenassée. Prenant un tube en plastique dans un sachet qu'il sortit de sa poche, il glissa la mince tige dans le cadenas et tourna un petit bouton sur le dessus.

Le bouton libéra un catalyseur qui durcit le tube et lui fit prendre la forme de la serrure. Quelques secondes plus tard, Truitt tourna le manche de la tige et le cadenas céda. Il le retira de la chaîne, ouvrit la porte qui menait aux combles et y monta.

Sur les plans, cet espace figurait sous le nom d'« accès de maintenance ». Des câbles électriques, tuyaux de plomberie et fils téléphoniques encombraient l'espace. Truitt referma la trappe et se munit de sa lampe-torche. Il se mit à ramper lentement dans le boyau en direction de l'endroit où le plan indiquait une autre trappe qui menait à la terrasse.

Lorsqu'il avait observé la terrasse depuis l'autre hôtel, il avait aperçu une porte coulissante entrouverte. Cette porte constituait sa meilleure chance d'entrer sans se faire remarquer. Lorsqu'il atteignit la trappe sous la terrasse, Truitt utilisa un autre tube de plastique pour faire sauter le cadenas, puis il la fit basculer vers le haut avec précaution et jeta un coup d'œil aux alentours.

Il n'y avait pas d'alarme, rien qui indiquât que sa présence avait été détectée.

Restant au sol pour éviter d'être vu, Truitt grimpa sur la terrasse, referma la trappe et rampa vers la porte entrouverte. Il la fit coulisser lentement et jeta un coup d'œil à l'intérieur. Personne. Il entra prudemment ; il se trouvait dans l'immense salle de réception du penthouse. Un salon en arène à demi enterré, avec des banquettes rembourrées, entourait une cheminée en pierres. Sur le côté, éclairée par une seule lumière au-dessus des fourneaux, se trouvait une cuisine dernier cri. De l'autre côté, un immense bar était baigné dans une lueur crépusculaire par des spots invisibles. De la musique country bluegrass sortait de haut-parleurs cachés.

Truitt se faufila dans le couloir en direction du bureau de Hickman.

28

LE *Larissa* avança tant bien que mal jusqu'à l'île de Sheppey et s'amarra au quai. Le capitaine se munit de ses faux papiers et monta la colline en direction des douanes. Un homme était en train de fermer la porte pour la nuit.

— Je dois seulement faire enregistrer mon arrivée, déclara le capitaine en lui montrant un document.

L'homme rouvrit la porte de la minuscule cabane. Sans se donner la peine d'allumer, il s'approcha d'une table assez haute et ôta un tampon d'un présentoir. Il ouvrit un encreur, y trempa le tampon, puis fit signe au capitaine de lui donner son document. Il le posa ensuite sur le dessus de la table et le tamponna.

— Bienvenue en Angleterre, déclara le douanier, en le raccompagnant vers la sortie

Au moment où il refermait la porte, le capitaine lui demanda :

— Savez-vous où je pourrais trouver un médecin ?

— Il faut monter la colline sur deux pâtés de maisons et tourner vers l'ouest. Mais le cabinet est fermé à cette heure-ci. Vous pourrez le voir demain, quand vous reviendrez pour faire une déclaration complète.

Le douanier s'en fut et le capitaine regagna le *Larissa* pour attendre.

Aux yeux des habitués de ce troquet proche du port de l'île de Sheppey, Nebile Lababiti devait ressembler à un gay en quête d'un partenaire. Or, ils n'appréciaient guère ce genre de visiteurs. Lababiti était vêtu d'un manteau de sport italien, d'un pantalon en soie brillante et d'une chemise en soie ouverte sur plusieurs chaînes en or. Il sentait la brillantine, les cigarettes et l'eau de Cologne en abondance.

— Je voudrais une pinte, dit-il au barman, un petit homme à la tête rasée, musclé et tatoué, qui portait un tee-shirt crasseux.

— Tu veux pas plutôt un petit cocktail, mec ? demanda le barman à voix basse. Il y a un bar un peu plus haut qui fait un sacré daiquiri à la banane.

Lababiti mit la main dans son manteau, en sortit un paquet de cigarettes et en alluma une, puis souffla la fumée dans le visage du barman. L'homme évoquait un ancien monstre de foire, renvoyé pour avoir effrayé les clients.

— Non, répondit Lababiti, une Guinness, ça ira.

Le barman ne répondit pas mais ne fit pas mine de bouger.

Lababiti sortit un billet de cinquante livres de sa poche et le glissa sur le bar.

— Et offrez donc à boire à ces braves gars, dit-il en tendant la main vers la dizaine d'autres clients. On dirait qu'ils l'ont bien gagné.

Le barman tourna la tête vers l'extrémité du bar, où le propriétaire, un pêcheur à la retraite à qui il manquait deux doigts à la main droite, tirait une pinte de bière blonde. Ce dernier fit un signe d'assentiment et le barman attrapa un verre.

Même si l'homme du Moyen-Orient était une tantouze, cet établissement ne pouvait pas se payer le luxe de refuser un client plein aux as. Lorsque la bière brune fut placée devant lui sur le zinc, Lababiti saisit son verre et but une gorgée. Puis il s'essuya les lèvres du revers de la main et balaya les lieux du regard. Le bar était une porcherie ; des chaises dépareillées étaient installées devant des tables en bois délabrées et entaillées. Un feu de charbon de bois brûlait dans une cheminée tachée à l'autre bout de la pièce. Le comptoir lui-même, devant lequel se tenait Lababiti, avait été gravé et gratté par de nombreux couteaux au fil des ans.

L'air sentait la sueur, les entrailles de poisson, le diesel, l'urine et la graisse de vidange.

Lababiti prit une autre gorgée et consulta sa montre en or Piaget.

Non loin du troquet, sur une éminence donnant sur le port, deux hommes de Lababiti surveillaient le *Larissa* grâce à des jumelles à vision nocturne. La plupart des membres d'équipage avaient déjà quitté le bateau pour passer la soirée en ville. Seule une lumière était encore visible dans une cabine à la poupe.

Sur le quai, deux autres Arabes poussaient un chariot apparemment rempli d'ordures le long de la jetée. Arrivés devant le *Larissa*, ils ralentirent et passèrent un compteur Geiger le long de la coque. Le son était coupé mais l'aiguille leur indiqua ce qu'ils voulaient savoir. Ils poursuivirent lentement leur chemin vers l'extrémité du quai.

Sous le pont, Milos Coustas, le capitaine du *Larissa*, finissait de se coiffer. Puis il se passa une pommade sur le bras, sans grande conviction, puisqu'elle ne lui avait apporté aucun soulagement depuis qu'il l'avait achetée. Il espérait seulement que le médecin qu'il verrait le lendemain pourrait trouver un remède plus efficace.

Lorsqu'il fut prêt, Coustas sortit de sa cabine et monta sur le pont.

Il devait retrouver son client dans un bar sur la colline.

Lababiti finissait sa deuxième pinte de Guinness lorsque Coustas entra. Il sut instantanément qu'il s'agissait bien de son homme ; si Coustas avait porté un tee-shirt avec l'inscription « Capitaine de navire grec », il n'aurait pu être plus reconnaissable. Il portait un large pantalon de paysan et une chemise blanche à lacet en toile fine ainsi que la casquette typique que tous les Grecs vivant en bord de mer semblaient affectionner.

Lababiti commanda un ouzo pour Coustas et lui fit signe de s'approcher.

Les terroristes n'étaient pas des incompétents. Dès que les hommes aux jumelles eurent envoyé la confirmation que Coustas se trouvait bien dans le bar, les deux hommes qui poussaient le chariot firent machine arrière et revinrent devant le *Larissa*. Ils grimpèrent prestement à bord et commencèrent leurs recherches. En quelques minutes, ils avaient trouvé la caisse contenant la bombe atomique et alertèrent par radio la seconde équipe qui se trouvait au volant d'une camionnette de location. La camionnette vint se poster à l'extrémité de la jetée tandis que les deux terroristes faisaient basculer la caisse par-dessus bord. Ils soulevèrent la bâche sur laquelle étaient collées des ordures et firent glisser la lourde caisse dans le chariot renforcé.

L'un tirant et l'autre poussant, ils remontèrent la jetée.

Lababiti et Coustas avaient pris place à une table au fond de la salle. L'odeur des toilettes toutes proches flottait de temps à autre jusqu'à eux. Coustas en était à son deuxième verre et il s'animait visiblement.

— Allons, dites-moi quel est ce chargement spécial dont vous avez payé si cher la livraison ? demanda-t-il à Lababiti, le sourire aux lèvres. Comme vous êtes arabe et que la caisse est très lourde, je parie que vous faites passer de l'or en contrebande.

Lababiti hocha la tête, sans confirmer ni réfuter l'accusation.

— Si c'est le cas, déclara Coustas, une petite prime serait la bienvenue.

Une fois que la caisse contenant la bombe fut chargée à l'arrière de la camionnette, les deux guetteurs quittèrent leur poste. Les deux autres poussèrent le chariot jusqu'au bord de l'eau et l'y jetèrent. Puis ils coururent vers une moto sur laquelle ils grimpèrent tous deux. Après avoir démarré, ils gravirent la colline en direction du bar.

Lababiti ne détestait pas les Grecs autant que les Occidentaux mais il ne les portait pas non plus dans son cœur.

Il les trouvait pour la plupart bruyants, grossiers et mal élevés. Coustas avait déjà bu deux verres, sans avoir rien offert à Lababiti. Faisant signe au barman d'apporter une troisième tournée, Lababiti se leva de sa chaise.

— Nous parlerons de la prime à mon retour, dit-il. Pour l'instant, il faut que j'aille faire un tour aux toilettes. Le barman nous prépare une autre tournée ; si vous alliez nous chercher ça au bar ?

— Mon verre n'est pas fini, dit Coustas en souriant.

— Vous le finirez après, répondit Lababiti en s'éloignant.

Pénétrer dans ces toilettes, c'était comme se cacher dans des WC au fond d'un jardin. L'odeur était désagréable et la lumière rare. Heureusement, Lababiti savait exactement où se trouvait le comprimé ; il le sortit de sa poche et enleva le papier qui le recouvrait.

Puis, le serrant dans sa main, il revint rapidement s'asseoir.

Coustas était toujours au bar en train d'essayer de convaincre le barman de verser un peu plus d'ouzo dans son verre. Il le vit se baisser et soulever la bouteille pour compléter le verre, tandis qu'un homme mince à la peau mate passait la tête dans l'entrebâillement de la porte, éternuait et ressortait aussitôt. Lababiti s'apprêtait à se rasseoir lorsqu'il observa ce signal indiquant que le transfert avait eu lieu sans encombre.

Il réduisit le comprimé en poudre et le fit tomber dans le dernier tiers du verre de Coustas.

Puis il se rassit et attendit que le Grec revienne avec les boissons. On entendit une moto qui s'éloignait.

— Le barman veut plus d'argent, déclara Coustas en se glissant sur son siège, il dit qu'il a épuisé ce que vous lui avez donné.

Lababiti hocha la tête.

— Il faut que j'aille à ma voiture chercher du liquide. Finissez votre verre, j'arrive tout de suite.

— Et nous discuterons du bonus ? demanda Coustas en soulevant le verre aux deux tiers vide pour le porter à ses lèvres.

— Le bonus, oui, ainsi que le transfert de la cargaison, déclara Lababiti en se levant. Je suppose que vous accepterez un règlement en or ?

Coustas hocha la tête tandis que Lababiti se dirigeait vers la porte. Coustas était enivré par l'ouzo et les promesses de richesse. Tout semblait parfait... jusqu'à ce qu'il sente une douleur à la poitrine.

Lababiti signala d'un geste au barman qu'il sortait un instant, puis il remonta la rue jusqu'à sa Jaguar. La rue était déserte, encombrée d'ordures et peu éclairée par les quelques lampadaires qui fonctionnaient encore.

Une avenue de rêves brisés et d'espoirs mal placés.

Il déverrouilla la porte de la Jaguar, grimpa à l'intérieur et démarra. Il ajusta le volume de son lecteur CD, passa la première et quitta prestement sa place de stationnement.

Lorsque le propriétaire du bar se rua dans la rue pour avertir l'étranger bien habillé que son ami avait eu un malaise, il n'aperçut que les feux arrière de la Jaguar qui atteignait le sommet de la colline et disparaissait.

Habituellement, la police britannique n'envoie pas d'enquêteur lorsque quelqu'un meurt dans un bar. Cela se produit fréquemment et les causes sont évidentes. Pour que l'on ait tiré du lit l'inspecteur Charles Harrelson, il fallait qu'il y ait eu un appel du bureau du médecin légiste. Il n'en était pas franchement ravi. Après avoir bourré sa pipe de tabac, il alluma le fourneau et baissa les yeux sur le corps, puis il secoua la tête.

— Macky, lança-t-il au légiste, c'est pour ça que tu m'as réveillé?

Le médecin, David Mackelson, travaillait avec Harrelson depuis près de vingt ans. Il savait que l'inspecteur se montrait toujours un peu irritable lorsqu'il était arraché à un profond sommeil.

— Tu veux un petit café, Charles? demanda doucement Macky. Je dois pouvoir persuader le propriétaire de nous faire ça.

— Non, pas si je retourne me coucher, ce que je vais sans doute faire, vu l'état de ce malheureux type.

— Oh! objecta Macky, moi je crois que tu pourrais en avoir besoin.

Le légiste releva le drap qui couvrait le corps de Coustas et indiqua les marques rouges sur son bras.

— Tu sais ce que c'est? demanda-t-il à Harrelson.

— Je n'en ai pas la moindre idée.

— Ce sont des brûlures par irradiation, déclara Macky en ouvrant une boîte de tabac à priser pour s'en mettre un peu dans le nez. Alors, Charles, content que je t'aie réveillé?

29

ADAMS entrevit le Cessna, le montra à Cabrillo, puis pointa du doigt la carte GPS du système de navigation.
— Il va arriver au-dessus des terres dans quelques minutes, déclara Adams dans le micro de son casque.

— Avec un peu de chance, répondit Cabrillo, il tombera sur la RAF en guise de comité d'accueil. Nous, on aura bouclé notre mission. Où en est-on côté carburant ?

Adams lui montra la jauge. Les vents contraires avaient eu de lourdes conséquences sur leur consommation et l'aiguille oscillait juste au-dessus de la zone rouge.

— Nos réserves sont bien entamées, patron, mais nous avons assez pour atteindre la terre. Après, rien n'est sûr.

— Nous allons nous poser pour faire le plein, déclara Cabrillo d'une voix assurée, dès que Hanley nous informera que le Cessna a bien été intercepté.

Mais à cet instant, Hanley se battait contre les lourdeurs administratives de deux continents à la fois.

— Comment ça, pas d'avion ? demanda-t-il à Overholt.
— Les Britanniques ne pourront pas affréter un avion avant dix minutes à partir de maintenant, au départ de Mindenhall, dans le sud du pays. Ils n'en ont aucun basé en Ecosse. Pour couronner le tout, leurs réserves dans le Sud sont limitées, comme chez nous, vu que la plupart de leurs avions de combat sont déployés en Irak et en Afrique.

— Les Etats-Unis n'ont pas de porte-avions dans le coin ? demanda Hanley.

— Non, répondit Overholt. Notre seul bateau dans le coin c'est une frégate lance-missiles qui a reçu l'ordre d'intercepter le yacht qui vient de quitter les îles Féroé.

— Monsieur Overholt, répondit Hanley, nous avons un problème. Votre ami Juan doit enrager à l'heure qu'il est : si nous ne lui apportons pas de l'aide immédiatement, nous allons de nouveau perdre la météorite. Nous, on fait notre boulot, mais il faut que vous nous donniez un coup de pouce.

— Je comprends, répondit Overholt. Je vais voir ce que je peux faire et je vous rappelle.

Hanley fixa des yeux la carte sur l'écran de la salle de contrôle. Le signal indiquant la trajectoire du Cessna venait de franchir la côte. Il composa un numéro de téléphone.

— Oui monsieur, répondit le pilote du Challenger 604 posté à Aberdeen. Nous avons fait fonctionner les turbines toutes les demi-heures pour qu'elles ne refroidissent pas. Nous serons prêts à décoller dès que nous recevrons l'autorisation.

— Notre cible vient juste de franchir la côte à Cape Wrath, déclara Hanley, donc volez d'abord vers l'est, puis obliquez vers le nord. Il semble qu'il ait mis le cap sur Glasgow.

— Que devons-nous faire lorsque nous l'aurons rejoint ?

— Seulement le suivre, jusqu'à ce que les avions de l'armée britannique arrivent.

Pendant cette conversation, le copilote avait reçu l'autorisation de la tour de contrôle. Il fit un signe au pilote.

— Nous pouvons décoller, déclara le pilote à Hanley. Autre chose ?

— Essayez de repérer notre président. Il est à bord d'un hélicoptère Robinson et il va manquer de carburant.

— Bien, monsieur, répondit le pilote en mettant les gaz pour commencer à rouler en direction de la piste.

Une légère brume mouillait le pare-brise du Challenger alors que le pilote se dirigeait vers la piste principale. D'après l'allure des nuages qu'il voyait au nord, le temps allait nettement se dégrader. Le pilote s'aligna sur la piste et procéda aux dernières vérifications.

Puis il poussa à fond les gaz et s'élança sur la piste.

James Bennett considérait sa jauge de carburant avec inquiétude. Il n'atteindrait pas Glasgow, aussi modifia-t-il sa trajectoire vers la gauche. Il voulait rester au-dessus de la terre ferme au cas où il serait contraint à un atterrissage forcé, donc il décida de voler vers le sud en direction d'Inverness puis à l'est vers Aberdeen. Il aurait de la veine s'il atteignait le port écossais. Mais Bennett n'était pas un veinard.

A ce moment-là, son téléphone sonna.

— Il y a un problème, dit une voix. L'armée britannique prépare deux avions de chasse pour vous intercepter. Nous disposons d'environ quinze minutes avant leur arrivée.

Bennett regarda sa montre.

— En effet c'est un problème, déclara-t-il. J'ai dû modifier la trajectoire en raison du manque de carburant. Je ne pourrai pas atteindre Glasgow comme prévu. Le mieux que je puisse faire, c'est peut-être Aberdeen, mais pas avant que les avions de chasse soient arrivés.

— Même si vous aviez pu faire le plein aux Féroé, nous aurions dû exclure Glasgow de toute façon, dit la voix, à cause des avions de chasse. Et l'hélicoptère ? Vous croyez qu'il vous suit toujours ?

— Je ne l'ai pas revu depuis mon départ, dit Bennett, je suppose qu'il a dû faire demi-tour.

— Bien, dans ce cas, mon plan devrait fonctionner. Sortez votre carte.

Bennett ouvrit sa carte de l'Ecosse.

— C'est bon, déclara-t-il.

— Vous voyez Inverness ?

— Oui, répondit Bennett, les yeux rivés sur la carte.

— Et le grand lac juste au sud ?

— Vous plaisantez ! s'exclama Bennett.

— Non, répliqua la voix. Le Loch Ness. Volez sur la rive droite ; nous avons une équipe avec un camion. Ils feront des petits nuages de fumée pour que vous les repériez.

Les nuages de fumée étaient une expression militaire qui désignait l'utilisation de grenades fumigènes afin de marquer une position.

— Et ensuite ? demanda Bennett.

— Vous descendez et vous lâchez votre cargaison par la porte, répondit la voix. Ils la récupéreront et lui feront faire le reste du chemin.

— Et moi ?

— Vous n'aurez qu'à laisser les avions vous obliger à vous poser à un aéroport. Quand on vous aura fouillé, ils croiront qu'il s'agissait d'une erreur.

— Parfait, approuva Bennett.

— C'est aussi ce que je pense, ajouta la voix avant de raccrocher.

Le Robinson qui transportait Cabrillo et Adams franchit la côte rocheuse. Adams leva les pouces en direction de Cabrillo et alluma son micro.

— Bon, on dirait qu'on ne va pas mourir, constata Adams. Si nous tombons en panne de carburant maintenant, je pourrai toujours effectuer une autorotation pour nous poser.

— Si nous devons en arriver là, j'espère que vous vous êtes entraîné.

— J'en fais quelques-unes par semaine, rétorqua Adams, au cas où.

La couverture nuageuse s'épaississait à mesure qu'ils volaient vers l'intérieur des terres. De temps à autre, ils apercevaient au-dessous d'eux les collines écossaises couvertes de neige. Trente secondes avant, Cabrillo avait vu briller la queue du Cessna au-dessus d'eux.

— Les avions britanniques ne doivent plus être loin, maintenant, supposa Cabrillo en attrapant le téléphone satellite pour appeler Hanley.

L'*Oregon* avait quitté les îles Féroé et filait vers le sud à pleine vitesse. Il faudrait bientôt prendre la décision de mettre le cap à l'ouest pour longer l'Ecosse et l'Irlande ou bien à l'est entre les Shetland et les Orcades. Hanley observait les projections sur son écran lorsque le téléphone sonna.

— Où en sommes-nous ? demanda Cabrillo sans préambule.

— Overholt a des difficultés pour faire décoller d'urgence les avions britanniques, dit Hanley. Aux dernières nouvelles, ils venaient de quitter Mindenhall. S'ils volent à Mach un, ils devraient vous rejoindre d'ici environ trente minutes.

— Nous n'avons pas trente minutes de carburant devant nous, répliqua Cabrillo.

172

— Je suis désolé, Juan. J'ai envoyé le Challenger depuis Aberdeen pour reprendre la poursuite jusqu'à l'arrivée des avions de chasse. Ils pourront repérer le Cessna et me transmettre des informations. Nous allons choper ce type, ne t'en fais pas.

— Qu'en est-il du yacht ?

— Il a quitté le port des îles Féroé il y a dix minutes. Une frégate américaine lance-missiles est en route pour l'intercepter en haute mer.

— Enfin, soupira Cabrillo, une bonne nouvelle.

Hanley regardait l'écran indiquant la position du Robinson, tout en écoutant le copilote du Challenger qui lui faisait un point de la circulation par radio. Le Challenger avait repéré les deux appareils sur son radar et il s'approchait.

— Le Cessna est actuellement en train de survoler Inverness, répéta Hanley. Le Challenger l'a sur son écran radar. Combien vous reste-t-il de carburant ?

Cabrillo s'adressa à Adams.

— Est-ce qu'on peut atteindre Inverness avant de manquer de carburant ? lui demanda-t-il.

— Je crois, répondit Adams ; nous avons bénéficié d'un vent arrière depuis que nous sommes au-dessus de la terre ferme.

— C'est OK pour Inverness, répondit Cabrillo à Hanley.

Hanley s'apprêtait à recommander à Adams et Cabrillo de s'arrêter pour prendre du carburant mais il n'en eut pas le temps. A ce moment précis, le copilote du Challenger le rappela de nouveau. Le Cessna venait d'amorcer une descente.

— Juan, s'écria Hanley, le Challenger vient de me prévenir que le Cessna a amorcé une descente.

D'après la carte GPS du Robinson, Inverness n'était plus qu'à quelques kilomètres.

— Où essaie-t-il d'atterrir ? demanda Cabrillo.

— Sur la rive est du Loch Ness, on dirait.

— Je te rappelle, dit Cabrillo à Hanley avant de déconnecter.

Le temps se dégradait et la pluie se mit à couler en petits ruisseaux sur la verrière du Robinson. Adams mit la ventilation sur dégivrage et considéra la jauge de carburant avec appréhension.

— Vous croyez aux monstres ? demanda Cabrillo à Adams.

— Pourquoi cette question ?

Cabrillo lui montra la carte. On commençait à voir la forme en cigare du Loch Ness.

— D'après Hanley, le Cessna s'apprête à atterrir sur la rive est du Loch Ness.

Au cours des dernières minutes, Adams avait pu entrevoir le sol avant que les nuages le dissimulent.

— Je ne pense pas, déclara-t-il.

— Pourquoi ? demanda Cabrillo.

— Trop de relief, répondit Adams, il n'y a pas la place d'atterrir.

— Alors ça voudrait dire.., commença Cabrillo.

— Qu'il va larguer ce qu'il transporte, termina Adams.

Dès que Bennett lui avait confirmé que le Cessna avait décollé des îles Féroé et lui avait fait part de sa crainte d'être suivi, le responsable des opérations avait ordonné à deux des quatre hommes postés à Glasgow de rouler vers le nord à tombeau ouvert. Les deux hommes avaient fait le voyage de plus de cent cinquante kilomètres jusqu'au Loch Ness en moins de deux heures et ils avaient attendu les instructions. Dix minutes plus tôt, ils avaient reçu l'ordre de se positionner sur la rive est du loch, de trouver un endroit désert et d'attendre qu'on les rappelle. Deux minutes après, l'appel était arrivé, leur ordonnant d'allumer leurs fumigènes et d'attendre un paquet qui devait être jeté depuis un avion.

Les deux hommes étaient assis à l'arrière de la camionnette, portes ouvertes, et regardaient la fumée s'élever au milieu de la pluie. L'avion devait arriver dans les quelques minutes à venir.

— Tu as entendu ? demanda un des hommes, qui venait de percevoir un bruit d'avion.

— Ça s'amplifie, répondit l'autre.

— Mais je croyais que ce serait un...

Bennett s'arc-bouta aux commandes tandis que la traînée de sillage du Challenger ballottait le Cessna. Le pilote de l'avion d'affaires était soit un fou dangereux soit un incompétent, songea-t-il. Son petit avion devait bien apparaître sur le radar !

— Soixante-six mètres, dit le copilote du Challenger. Si on perd un moteur maintenant, on est morts.

— Regardez par la fenêtre, ordonna le pilote. Je vais faire un passage et redresser ensuite.

174

Le Challenger passa tout juste au-dessus des collines, à la vitesse de l'éclair. Dans le sillage de l'avion, la neige volait en tourbillons. Une colline plus haute que les autres apparut devant le pare-brise et le pilote tira sur le manche; puis il redescendit après avoir franchi la crête. A présent, ils survolaient le loch.

— Là! s'exclama le copilote en indiquant une camionnette sur la rive est du côté d'Inverness. Je vois de la fumée.

Le pilote jeta un coup d'œil, puis tira de nouveau sur le manche et reprit de l'altitude.

— *Oregon*, appela-t-il lorsqu'ils eurent atteint une vitesse de croisière raisonnable, nous avons une camionnette sur la rive est du lac, avec des écrans de fumée. Dans combien de temps les avions de chasse doivent-ils arriver?

— Challenger, répondit Hanley, les chasseurs sont encore à quinze minutes.

— Ils vont tenter de larguer leur paquet, déclara le pilote.

— Merci pour l'info, répondit Hanley.

— Ils vont tenter de larguer leur paquet, déclara Cabrillo dès que Hanley décrocha.

— Nous le savons, l'informa son interlocuteur. Je m'apprêtais à t'appeler. Le Challenger vient de faire un passage à basse altitude et il a remarqué une camionnette entourée de fumigènes sur la rive est.

— Nous venons d'apercevoir le Cessna, dit Cabrillo. Il est juste devant nous. Nous survolerons le loch comme lui dans quelques instants.

— Vous en êtes où côté carburant?

— Carburant? demanda Cabrillo à Adams.

— Je n'ai jamais vu l'aiguille aussi bas, répondit le pilote.

Cabrillo répéta ses paroles.

— Laissez tomber et atterrissez pendant que vous le pouvez encore, conseilla vivement Hanley.

Le Robinson arriva dans une zone moins nuageuse et Cabrillo regarda en bas. Il apercevait l'eau battue par le vent du loch.

— Trop tard, Max, déclara-t-il, on est en train de survoler le loch.

Les deux hommes postés près du loch avaient reçu l'ordre de maintenir le silence radio jusqu'à ce qu'ils aient réceptionné la météorite et se soient suffisamment éloignés de la zone de largage. C'est pourquoi ils n'avaient pas signalé l'avion d'affaires volant à basse altitude. Il devait certainement s'agir d'un avion appartenant à une compagnie pétrolière qui avait des problèmes mécaniques ; et même dans le cas contraire, on ne pouvait pas faire grand-chose. Ils continuèrent à écouter et à scruter le ciel à la recherche du Cessna.

Les deux avions de chasse Tornado ADV passèrent au-dessus de Perth et le pilote britannique rendit compte de sa position. Ils étaient à moins de six minutes du Loch Ness.

— Faites attention à un avion d'affaires Challenger et un hélicoptère Robinson dans la zone, signala le chef d'escadrille à son ailier par radio. Ce sont des amis.

— Bien reçu, répondit l'ailier, la cible est un Cessna 206.

— Cinq minutes, terminé, envoya le chef d'escadrille par radio à sa base.

Bennett écarquilla les yeux pour repérer les fumigènes dès qu'il eut aperçu l'extrémité nord-est du loch. La brume au-dessus de l'eau se mêlait à la fumée. Il abaissa ses volets et fit ralentir l'avion au maximum puis regarda encore. Il aperçut un appel de phares sur la rive du loch et il tourna dans cette direction.

— Voilà le loch, dit Cabrillo.

Le Robinson rattrapait le Cessna et Adams ralentit.

— Il ralentit, dit-il à Cabrillo.

Cabrillo regarda sa carte sur le tableau de bord.

— Il n'y a apparemment pas de champ pour atterrir, donc il va bien tenter de larguer quelque chose.

L'hélicoptère était à la moitié de sa traversée, à la poursuite du Cessna qui s'apprêtait à longer la rive est. Adams venait de déplacer le manche cyclique pour se diriger vers la terre lorsque le moteur se mit à émettre des ratés.

A bord du Cessna 206, Bennett regardait vers l'avant. A présent, il voyait la fumée, les signaux lumineux et la camionnette. Se rapprochant du sol, il tendit la main pour déverrouiller la porte côté passager et fit glisser la caisse contenant la météorite à l'extrême bord du siège. Une minute plus tard, il pourrait ouvrir la porte, incliner l'avion et pousser la caisse à l'extérieur.

Billy Joe Shea roulait sur la rive est du Loch Ness dans une MG TC noire de 1947. Shea était un vendeur de boue de forage pour une compagnie pétrolière, originaire de Midland au Texas, qui venait d'acheter cette voiture ancienne quelques jours plus tôt dans un garage de Leeds. Son père avait eu une voiture identique, acquise en Angleterre lorsqu'il y était basé en tant que pilote militaire, et Billy Joe Shea avait appris à conduire dans cette voiture. Elle avait été revendue depuis près de trente ans et Shea avait toujours nourri le désir secret d'en acheter une lui-même.

Une recherche sur Internet, une seconde hypothèque sur sa maison et les trois semaines de vacances qu'il avait économisées lui avaient permis de réaliser ce rêve. Shea avait décidé de visiter l'Ecosse et l'Angleterre pendant deux semaines avant de laisser la voiture au port de Liverpool, d'où elle serait acheminée au Texas. Même avec la capote, la pluie passait par les portes latérales. Shea ramassa son chapeau de cow-boy sur la partie passager de la banquette et épongea la pluie. Puis il regarda les jauges et poursuivit sa route. Il croisa une camionnette garée sur le côté, après quoi la route était dégagée.

Tout était calme et l'air embaumait la tourbe et l'asphalte mouillée.

— J'ai les chasseurs sur mon radar, indiqua le pilote du Challenger à Hanley sur le téléphone satellite.

— A quelle distance êtes-vous du Cessna ? demanda Hanley.

— Pas loin, répondit le pilote. Nous nous apprêtons à survoler la rive est du sud au nord. Nous allons essayer de le frôler d'aussi près que possible.

Bennett était tout près de la zone de largage. Il tendit la main, ôta le loquet de la porte et inclina le Cessna. Il aperçut du coin de l'œil une vieille voiture sur la route, puis il se concentra pour larguer la caisse aussi près que possible de la camionnette.

C'est alors que l'avion d'affaires apparut dans son pare-brise.

177

— Il y a une camionnette sur la rive est, rapporta le pilote du Challenger à Hanley en frôlant Bennett à basse altitude.

— Qu'est-ce que... ? articula Hanley.

— Je vois le Robinson ! cria le pilote.

— Est-ce qu'ils peuvent voir la camionnette ? demanda Hanley.

— Sans doute, répondit le pilote en reprenant de l'altitude, mais il est encore un peu loin.

— Vous pouvez quitter les lieux, ordonna Hanley. Nous venons de recevoir un message des autorités britanniques qui reprennent la situation en main ; les chasseurs sont tout près.

— Bien reçu, répondit le pilote.

Sur le sol, près de la camionnette, les deux hommes observaient le Cessna qui se rapprochait.

— Je crois que je vois un hélicoptère derrière, dit l'un d'eux.

L'autre écarquilla les yeux.

— Ça m'étonnerait, répliqua-t-il. A cette distance, on entendrait le moteur et les pales.

Ils virent alors s'ouvrir la porte du Cessna.

Les deux hommes auraient effectivement entendu le moteur de l'hélicoptère, s'il avait été en marche. En fait, le cockpit du Robinson était étrangement silencieux ; on n'entendait que le sifflement du vent sur le fuselage tandis qu'Adams amorçait une autorotation. Il mit le cap sur la terre et pria pour qu'ils ne tombent pas à l'eau.

Cabrillo aperçut la camionnette et les signaux lumineux pendant la chute mais il ne prit pas la peine de prévenir Adams qui était déjà suffisamment occupé.

Bennett poussa la caisse qui bascula par la porte ouverte. Puis il rétablit le Cessna et remit le cap sur l'aéroport d'Inverness. Il reprenait de l'altitude pour franchir les collines au bout du lac lorsqu'il aperçut un hélicoptère à moins de deux cents mètres au-dessus du sol. Dès qu'il aurait stabilisé le Cessna, il appellerait pour faire son rapport.

Un caillou dans une caisse tombe à la verticale de la terre. La météorite descendit à pic et s'enfonça dans la tourbe détrempée sans se briser. Les deux hommes s'élancèrent et ils commençaient juste à arracher la caisse à la boue lorsqu'ils entendirent le vrombissement aigu de deux avions de chasse qui se rapprochaient. Ils levèrent la tête et aperçurent les jets passer en trombe au-dessus d'eux.

— Foutons le camp d'ici, déclara un des deux hommes dès qu'ils eurent dégagé la caisse de la tourbe.

L'autre courut vers la camionnette pour démarrer tandis que le premier suivait, chargé de la caisse.

— Je pense que je peux atteindre la route, cria Adams dans son micro.

Le Robinson décrivait un arc de cercle réduit créé uniquement par l'air qui passait sous les pales et les entraînait. Adams avait encore quelque maîtrise sur sa trajectoire mais il perdait rapidement de la vitesse.

Le bord du loch et la route se rapprochaient à toute allure et il commença son arrondi.

Les chasseurs apparurent si soudainement dans le sillage du Cessna que Bennett se demanda s'ils s'étaient matérialisés par magie. Ils le croisèrent à quelques mètres de chaque côté et amorcèrent un demi-tour à grande vitesse. Sa radio se mit alors à grésiller.

— Ici la Royal Air Force, dit une voix. Vous êtes sommé de vous rendre à l'aérodrome le plus proche et d'atterrir immédiatement. Si vous refusez de vous exécuter ou que vous tentez de fuir, vous serez abattu. Accusez réception de ce message.

Les deux avions avaient achevé leur demi-tour et ils fonçaient droit sur Bennett.

Il agita ses ailes pour leur répondre, puis il attrapa son téléphone satellite.

Si proche et pourtant si loin.

Cabrillo jeta un coup d'œil par la fenêtre avant que l'hélicoptère tombe derrière une colline. La camionnette se trouvait à plus d'un kilomètre. Même si Adams parvenait à les faire atterrir indemnes, le temps qu'ils sortent du Robinson et qu'ils courent vers le site où avait été larguée la météorite, elle se serait envolée.

Il serra le téléphone satellite contre sa poitrine et se prépara à heurter le sol.

Le conducteur de la camionnette passa la première et écrasa l'accélérateur. Les pneus arrière patinèrent dans la boue et firent voler de la tourbe. Il atteignit la chaussée en chassant de l'arrière et se dirigea vers le sud. Un rapide coup d'œil dans son rétroviseur lui permit de constater que la route était déserte.

Adams manœuvra le Robinson avec la finesse d'un violoniste virtuose. Evaluant avec précision son arrondi, il tira sur le manche cyclique à la dernière seconde, lorsque l'hélicoptère finissait son arc de cercle à moins de deux mètres du sol. Le changement de pas des pales du rotor anéantit le peu de vitesse qui restait et le Robinson s'arrêta et tomba sur ses patins sur la route. La cellule reçut un choc, pas trop important toutefois. Tournant les yeux vers Cabrillo, Adams poussa un gros soupir.

— Putain, vous êtes doué, fit Cabrillo.

— Il était pas évident, celui-là ! commenta Adams en ôtant son casque et ouvrant la porte.

L'hélicoptère bloquait presque entièrement la route.

— Si on avait eu de quoi faire un kilomètre et demi de plus, dit Cabrillo en sortant à son tour, on les aurait eus.

Une fois sur la route, les deux hommes se redressèrent et s'étirèrent.

— Vous devriez appeler M. Hanley pour le prévenir que nous les avons perdus, dit Adams au moment où Shea apparaissait au sommet de la colline dans sa MG, contraint de ralentir puisque la route était bloquée.

— Dans une minute, répondit Cabrillo en regardant la voiture s'arrêter.

Shea sortit la tête par la fenêtre.

— Vous avez besoin d'aide, les gars ? fit-il avec un accent texan à couper au couteau.

Cabrillo courut vers la voiture.

— Vous êtes américain ?

— Pur jus, déclara fièrement Shea.

— Nous travaillons directement sous l'autorité du Président dans une affaire qui concerne la sécurité nationale, expliqua rapidement Cabrillo. Je vais avoir besoin de votre voiture.

— Oh non ! s'exclama Shea, je l'ai achetée il y a trois jours !

Cabrillo ouvrit la portière.

— Je regrette, c'est une question de vie ou de mort.

Shea serra le frein à main et descendit.

Cabrillo fit signe à Adams avec son téléphone en montant dans la MG.

— Je vais appeler l'*Oregon*, dit-il, pour que quelqu'un vienne vous ravitailler en carburant.

— Bien, chef, répondit Adams.

Cabrillo démarra, appuya sur l'embrayage et passa la marche arrière. Puis il tourna le volant de la vieille MG et amorça un demi-tour.

— Hé! fit Shea. Je suis censé faire quoi, moi?

— Restez avec l'hélicoptère, cria Cabrillo, nous nous occuperons de tout.

Une fois la MG dans l'axe de la route, il appuya sur l'accélérateur et s'éloigna. En quelques secondes, il avait franchi la colline et disparu. Shea s'avança vers Adams qui vérifiait l'état des patins de l'hélicoptère.

— Je m'appelle Billy Joe Shea, dit-il en tendant la main. Ça vous ferait rien de me dire qui vient de me prendre ma voiture?

— Ce type? répliqua Adams. Je ne l'ai jamais vu de ma vie.

30

Richard « Dick » Truitt faisait défiler tous les fichiers de l'ordinateur de Hickman. Il y avait tellement d'informations qu'il progressait lentement. Finalement, il décida de se brancher sur le serveur de l'*Oregon* et de transférer tout le contenu de l'ordinateur. Il établit une connexion qui lui permettait de transmettre les données à un satellite qui les redirigeait vers le bateau.

Puis il se leva et commença à fouiller le bureau.

Truitt sortit d'un tiroir quelques feuilles de papier et des photos, les plia et les mit dans sa veste. Il examinait une étagère lorsqu'il entendit la porte d'entrée s'ouvrir et une voix résonner dans le vestibule.

— A l'instant ? demanda une voix.

Il n'y eut pas de réponse. L'homme parlait dans un téléphone mobile.

— Il y a cinq minutes ? reprit la voix, de plus en plus proche. Mais pourquoi n'avez-vous pas envoyé la sécurité immédiatement ?

Le bruit de pas dans le couloir s'amplifiait. Truitt se glissa dans le cabinet de toilette adjacent au bureau et courut vers une chambre d'ami de l'autre côté. Un autre couloir menait à la salle de séjour. Il le traversa le plus doucement possible.

— Nous savons que vous êtes là, déclara la voix. Mon équipe de sécurité est en train de monter. L'ascenseur est bloqué, donc il ne vous reste plus qu'à vous rendre.

La clé d'un bon plan est d'imaginer les éventuelles complications. La clé d'un plan parfait est de les imaginer toutes. Les données de l'ordinateur de Hickman traversaient les airs jusqu'à l'*Oregon*. Les trois quarts des fichiers avaient été transmis lorsque Hickman arriva dans le bureau. Truitt avait commis une petite erreur : il avait oublié de mettre l'écran en veille. Dès que Hickman entra, il se rendit compte que l'économiseur d'écran ne fonctionnait pas et que quelqu'un avait réussi à accéder aux données de son ordinateur.

Se précipitant vers la machine, il l'éteignit. Puis il ouvrit le tiroir de son bureau et constata que la fiole de Vanderwald était bien là, intacte.

Truitt se glissa dans la salle de séjour. La baie vitrée coulissante était toujours entrouverte. Il traversa vivement la pièce. Il était presque à la porte lorsqu'il heurta une sculpture qui tomba et se fracassa.

Hickman entendit le bruit et s'élança dans le couloir. Truitt avait franchi la baie vitrée et se trouvait dans le patio arrière. Lorsque l'homme d'affaires entra dans la pièce, il vit l'intrus derrière la vitre, vêtu de noir, qui se déplaçait avec aisance. De toute façon, l'homme était piégé dans le patio et les gardes arrivaient.

Hickman ralentit le pas pour savourer sa victoire.

— Restez où vous êtes, ordonna-t-il en sortant par la porte vitrée. Vous ne pouvez pas vous échapper.

L'homme se retourna et regarda Hickman droit dans les yeux. Puis il sourit, grimpa sur le mur du patio qui lui arrivait à la poitrine, fit un signe de tête et un geste de la main. Il se retourna et sauta du mur dans l'obscurité. Hickman était encore sous le choc lorsque les vigiles entrèrent dans le salon.

La confiance aveugle est une émotion puissante.

Truitt n'avait rien d'autre à quoi se raccrocher au moment où il avait tiré sur le filin de sa veste. Rien d'autre qu'une confiance aveugle en la Boutique Magique de l'*Oregon* et en l'invention de Kevin Nixon. Une fraction de seconde après qu'il eut tiré la cordelette, un petit parachute-frein s'ouvrit dans le dos de la veste et détacha le Velcro qui attachait le tissu. Aussitôt deux ailes semblables à celles d'un cerf-volant de combat chinois se déplièrent et se mirent en place. Des volets d'un mètre vingt sur un mètre vingt attachés par des cordes élastiques tombèrent sous les ailes comme des aérofreins.

Truitt fut ralenti dans sa chute et commença à reprendre le contrôle.

— Prépare-toi, il descend à toute allure.

Pilston leva les yeux et aperçut Truitt pendant une seconde à travers un rayon lumineux qui balayait le ciel près du volcan. Truitt effectua un virage à trois cent soixante degrés puis il se redressa. Il était à trois mètres du sol, vingt mètres devant la Jeep, et il s'en éloignait. Heureusement, le trottoir était presque vide. A cette heure tardive, la plupart des touristes étaient soit couchés soit rivés aux tables de jeu. Truitt poursuivit sa trajectoire en ligne droite.

Gunderson tourna la clé de contact de la Jeep et le moteur vrombit. Il se lança à la poursuite de Truitt. Plus que deux mètres soixante-dix jusqu'au sol, deux mètres quarante, mais Truitt avait du mal à atterrir. Il battait des jambes, encore suspendu dans les airs.

Deux prostituées attendaient au coin de la rue que le feu passe au vert. Elles étaient vêtues de robes en latex et perchées sur des chaussures à hauts talons compensés; leurs cheveux étaient relevés en des coiffures sophistiquées. L'une fumait tandis que l'autre organisait son prochain rendez-vous sur son téléphone portable. Truitt tendit la main et tira sur la corde qui permettait à l'aérofrein de rester tendu. Une fois les freins désactivés, il tomba au sol comme une pierre. Il eut tout juste le temps de mouliner des pieds avant de toucher le trottoir et il courut jusqu'à ce qu'il ait repris son équilibre pour ralentir. Il n'était qu'à un mètre cinquante des deux filles lorsqu'il réussit à marcher normalement.

— Bonsoir mesdames, fit Truitt. Quel beau temps pour une promenade!

Derrière lui, un 4 × 4 rouge portant le logo Dreamworld sortait de l'allée menant à l'hôtel. Le vigile qui conduisait écrasa l'accélérateur et les pneus crissèrent sur la chaussée.

A cet instant, Pilston et Gunderson arrêtèrent la Jeep à son niveau.

— Monte! cria Gunderson.

Truitt grimpa sur le marchepied à l'arrière de la Jeep. Dès qu'il fut à l'intérieur, Gunderson accéléra et remonta le Strip à toute allure. Le sac de Truitt était sur la banquette à côté de lui. Il l'ouvrit et en sortit une boîte métallique.

— Nous sommes suivis, lui cria Gunderson.

— J'ai remarqué, répondit Truitt. Quand je te le dirai, mets au point mort et éteins le moteur.

— D'accord.

Ils filaient à plus de cent quarante kilomètres à l'heure mais le 4 × 4 gagnait du terrain. Truitt pivota vers l'arrière et pointa sa machine vers le pare-buffle du 4 × 4.

— Maintenant ! cria-t-il.

Gunderson mit le levier de vitesse sur neutre et tourna la clé de contact. Les voyants s'éteignirent et la direction assistée cessa de fonctionner, ce qui rendait le véhicule difficile à manœuvrer. Gunderson se débattait pour le maintenir sur la route. Truitt appuya sur un interrupteur de sa boîte, envoyant ainsi une onde qui grilla les circuits électriques de tous les véhicules des environs. Les phares du 4 × 4 s'éteignirent et il se mit à ralentir. Quelques taxis qui se trouvaient dans le coin s'arrêtèrent également.

— Bien, fit Truitt, tu peux redémarrer !

Gunderson tourna la clé et le moteur de la Jeep vrombit. Il poussa le levier de vitesses et retrouva le contrôle du véhicule.

— On va où ? cria-t-il à Truitt.

— Vous avez vos sacs ?

— On s'est douchés à l'hôtel, c'est tout, lui dit Pilston. On a laissé les sacs dans l'avion.

— A l'aéroport, alors, dit Truitt. On ferait mieux de quitter Vegas.

Max Hanley se tenait près de l'ordinateur de Michael Halpert à bord de l'*Oregon*. Les deux hommes scrutaient attentivement l'écran.

— Ensuite, ça s'est arrêté, expliqua Halpert.

— Quelle quantité de données avons-nous ? demanda Hanley.

— Il faut que j'étudie tout ça, répondit Halpert, mais on dirait qu'il y a pas mal de choses.

— Commencez les analyses, répliqua Hanley, et faites-moi un rapport dès que vous trouverez quelque chose d'intéressant.

A ce moment-là, le biper de Hanley sonna et la voix de Stone se fit entendre dans le haut-parleur.

— Monsieur, déclara Stone, je viens d'avoir des nouvelles du Gulfstream qui quitte Las Vegas à l'instant.

— J'arrive tout de suite, répondit Hanley.

Hanley remonta rapidement la coursive et ouvrit la porte de la salle de contrôle. Stone, assis devant les moniteurs, se retourna pour indiquer un écran au vice-président. Une carte de l'ouest des Etats-Unis avec un signal rouge clignotant permettait de suivre la progression du Gulfstream. Il s'apprêtait à traverser le lac Mead et se dirigeait vers l'est. Le téléphone de Hanley se mit à sonner et il se rendit à son poste pour prendre la communication.

— Hanley.

— Avez-vous reçu les fichiers informatiques ? demanda Truitt.

— Nous en avons une partie, dit Hanley. Halpert a commencé à les analyser. On dirait que le téléchargement a été interrompu en plein milieu ; vous avez rencontré des difficultés ?

— La cible est entrée alors que j'effectuais le téléchargement, déclara Truitt en essayant de couvrir le bruit des moteurs. Il a dû interrompre la transmission.

— Ce qui signifie également qu'il sait que quelqu'un se renseigne sur lui.

— Exactement, admit Truitt.

— Qu'est-ce que vous avez d'autre ?

Truitt attrapa sa veste posée sur le siège de l'autre côté de l'allée centrale et en sortit les clichés qu'il avait volés dans le bureau de Hickman. Il alluma le fax relié au téléphone de l'avion et commença à les introduire dans l'appareil.

— Je vous envoie des photos, prévint Truitt.

— Des photos de qui ? demanda Hanley.

— Ça, ce sera à vous de me le dire.

31

ÉVIDEMMENT que c'est un problème ! s'écria le Président à l'adresse de Langston Overholt.

Un peu plus tôt, le Premier ministre britannique avait annoncé au Président que l'on avait découvert le capitaine d'un navire grec ayant subi des brûlures d'irradiation dans un port à moins de quatre-vingts kilomètres du centre de Londres. Tandis que le Président s'entretenait avec Langston Overholt, les autres lignes sécurisées entre les deux pays ne chômaient pas non plus.

— Nous avons travaillé avec les Russes ainsi qu'avec la Corporation pour récupérer l'arme mais elle est quand même entrée sur le territoire britannique.

— C'est ce que je suis censé expliquer à notre plus proche allié ? demanda le Président. Euh, désolé, on a essayé mais on a foiré ?

— Non, monsieur, répondit Overholt.

— Si ceux qui sont derrière tout cela combinent l'ogive nucléaire avec la météorite, Londres et ses environs seront transformés en désert. Et malgré toutes vos excuses au sujet de l'arme nucléaire, pour la météorite, c'est notre responsabilité qui est en cause.

— Je comprends, monsieur.

Le Président se leva de son fauteuil dans le Bureau ovale.

— Ecoutez-moi attentivement, déclara-t-il sur un ton où perçait la colère. Je veux des résultats et je les veux immédiatement.

Overholt se leva.

— Oui, monsieur.

Puis il se dirigea vers la porte.

— Cabrillo est toujours à la poursuite de la météorite, expliqua Hanley à Overholt sur la ligne sécurisée, d'après notre pilote d'hélicoptère qui a téléphoné il y a quelques minutes.

— Le Président est furieux, dit Overholt.

— Hé! ce n'est pas notre faute, se défendit Hanley; les avions britanniques étaient en retard. S'ils étaient arrivés à temps, la météorite serait en sécurité maintenant.

— Aux dernières nouvelles, les avions britanniques ont forcé le Cessna à atterrir à Inverness et les autorités s'apprêtent à fouiller l'avion.

— Ils ne trouveront rien, prédit Hanley. Le pilote du Cessna s'est débarrassé de son paquet.

— Pourquoi Cabrillo n'a pas téléphoné pour que nous puissions coordonner nos efforts?

— Ça, monsieur Overholt, c'est une question à laquelle je n'ai pas de réponse.

— Vous me préviendrez dès que vous serez entré en contact avec lui?

— Oui, monsieur, répondit Hanley.

La MG TC roulait comme une voiture à cheval remplie de grain. La finesse des pneus, les amortisseurs à levier et l'antique suspension ne faisaient pas le poids par rapport à une voiture de sport moderne. Cabrillo était en quatrième, le moteur au maximum de tours par minute et la voiture dépassait à peine les cent dix kilomètres à l'heure. Tenant d'une seule main le volant cerclé de bois, il tapota encore son téléphone satellite.

Rien. C'était peut-être l'atterrissage; malgré tous ses efforts pour protéger l'appareil, il avait heurté le tableau de bord lorsqu'ils s'étaient enfin posés. C'était peut-être une question de batterie : les téléphones satellite consommaient autant d'énergie que la clim d'un obèse en plein été à Phoenix. En tout cas, Cabrillo ne parvenait pas à activer la lumière verte.

C'est alors qu'il aperçut à quelques kilomètres la camionnette au sommet d'une colline.

Eddie Seng jeta un regard en coin à Bob Meadows qui conduisait un véhicule approchant de l'île de Sheppey. Sortis de l'*Oregon* dans l'hydravion de la Corporation, les deux hommes s'étaient fait accompagner à un aérodrome de la banlieue londonienne où une Range Rover blindée avait été déposée par le service de renseignement britannique.

— On dirait qu'on a reçu les armes qu'on avait demandées, dit Seng après avoir fait l'inventaire du sac de nylon qui avait été laissé sur la banquette arrière.

— Maintenant, si on pouvait trouver où se cache la cellule Hammadi à Londres, expliqua Meadows, plein d'espoir, puis localiser la bombe et la désamorcer pendant que notre président retrouve la météorite, nous en aurions terminé.

— Voilà qui me semble d'une difficulté raisonnable.

— Sur une échelle de difficulté de un à dix, je mettrais une note de sept, répondit Meadows en ralentissant pour s'engager sur le port.

Seng sauta du siège passager au moment où Meadows était en train de couper le moteur. Il marcha au-devant d'un homme dégingandé aux cheveux blond vénitien et lui tendit la main.

— Eddie Seng, déclara-t-il.

— Malcolm Rodgers, MI5, répondit l'autre.

Meadows, sorti de la Range Rover, s'approcha d'eux.

— Et voici mon partenaire Bob Meadows. Bob, je te présente Malcolm Rodgers du MI5.

— Enchanté, déclara Meadows en échangeant avec lui une poignée de main.

Rodgers se dirigea vers la jetée.

— Le capitaine a été retrouvé dans un pub sur la colline. D'après les documents des douanes, il venait juste d'accoster.

— Est-ce que ce sont les radiations qui l'ont tué? demanda Meadows.

— Non, répondit Rodgers, l'autopsie préliminaire a révélé des traces de poison.

— De quelle sorte? demanda Seng.

— Rien que nous ayons pu identifier pour le moment, répondit Rodgers, un agent paralysant.

— Est-ce que vous avez un téléphone? demanda Meadows

Rodgers ralentit le pas pour sortir un portable de sa poche et interrogea Meadows du regard.

— Appelez votre médecin légiste et demandez-lui de se mettre en relation avec le Centre de contrôle des maladies à Atlanta. Qu'ils lui envoient les profils toxicologiques des venins de scorpion et de serpent de la péninsule arabique pour voir si on peut effectuer des recoupements.

Pendant que Rodgers était au téléphone, Seng étudia le port au-dessous d'eux. Il y avait plusieurs vieux cargos, trois ou quatre voiliers de plaisance et un catamaran dont le pont supérieur était hérissé d'antennes et encombré de deux bossoirs. Le pont arrière croulait sous les caisses et l'équipement électronique. Un homme était courbé au-dessus d'une table sur le pont arrière, les deux bras à l'intérieur d'un appareil en forme de torpille.

— OK, lança Rodgers, ils vont vérifier.

Les trois hommes continuèrent de descendre la colline et atteignirent le quai. Ils empruntèrent un premier ponton puis un second qui arrivait à angle droit du premier. On voyait trois hommes sur le pont du *Larissa* et on devinait que d'autres se trouvaient en dessous.

— Nous avons fouillé chaque centimètre carré, déclara Rodgers. Il n'y a rien. Le journal de bord est falsifié mais en interrogeant l'équipage nous avons appris que le chargement a été embarqué près d'Odessa et qu'ils sont venus ici sans escale.

— L'équipage était-il au courant de ce qui était transporté? demanda Seng.

— Non, selon la rumeur, il s'agissait d'œuvres d'art volées.

— Ils n'étaient que des intermédiaires, commenta Seng.

Meadows, tournant le dos au *Larissa*, scrutait toujours le pont du catamaran.

— Est-ce que vous voulez monter à bord? demanda Rodgers.

— Est-ce que quelqu'un a vu l'homme quitter le pub après son rendez-vous avec le capitaine? demanda Meadows à son tour.

— Non, répondit Rodgers, et c'est bien le problème. Nous ignorons tout de son identité et de sa destination.

— Mais le capitaine n'a pas pu emmener la bombe avec lui au pub, raisonna Meadows à voix haute, donc soit un des hommes d'équipage s'est chargé de la livraison, soit la bombe a été volée sur le bateau.

— Personne n'a vu la bombe au pub, concéda Rodgers, et c'est là que le capitaine est mort.

— Est-ce que vous avez cuisiné son équipage ? demanda Seng.

— Ce que je m'apprête à vous dire est classé secret défense, déclara Rodgers.

Meadows et Seng hochèrent la tête.

— Ce que nous avons infligé à l'équipage est une entorse au droit international et ils nous ont dit tout ce qu'ils savaient, énonça-t-il posément.

Les Britanniques ne rigolaient pas : ils avaient drogué ou torturé les Grecs, peut-être les deux.

— Et ce n'est pas un membre de l'équipage qui a procédé à l'échange ? demanda Meadows.

— Non, répondit Rodgers. Cet homme au pub, il avait nécessairement des complices.

— Eddie, fit Meadows, si tu te chargeais de monter à bord du *Larissa* ? Moi je vais aller par là pour discuter avec le type sur son catamaran.

— Nous l'avons déjà interrogé, répliqua Rodgers. Il est un peu bizarre, mais inoffensif.

— Je n'en ai pas pour longtemps, déclara Meadows.

Seng fit un signe à Rodgers et le suivit à bord du *Larissa*.

— Monsieur, il faut qu'on se décide, appela Stone : Atlantique ou mer du Nord ?

Hanley observa la carte sur l'écran. Il ignorait quelle destination avait prise Cabrillo mais il ne pouvait plus reculer.

— Où est l'hydravion ? demanda-t-il.

— Là, indiqua Stone en montrant un point rouge au niveau de Manchester et qui remontait vers le nord.

— Va pour la mer du Nord, dans ce cas, ordonna Hanley. La cible est Londres. Envoyez l'hydravion à Glasgow pour venir en aide à Cabrillo.

— C'est comme si c'était fait, déclara Stone en attrapant son micro.

— Hali, dit Hanley en se retournant vers Kasim, assis devant un poste de contrôle, où en est-on pour le carburant d'Adams ?

— Je n'ai pas réussi à obtenir que l'aéroport d'Inverness vienne faire une livraison, répondit Kasim, donc j'ai contacté une station-

191

service sur le Loch Ness, qui devrait venir lui livrer des bidons de carburant d'ici peu de temps. Adams nous fera certainement un rapport aussitôt.

— Merde ! s'exclama Hanley, on a besoin de George au plus vite pour venir en aide au patron.

Linda Ross, l'experte de la sécurité et de la surveillance, était assise à côté de Kasim.

— Je me suis mise en relation avec les autorités britanniques pour leur faire part de ce que nous savons : une camionnette blanche sur la route du Loch Ness qui se dirige vers le sud et qui contient probablement la météorite ; je les ai prévenus que M. Cabrillo était à sa poursuite dans une vieille MG noire. Ils envoient des hélicoptères mais il leur faudra une heure pour arriver sur les lieux.

— Est-ce que le Challenger pourrait survoler à moyenne altitude pour nous faire un rapport ?

Personne ne parla pendant quelques instants. Stone appuya sur quelques touches de son clavier et tendit la main vers l'écran.

— Voici la zone en ce moment, dit-il.

La nappe de brouillard ressemblait à un drap de laine grise. Au sol, en Ecosse, la visibilité ne se mesurait même pas en mètres mais en centimètres. Une aide aérienne ne serait pas en mesure d'arriver avant longtemps.

Halifax Hickman fulminait. Après avoir réprimandé son équipe de sécurité, il se tourna vers le responsable.

— Vous êtes viré, lui dit-il d'un ton sans réplique.

L'homme gagna la porte et sortit du penthouse.

— Vous ! dit-il au numéro deux de l'équipe, où se trouve le cambrioleur qui s'est introduit ici ?

— Nos hommes l'ont vu atterrir dans la rue en amont de Dreamworld, répondit l'homme. Il a été récupéré par deux personnes dans une Jeep découverte. Deux de mes hommes les poursuivaient lorsqu'ils ont été victimes d'une panne électrique majeure. Ils les ont perdus à ce moment-là.

— Je veux que tous les hommes disponibles sillonnent la ville pour retrouver cette Jeep, déclara Hickman. Je veux savoir qui a eu le culot de s'introduire dans mon appartement, au sommet de mon propre hôtel.

192

— Tout de suite, monsieur, répondit le nouveau chef de la sécurité.

— Vous avez intérêt, fit Hickman en regagnant le couloir en direction de son bureau.

Les vigiles quittèrent le penthouse en file indienne. Et cette fois, ils pensèrent à fermer la porte. Hickman composa un numéro de téléphone.

Dans son bureau à bord de l'*Oregon*, Michael Halpert triait les fichiers téléchargés par Truitt. Il y avait un méli-mélo de documents d'affaires, de relevés de comptes bancaires et financiers ainsi que de titres de propriété. Soit il n'y avait pas de dossiers personnels, soit ils n'avaient pas pu être transmis avant la coupure du lien satellite.

Halpert lança une recherche par mots clés puis il se tourna vers les photographies faxées par Truitt. Faisant pivoter son fauteuil vers un autre ordinateur, il introduisit les clichés dans un scanner, puis se mit en relation avec le serveur du Département d'Etat américain pour faire des recherches dans les photos de passeports. La base de données était immense et les recherches pourraient prendre des jours. Laissant les ordinateurs travailler, il quitta son bureau et emprunta la coursive pour se diriger vers la salle à manger. Aujourd'hui, on servait du bœuf Strogonoff, le plat préféré de Halpert.

— Monsieur, lança une voix forte au téléphone, nous avons été interpellés par une frégate lance-missiles de la marine américaine.

— Que voulez-vous dire? demanda Hickman.

— Nous avons été sommés de mettre en panne, sous peine d'être coulés, expliqua le capitaine du *Free Enterprise*.

Le plan de Hickman prenait l'eau de toutes parts.

— Pouvez-vous les distancer? demanda-t-il.

— Impossible.

— Alors, combattez-les, ordonna Hickman.

— Monsieur, ce serait suicidaire, répliqua le capitaine.

Hickman réfléchit quelques secondes.

— Dans ce cas, essayez de différer la reddition le plus longtemps possible, dit-il enfin.

— Oui monsieur, répondit le capitaine.

Hickman coupa la communication et se laissa aller en arrière dans son fauteuil. L'équipe du *Free Enterprise* n'avait pas eu droit à la véritable version des faits. Pour s'assurer de la complète collaboration de son équipe, il leur avait déclaré qu'il entendait utiliser la météorite, combinée avec un engin nucléaire, pour une attaque contre la Syrie. Il voulait ensuite faire porter le chapeau à Israël, déclenchant ainsi une guerre de grande échelle dans tout le Moyen-Orient, après quoi les Etats-Unis pourraient contrôler la région et le terrorisme serait éradiqué.

Son vrai plan était bien plus personnel. Il s'apprêtait à venger la mort de la seule personne qu'il avait jamais aimée. Et tant pis pour ceux qui se dressaient sur sa route.

Il prit de nouveau son téléphone et appela son hangar.

— Faites préparer mon avion pour un voyage à Londres.

— Ohé! fit Meadows à l'intention de l'homme sur le pont du catamaran.

— Ohé! répondit l'homme.

Il était grand, plus d'un mètre quatre-vingt-dix, et mince. Son visage était encadré par un bouc bien taillé et un enchevêtrement de sourcils grisonnants; ses yeux clairs pétillaient comme s'ils étaient en possession d'un secret connu de lui seul. L'homme, qui semblait avoir passé le cap de la soixantaine, avait encore les mains à l'intérieur de l'objet en forme de torpille.

— Puis-je monter à bord?

— Vous êtes là pour le sonar? demanda l'homme, tout sourire.

— Non, répondit Meadows.

— Bon, montez quand même, répondit l'homme d'une voix où perçait la déception.

Meadows grimpa sur le pont et s'approcha de lui. Il avait vaguement l'impression de le connaître. Puis Meadows le reconnut.

— Hé! C'est vous l'écrivain qui...

— Ecrivain à la retraite, répondit l'homme avec un sourire, oui, c'est moi. Oublions cela un moment. Vous vous y connaissez en électronique?

— Mon four est encore à l'heure d'été, reconnut Meadows.

— Merde, laissa échapper l'écrivain. J'ai bousillé la carte-mère de ce sonar et il faut absolument que je l'aie réparée avant que le temps se dégage pour que nous puissions repartir. Le réparateur devrait être là depuis plus d'une heure. Il a dû se perdre ou je ne sais quoi.

— Depuis combien de temps êtes-vous amarré ici ? demanda Meadows.

— Ça va faire quatre jours, répondit l'écrivain. Encore deux jours et je ne réponds plus de l'état du foie de mes équipiers ; ils ont testé les boissons locales. Enfin, sauf un type qui a décroché depuis des années et qui s'en tient au café et aux pâtisseries. Je me demande franchement où je vais les chercher ? Ce genre d'expédition ressemble à un asile flottant.

— Ah oui, fit Meadows, vous faites de l'archéologie sous-marine, c'est ça ?

— Ne prononcez pas le mot archéologie sur ce bateau, plaisanta l'écrivain. On met les archéologues dans le même panier que les nécrophiles. Nous sommes des aventuriers.

— Désolé, s'excusa Meadows en souriant. Vous savez, nous enquêtons sur un vol qu'il y a eu dans ce port il y a deux nuits. Est-ce que vous avez perdu quelque chose ?

— Vous êtes américain, objecta l'écrivain. Pourquoi feriez-vous une enquête sur un vol en Angleterre ?

— Vous me croyez si je vous dis qu'il s'agit d'une question de sécurité nationale ?

— Bien sûr, répondit son interlocuteur. Mais où étiez-vous donc quand j'écrivais mes romans ? Moi qui devais tout inventer !

— Sérieusement, insista Meadows.

L'écrivain réfléchit quelques instants.

— Non, répondit-il enfin. Ce bateau possède plus de caméras qu'une équipe de tournage de Cindy Crawford en maillot de bain. Sur l'eau, sous l'eau, dans les cabines, sur les instruments, peut-être même dans les chiottes, pour ce que j'en sais. Je l'ai loué à une équipe de tournage.

Meadows eut l'air stupéfait.

— Vous avez prévenu la police britannique ?

— Ils ne m'ont rien demandé. Ils se préoccupaient surtout de m'expliquer que je n'avais rien vu, ce qui est le cas.

— Donc vous n'avez rien vu ?

— Pas si le vol a eu lieu dans la nuit, répondit l'écrivain. J'ai plus de soixante-dix ans et à vingt-deux heures passées, il faut au moins un incendie ou une fille nue pour me réveiller.

195

— Mais les caméras ?

— Elles fonctionnent tout le temps, répondit l'auteur. Nous réalisons un reportage pour la télévision sur nos fouilles. La pellicule ne coûte pas cher, alors que les bonnes séquences sont précieuses.

— Est-ce que vous accepteriez de me les montrer ? demanda Meadows.

— Seulement, rétorqua l'écrivain en s'approchant de la porte qui menait à la cabine, si vous me le demandez gentiment.

Vingt minutes plus tard, Meadows avait obtenu ce qu'il cherchait.

32

NEBILE Lababiti contemplait la bombe nucléaire, posée sur le plancher de l'appartement dans une petite rue qui donnait sur le Strand, avec une excitation tempérée par l'appréhension. C'était un objet inerte, composé principalement de pièces de métal et de quelques câbles en cuivre, mais il émettait comme des ondes dangereuses et effrayantes. La bombe était plus qu'un objet ; elle était vivante. Comme une peinture ou une sculpture imprégnée de la force vitale de son créateur, la bombe n'était pas seulement une masse de métal. C'était la réponse aux prières de son peuple.

Ils frapperaient les Britanniques en plein cœur.

Ces Britanniques haïs qui avaient volé les œuvres d'art contenues dans les pyramides, opprimé les citoyens du Moyen-Orient et combattu aux côtés des Américains dans des batailles qu'ils n'avaient aucunement le droit de mener. Lababiti était en plein dans la gueule du lion. Le cœur de Londres s'étendait tout autour de lui. La City, où résidaient les banquiers qui finançaient l'oppression, les galeries d'art, musées et théâtres étaient tout proches. Le 10, Downing Street, le Parlement de Westminster, Buckingham Palace.

Le palais. Résidence de la Reine, antique symbole de tout ce qu'il méprisait. La pompe et le protocole, la rigidité et la cérémonie. Bientôt, tout brûlerait dans l'incendie allumé par le feu de l'Islam et, lorsque ce serait fini, plus rien ne serait pareil. La bête serait décapitée. Le sol sacré et chargé d'histoire ne serait plus qu'un désert stérile sur lequel l'âme humaine n'exercerait aucune emprise.

Lababiti alluma une cigarette.

Il n'en avait plus pour très longtemps. Dans la journée, le jeune combattant yéménite qui avait accepté d'apporter le chargement sur la cible arriverait en ville. Lababiti paierait à manger et à boire au jeune garçon. Il lui fournirait des prostituées, du hachisch et de savoureuses friandises. Il ne pouvait faire moins pour un homme prêt à mourir pour la cause.

Lorsque le garçon se serait habitué et connaîtrait l'itinéraire, Lababiti se retirerait précipitamment.

La clé du commandement, songea-t-il, ce n'était pas de mourir pour son pays, mais de pousser un autre homme à le faire. Et Nebile Lababiti n'avait personnellement aucune intention de devenir un martyr. Lorsque la bombe exploserait, il serait en sécurité de l'autre côté de la Manche, à Paris.

Il se demandait seulement pourquoi il n'avait pas de nouvelles d'Al-Khalifa.

— Je ne sais pas comment nous avons pu louper ça, soupira Rodgers.

— Peu importe, déclara Meadows, maintenant vous avez un numéro d'immatriculation. Retrouvez-le et la bombe ne sera pas loin.

— Puis-je avoir la cassette ? demanda Rodgers.

Meadows ne révéla pas qu'il avait demandé deux copies à l'écrivain, et que l'une d'elles se trouvait en sécurité à l'intérieur de la Range Rover.

— Bien sûr, déclara-t-il.

— Je pense que nous pouvons nous débrouiller à partir de maintenant, reprit Rodgers pour réaffirmer son autorité. Je m'assurerai que mon chef fasse un rapport aux dirigeants des services de renseignement américains pour vous féliciter pour votre contribution.

La rivalité constante entre personnes et entre agences avait encore frappé. Les supérieurs de Rodgers avaient dû le prévenir que quoi qu'il arrive, il fallait que ce soit le MI5 qui tire la gloire d'avoir retrouvé la bombe. A présent qu'il pensait avoir ce qu'il lui fallait, il essayait de se débarrasser de la Corporation.

— Je comprends, déclara Seng. Est-ce que ça vous ennuie si nous gardons la Rover quelques jours ?

— Non, je vous en prie, allez-y, dit Rodgers.

— Et est-ce que nous pourrions interroger le propriétaire du pub, histoire de compléter notre rapport ?

— Nous l'avons déjà longuement cuisiné, répondit Rodgers après avoir réfléchi un moment, donc ça ne me paraît pas poser de problème.

Rodgers attrapa son téléphone pour donner le numéro d'immatriculation aux services concernés et interrogea les deux Américains du regard.

— Nous vous remercions, dit Seng en faisant signe de regagner la Range Rover, et laissant Rodgers seul.

Rodgers fit un vague salut et composa son numéro.

Meadows ouvrit la portière et s'installa au volant tandis que Seng se glissait à son côté.

— Pourquoi tu lui as donné la cassette ? demanda Seng lorsque les portières furent refermées.

Meadows tendit la main vers la copie qui se trouvait sur le sol et s'apprêta à faire demi-tour.

— Allons rendre visite au proprio du pub, dit-il, voir ce qu'on peut trouver d'autre.

— Est-ce que tu penses à la même chose que moi ? demanda Seng quelques instants plus tard, alors que Meadows se garait devant le bar.

— Je ne sais pas, répondit son partenaire. Est-ce que ça a un rapport avec la moto qui était sur la cassette ?

— Pourquoi je n'appellerais pas pendant que tu vas à l'intérieur ? demanda Seng.

Meadows descendit de la voiture.

— Tu as une sacrée mémoire ! s'exclama-t-il.

Seng lui montra la paume de sa main, sur laquelle était griffonné le numéro.

Meadows referma la portière et pénétra dans le pub.

Les arbres de St. James et de Green Park, non loin de Buckingham Palace, étaient dépourvus de feuilles et l'herbe hivernale était saupoudrée d'une épaisse couche de gel. Les touristes qui assistaient à la relève de la garde voyaient leur haleine se changer en nuages de buée. Un homme sur un scooter descendait Picca-dilly, puis il tourna sur Grosvenor Place et passa lentement devant le lac à l'intérieur des jardins de Buckingham. Poursuivant sa route, il emprunta le virage sur Buckingham Palace Road, jusqu'à l'intersection avec Birdcage Walk. Il se gara sur le bord de la route le long du lac de St. James Park et nota son temps de parcours ainsi que les conditions de circulation.

Puis il rangea le petit carnet dans la poche de sa veste et s'éloigna nonchalamment.

Cabrillo passa la tête par la fenêtre latérale de la MG. Une heure plus tôt, lorsqu'il était passé à proximité du Ben Nevis, le point culminant de l'Ecosse, il gagnait du terrain sur la camionnette. Mais à présent que la MG peinait pour gravir les monts Grampians, la camionnette reprenait de l'avance. Il fallait que quelque chose se produise sans tarder. Cabrillo espérait voir arriver Adams dans le Robinson, l'armée ou l'aviation britannique ou même une simple voiture de police dans les minutes à venir. Il était sûr que l'*Oregon* lui avait envoyé de l'aide puisqu'il était en infériorité numérique dans une voiture peu puissante.

On avait bien dû réussir à le localiser à présent.

A bord de l'*Oregon*, les résultats des efforts concernant ce pro-blème étaient mitigés.

Le navire était encore à cent cinquante kilomètres de Kinnaird Head et se dirigeait vers le sud à pleine vitesse. Dans quelques heures il serait à Aberdeen, et ensuite il arriverait au large d'Edimbourg.

— Bon, s'écria Kasim à travers la pièce à l'intention de Hanley, Adams nous informe qu'il a assez de carburant pour se rendre jusqu'à l'aéroport d'Inverness. Une fois là-bas, il fera le plein et se dirigera vers le sud en survolant la route.

— Quel rayon d'action aura-t-il à ce moment-là ? demanda Hanley.

— Attendez, fit Kasim qui posa la question à Adams. Il pourra traverser l'Angleterre, mais il devra refaire une escale avant de pouvoir atteindre Londres.

— Espérons que le problème sera réglé avant, fit Hanley.

— Bien, cria Kasim, Adams dit qu'il a réussi à démarrer.

— Dites-lui de suivre la route jusqu'à ce qu'il ait retrouvé Cabrillo.

Kasim lui répéta les ordres.

— Il dit qu'il y a un brouillard à couper au couteau, dit Kasim, mais il volera juste au-dessus de la route.

— Bien, conclut Hanley.

Linda Ross s'avança vers le fauteuil de Hanley.

— Chef, dit-elle, Stone et moi avons travaillé sur les fréquences des émetteurs de la météorite et nous obtenons un signal plus complet maintenant.

— Quel écran ?

Ross indiqua celui qui se trouvait sur le mur opposé.

La météorite était presque arrivée à Stirling. Le conducteur de la camionnette devrait bientôt décider de tourner à l'est vers Glasgow ou bien à l'ouest vers Edimbourg.

— Appelez-moi Overholt, demanda-t-il à Stone.

Quelques secondes plus tard, il était en ligne.

— Je vais demander aux Britanniques de dresser des barrages à l'entrée de Glasgow et d'Edimbourg, déclara Overholt, et de fouiller tous les camions.

— Nous avons de la chance qu'il n'y ait que deux directions possibles, dit Hanley. Ils devraient réussir à épingler la camionnette.

— Espérons-le, renchérit Overholt. Par ailleurs, j'ai reçu un appel de la direction du MI5 qui remercie Meadows et Seng de leur collaboration sur le problème de la bombe nucléaire. Apparemment, Meadows a trouvé une cassette vidéo sur laquelle on voit une plaque d'immatriculation qui devrait les mettre sur la piste de la bombe.

— Tant mieux, commenta Hanley.

Overholt attendit un instant avant de poursuivre.

— Officiellement, ils m'ont également demandé si vos hommes pouvaient en rester là ; ils aimeraient s'occuper de tout maintenant.

— Je préviendrai Meadows et Seng quand ils m'appelleront, lui dit Hanley.

— Hmm, si j'étais vous, Max, je ne me précipiterais pas trop pour les joindre.

— Je comprends, monsieur Overholt, déclara Hanley en raccrochant.

201

Il s'adressa à Stone.

— Overholt me prévient que les Britanniques veulent évincer Meadows et Seng et rechercher eux-mêmes la bombe perdue.

— Vous auriez dû me le dire ! s'exclama Stone. Ils viennent juste de m'appeler pour que je leur trouve le propriétaire d'une moto anglaise.

— Vous l'avez trouvé ?

— J'ai un nom et une adresse, répondit Stone.

— De quoi d'autre avaient-ils besoin ?

— J'ai faxé plusieurs dossiers vers l'ordinateur de Meadows. Ils s'étaient raccordés à la ligne téléphonique du pub de l'île de Sheppey.

Meadows avait appris depuis longtemps que les menaces ne fonctionnaient que face à quelqu'un qui avait quelque chose à perdre. Les agents du MI5 et les policiers locaux avaient été très clairs quant à ce qui se produirait si le propriétaire du pub refusait de coopérer. Ils n'avaient pas essayé une autre approche. On n'attire pas les mouches avec du vinaigre. Pour information, l'argent fonctionne mieux que les menaces.

— Une montre en or, hein, disait Meadows lorsque Seng pénétra dans le pub.

— Une Piaget.

Meadows fit glisser cinq billets de cent dollars sur le bar tandis que Seng s'asseyait.

— Qu'est-ce que tu veux boire ? demanda Meadows à Seng.

— Une Black and Tan, répondit-il sans hésitation.

Le propriétaire se retourna pour tirer la bière. Meadows se baissa pour chuchoter à Seng :

— Tu as combien d'argent liquide ?

— Dix mille, répondit Seng.

Meadows hocha la tête et fit pivoter l'ordinateur de manière à ce que le propriétaire puisse voir l'écran en même temps que lui.

— Maintenant, pour cinq mille dollars et nos remerciements les plus sincères, je vais faire défiler quelques photos. Si vous reconnaissez l'homme qui se trouvait avec le capitaine grec, vous me le dites et je m'arrête.

Le propriétaire acquiesça et Meadows commença à passer les photos des complices connus d'Al-Khalifa. Ils en passèrent une douzaine avant que le propriétaire lui dise de s'arrêter. Il regarda la photo numérique avec concentration.

— Je crois que c'est lui, déclara-t-il enfin.

Meadows retourna l'ordinateur vers lui, cachant l'écran au barman. Puis il ouvrit le fichier décrivant les habitudes personnelles de l'homme en question.

— Est-ce qu'il fumait ? demanda Meadows.

Le barman réfléchit un instant.

— Oui, il fumait.

— Vous vous rappelez quelle marque ? demanda Meadows en montrant l'information à Seng, comme s'il s'agissait d'un quelconque jeu de société et pas d'une situation aux terribles enjeux.

— Oh là là ! fit le propriétaire en se creusant la tête.

Meadows indiqua à Seng la ligne au sujet de la montre Piaget en or de Lababiti.

— J'y suis ! s'écria le propriétaire du bar. Il fumait des Morelands et il avait un briquet de luxe en argent.

Meadows replia l'ordinateur portable et se leva.

— Paie ce monsieur, demanda-t-il à Seng.

Seng fouilla dans la poche de sa veste et en sortit une liasse de billets, dont il déchira le bandeau en papier. Il en compta cinquante et les tendit au barman.

— Bob ! cria-t-il à Meadows qui se trouvait presque à la porte, tu veux bien recompter ?

— Tu lui as donné cinq mille, déclara Meadows, c'est noté.

33

L'OREGON fendait les flots de la mer du Nord à la vitesse d'une baleine sous amphétamines. Dans la salle de contrôle, Hanley, Stone et Ross scrutaient l'écran sur lequel on pouvait suivre la progression de la météorite. Les signaux s'étaient normalisés depuis l'ajustement de fréquence. A part les distorsions occasionnelles lorsque les émetteurs se trouvaient à proximité de lignes à haute tension, ils obtenaient enfin une image correcte.

— L'hydravion vient d'atterrir dans l'estuaire de Forth, fit remarquer Stone en regardant un autre moniteur. Il y a trop de brouillard pour qu'il puisse localiser M. Cabrillo.

— Demande-lui de se tenir prêt.

Stone transmit le message par radio.

Hanley, quant à lui, s'empara du téléphone sécurisé pour appeler Overholt.

— Le camion a tourné vers Edimbourg, l'informa Hanley.

— Les Britanniques ont mis en place un cordon de sécurité autour de la ville ainsi que sur les autoroutes menant vers le sud, lui dit Overholt. S'ils se dirigent vers Londres, nous les aurons.

— Il serait temps, commenta Hanley.

Le conducteur de la camionnette se tourna vers son coéquipier.

— Changement de plan ! lui annonça-t-il.

— La souplesse est la clé du sexe comme du crime, répondit son passager. Où allons-nous ?

Le conducteur le lui expliqua.

— Alors tu ferais mieux de prendre à gauche ici, répliqua l'autre en regardant la carte routière.

Cabrillo suivait la camionnette à la trace grâce à son détecteur à distance. Il ne l'avait pas vue depuis une vingtaine de minutes, mais lorsqu'il avait atteint les villages qui entouraient Edimbourg, il avait accéléré et l'écart se réduisait.

Détachant son regard du boîtier, il scruta la campagne alentour.

Le brouillard était épais sur la route bordée de murets en pierres. Les arbres nus ressemblaient à des squelettes raidis sur la toile de fond grise du paysage. Une minute auparavant, Cabrillo avait aperçu l'estuaire de Forth, l'endroit où la mer du Nord avançait au milieu des terres écossaises. L'eau était noire et agitée, et on distinguait à peine la silhouette du pont suspendu, même dans sa partie proche de la rive.

Appuyant sur l'accélérateur, il regarda de nouveau le boîtier. Les signaux s'amplifiaient à chaque seconde.

— J'ai reçu l'ordre de te déposer là et de filer, déclara le conducteur. Quelqu'un viendra à ta rencontre plus loin sur la ligne.

Il ralentit devant la gare d'Inverkeithing et s'arrêta devant un porteur muni d'un chariot à bagages.

— Rien d'autre ? demanda son passager en s'apprêtant à ouvrir la portière.

— Bonne chance, lança le chauffeur.

L'autre descendit sur le trottoir et fit signe au porteur.

— Par ici, dit-il, j'ai quelque chose à charger à bord.

Le porteur rapprocha son chariot.

— Vous avez déjà votre billet ? demanda-t-il.

— Non, répondit le passager.

— Où sont vos bagages ?

Le passager ouvrit la porte arrière de la camionnette et lui montra la caisse.

Le porteur se baissa pour la soulever.

— C'est lourd ! s'exclama-t-il ; qu'est-ce que vous transportez là-dedans ?

— Du matériel de contrôle de forage pétrolier, alors faites attention.

Le porteur mit la caisse sur le chariot et se releva.

— Vous feriez mieux d'entrer acheter votre billet, conseilla-t-il. Le train part dans moins de cinq minutes. Vous allez jusqu'où ?

— A Londres, répondit le passager en se dirigeant vers l'intérieur de la gare.

— Je vous retrouve au train, déclara le porteur.

Tandis que la météorite parcourait son chemin à travers la gare, le chauffeur de la camionnette sortait et obliquait vers la gauche. Il avait à peine parcouru quelques kilomètres en direction d'Edimbourg quand la circulation se mit à ralentir. Il y avait un bouchon ; il essaya de voir quel était le problème et se rendit compte qu'il s'agissait d'un barrage de police.

Il s'avança nonchalamment.

— Allez-y maintenant, annonça Hanley par radio au pilote de l'hydravion.

Le pilote finit de mettre en place un adhésif double-face sous sa lourde Thermos de café, et mit les gaz. L'avion se mit à avancer, ballotté par la mer houleuse.

Puis il décolla avec un cahot.

Le pilote vola aussi bas qu'il l'osait, en scrutant le sol à la recherche de l'étrange voiture décrite par Hanley. Il était à deux ou trois mètres au-dessus des lignes électriques lorsqu'il trouva la route qu'il cherchait.

D'après les signaux, la météorite s'était arrêtée. Malheureusement, Cabrillo ne disposait d'aucune carte de la région, et il n'avait donc pas d'autre choix que de décrire des cercles en cherchant d'où venaient les signaux.

— Dernier appel pour le train numéro vingt-sept à destination de Londres, annonça le haut-parleur. Tous les passagers sont priés d'embarquer immédiatement.

— Je n'ai que des dollars, expliqua le passager. Est-ce que vingt, c'est suffisant ?

— Parfait, monsieur, répondit le porteur. Je vais installer le paquet dans votre compartiment.

Sur ce, il monta dans le train, trouva le compartiment et ouvrit la porte ; puis il posa la caisse contenant la météorite par terre. Lorsqu'il se fut écarté, le passager, serrant toujours son billet, entra à son tour.

— Quels sont les horaires ? s'écria Hanley.

— Il y a un train qui part pour Londres à peu près en ce moment, répondit Stone en regardant son ordinateur.

— Sortez-moi l'itinéraire, ordonna Hanley.

— J'approche d'Edimbourg, annonça alors Adams par radio. Toujours aucun signe de M. Cabrillo.

— Guettez l'hydravion, lui enjoignit Hanley.

— Bien reçu, déclara Adams.

Shea s'adressa à Adams dans son micro.

— J'espère que ma voiture ne sera pas endommagée.

— Ne vous inquiétez pas, répondit Adams, s'il lui est arrivé quelque chose, nous la ferons réparer.

— Vous avez intérêt.

— Continuez à guetter votre voiture.

A bord de l'*Oregon*, Hanley prit la radio pour appeler l'hydravion.

— Je crois que je le vois, l'informa le pilote.

— Ajoutez *train pour Londres* sur le message, lui demanda Hanley, et *Adams approche*, puis frôlez-le pour qu'il vous voie, et ensuite larguez le message.

— Compris, chef, répondit le pilote.

Il griffonna une ligne supplémentaire avec un feutre, descendit en prenant garde aux lignes électriques et passa directement au-dessus de Cabrillo à environ trois mètres du toit de la MG.

— Mais qu'est-ce que... ? s'exclama Cabrillo lorsque l'arrière de l'hydravion apparut dans son pare-brise.

Le pilote fit bouger ses ailes, puis accéléra et fit un demi-tour pour repasser au-dessus de lui. Dès que Cabrillo vit le flanc de l'avion, il se rendit compte que c'était celui de la Corporation et il se gara sur le bas-côté.

Décapotant la voiture, Cabrillo tendit le cou pour observer le ciel. L'hydravion faisait un second passage, à basse altitude et assez lentement. Lorsqu'il fut presque à sa hauteur, Cabrillo vit un tube sortir par la fenêtre et rebondir sur la chaussée.

Le tube roula sur l'asphalte et s'arrêta à trois mètres devant la MG.

Cabrillo se précipita.

— Hydravion 8746, appela la tour de contrôle d'Edimbourg, veuillez guetter la présence d'un hélicoptère sur votre zone.

Le pilote de l'hydravion était en train de reprendre de l'altitude et il mit un instant à répondre.

— Tour de contrôle, ici hydravion 8746, hélicoptère sur zone, annonça le pilote, veuillez annoncer modèle.

— Hydravion 8746, le modèle est un Robinson R-44.

— Ici Hydravion 8746, je l'ai en visuel.

— Les Britanniques ont encerclé la camionnette, déclara Overholt à Hanley.

— Je pense qu'ils ont chargé la météorite à bord du train pour Londres, rapporta Hanley.

— C'est pas vrai, vous plaisantez! s'écria Overholt, exaspéré. Il va falloir que je prévienne la direction du MI5. Quel train?

— Nous ne savons pas exactement, mais le prochain train est pour Londres, expliqua Hanley.

— Je vous rappelle, lança Overholt en raccrochant brutalement.

Mais quelques secondes plus tard, Overholt recevait un autre appel, qui émanait du Président.

Le pilote de l'hydravion réussit à joindre Adams par radio.

— Suivez-moi, je vous mène jusqu'à lui.

— Allez-y, répondit Adams.

L'hydravion fit demi-tour et se positionna au-dessus de la route pour faire un autre passage. Le Robinson était juste derrière.

— Là! s'écria Shea en apercevant sa voiture.

Adams baissa les yeux. Cabrillo était devant la vieille voiture et s'en écartait.

Adams posa le Robinson dans un champ de l'autre côté de la route et laissa tourner le moteur. Cabrillo accourut, sa Thermos et son téléphone satellite sous le bras. Il ouvrit la porte du passager et posa les deux objets à l'arrière. Shea se débattait avec la ceinture de sécurité. Cabrillo l'aida à se dégager et à sortir.

— Les clés sont dessus, cria-t-il pour couvrir le bruit du moteur et des pales, nous prendrons contact avec vous au plus vite pour vous dédommager.

Puis il se glissa sur le siège du Robinson et referma la porte. Shea s'écarta de l'hélicoptère en se baissant et se précipita vers sa précieuse MG. Il se mit à inspecter le véhicule tandis qu'Adams décollait. En dehors du fait que le réservoir était presque vide, la voiture avait l'air en bon état.

Adams était à quarante-cinq mètres du sol lorsque Cabrillo s'adressa à lui.

— Mon téléphone est mort, lui dit-il.

— C'est ce que nous avons supposé, répondit Adams. Nous pensons qu'ils ont chargé la météorite à l'intérieur du train.

— Donc le message est superflu, déclara Cabrillo en arrachant le papier collé à la Thermos.

— Est-ce qu'il y a du café là-dedans ? demanda Adams. Je boirais bien une tasse.

— Moi aussi, fit Cabrillo en dévissant le bouchon.

34

JE comprends, monsieur le Premier ministre, répondit le
Président. Je vais les en avertir immédiatement.

Il raccrocha et appela sa secrétaire.

— Je veux parler tout de suite à Langston Overholt à la CIA.

— Oui, monsieur le Président, répondit Overholt lorsqu'il fut en
ligne.

— Je viens de m'entretenir avec le Premier ministre britannique,
dit le Président; ils ne sont pas très contents. On dirait que vous et
la Corporation leur avez fait parcourir leur île de long en large et le
Premier ministre a qualifié ce petit jeu de « chasse au yéti » et de
perte de temps. Il a ordonné de bloquer les accès aux deux villes
écossaises et maintenant qu'ils ont retrouvé la camionnette transportant selon vous la météorite, voilà qu'elle est vide. Ils veulent
que la Corporation se retire du jeu et les laisse gérer la situation.

— Monsieur, répliqua Overholt, je suis persuadé que ce serait
une grave erreur au point où nous en sommes. Cabrillo et ses
hommes ont fait face à une situation compliquée. D'abord, ils ont
réussi à coller obstinément à la météorite. Ils ne l'ont pas encore
retrouvée mais ils ne l'ont pas perdue non plus. En ce moment, ils
pensent qu'elle est à bord d'un train à destination de Londres;
Cabrillo est en hélicoptère, prêt à l'intercepter.

— Faites part de ces informations au MI5, ordonna le Président,
et laissez-les s'en occuper.

Overholt attendit un instant avant de reprendre la parole.

— Il y a encore l'ogive nucléaire ukrainienne. La Corporation a une équipe dans les environs de Londres qui s'occupe de cela. Peuvent-ils continuer?

— Ce sont les Ukrainiens qui ont engagé la Corporation pour faire ce boulot, répondit le Président. Je ne vois pas comment il serait en notre pouvoir de les arrêter.

— J'ai demandé au MI5 de coopérer avec eux, déclara Overholt. Cela devrait laisser une certaine marge de manœuvre à la Corporation.

Le Président réfléchit avant de répondre.

— Le Premier ministre n'a pas mentionné la tête nucléaire égarée, énonça-t-il lentement. Il se préoccupait surtout des événements en Ecosse.

— Bien, monsieur.

— Vous pouvez donc leur dire de poursuivre leurs recherches, déclara enfin le Président. S'ils parviennent à retrouver l'ogive nucléaire, la menace d'une bombe radiologique qui utiliserait la météorite sera neutralisée.

— Je comprends, monsieur le Président.

— Vous marchez sur des œufs, conclut le Président, et eux aussi.

— Vous avez ma parole, monsieur le Président.

Adams survolait l'arrière du train numéro vingt-sept. Il s'apprêtait à larguer Cabrillo sur le toit lorsque Hanley les joignit par radio.

— Nous avons reçu l'ordre de tout arrêter, annonça Hanley. Les Britanniques ont prévu d'intercepter le train dans une zone isolée le long de la côte, non loin de Middlesbrough.

— Nous y sommes presque, Max, plaida Cabrillo, d'ici cinq minutes je serai dans le train à la recherche de la météorite.

— L'ordre vient directement du Président, Juan, répliqua Hanley. Si nous refusons d'obéir, j'ai comme l'impression qu'on risque de ne plus crouler sous les contrats du Bureau ovale. Je regrette, mais du point de vue de l'entreprise, ça n'en vaut pas la peine.

Adams avait entendu la conversation et il commença à faire ralentir le Robinson. Il resta toutefois près des voies au cas où Cabrillo voudrait poursuivre. Il l'interrogea du regard.

— Demi-tour, George, déclara Cabrillo dans son casque.

Adams déplaça le manche cyclique vers la droite et l'hélicoptère s'écarta des voies ferrées pour survoler des terres cultivées. Après s'être dégagé, Adams se mit à remonter pour reprendre une altitude normale.

— Bon, soupira Cabrillo, tu as raison. Vous devriez nous donner votre position pour qu'Adams puisse nous ramener au bateau.

— Nous croisons Edimbourg et nous nous dirigeons vers le sud à pleine vitesse, répondit Hanley, mais à ta place, je demanderais à Adams de me déposer à Londres. Meadows et Seng sont en route. Ils ont trouvé des pistes intéressantes qui mènent à l'ogive nucléaire.

— Nous avons toujours le feu vert là-dessus ?

— Jusqu'à nouvel ordre, répondit Hanley.

— Donc la Corporation se charge de l'ogive, articula lentement Cabrillo, et les Britanniques s'occupent de notre météorite. C'est un peu le monde à l'envers.

— Le monde à l'envers, c'est une bonne description de la situation, lança Hanley en guise de conclusion.

Sur le pont détrempé par la pluie du ferry qui reliait Göteborg en Suède à Newcastle-upon-Tyne, Roger Lassiter parlait dans un téléphone satellite. Il avait travaillé pour la CIA avant d'être radié quelques années auparavant, lorsque l'on avait découvert que des fonds importants avaient disparu de comptes bancaires aux Philippines. L'argent devait servir à rétribuer les informateurs locaux qui fournissaient des informations sur les groupes de terroristes islamistes qui opéraient dans les provinces du Sud. Lassiter avait dilapidé l'argent dans les casinos de Hong Kong.

Après l'avoir renvoyé, la CIA avait découvert de nouveaux faits ; Lassiter ne s'interdisait pas de torturer sans autorisation, de s'approprier les ressources du gouvernement américain, pas plus que de mentir à ses supérieurs ou de monter des escroqueries. Lassiter avait opéré dans des régions du monde peu soumises au contrôle de Langley et il avait usé et abusé de ses privilèges. On avait aussi évoqué la possibilité qu'il ait été agent double au service de la Chine mais, une fois qu'il eut été renvoyé, aucune poursuite ne fut entamée.

Lassiter résidait maintenant en Suisse et il se vendait au plus offrant.

Son voyage en Suède avait pour but le vol de plans dans une usine de technologies maritimes qui avait conçu un système de transmission révolutionnaire. Le client qui l'avait embauché était malais et la remise des documents devait se faire à Londres.

— Oui, répondit Lassiter, je me souviens de vous avoir parlé. Vous n'étiez pas sûr d'avoir besoin de mes services.

Le Hawker 800 XP arrivait dans le New Jersey, où il ferait le plein de carburant avant la traversée de l'Atlantique. Hickman élaborait son plan au fur et à mesure.

— Il se trouve que c'est le cas à présent.

— Pour quel boulot? demanda Lassiter en foudroyant du regard un touriste qui passait devant lui sur le pont, et qui battit précipitamment en retraite.

— Récupérer un paquet et me l'apporter à Londres.

— Ça me fait faire un gros détour, mentit Lassiter.

— Pas d'après l'homme à qui j'ai demandé de vous suivre en Suède, répliqua Hickman. Il paraît que vous êtes monté sur un ferry à destination de la côte est de l'Angleterre il y a quelques heures. Il s'est trompé?

Lassiter ne se donna pas la peine de répondre. Lorsque deux menteurs se parlent, la concision est essentielle.

— Où est le paquet? demanda-t-il.

— Il faudra le récupérer à la gare, déclara Hickman. Dans une consigne automatique.

— Vous voulez que je l'apporte en avion ou en voiture?

— En voiture, répondit Hickman.

— Donc c'est quelque chose qui ne doit pas être examiné aux rayons X. Voilà qui augmente le risque.

— Cinquante mille, annonça Hickman, payables à la livraison.

— La moitié maintenant, demanda Lassiter, et l'autre à la livraison.

— Un tiers, deux tiers, conclut Hickman. Je veux être sûr que ce sera fait dans les temps.

Lassiter réfléchit un instant.

— Et mon premier tiers, je l'aurai quand?

— Je peux vous le virer immédiatement, proposa Hickman. Sur quel compte?

Lassiter lui donna un numéro de compte dans les îles anglo-normandes.

— Je ne pourrai pas vérifier avant demain matin que l'argent a été versé. Puis-je vous faire confiance?

— Le temps que vous arriviez à Londres demain matin, dit Hickman, vous pourrez appeler votre banque. Vous saurez que vous avez été payé avant de faire la livraison.

— Et comment recevrai-je les deux derniers tiers ?

— Je vous les remettrai en personne.

— Vous abandonnez le soleil et le sable chaud pour le brouillard des îles britanniques, fit remarquer Lassiter ; ça doit être important.

— Occupez-vous de votre boulot, répliqua Hickman, je m'occupe du mien.

— Nous avons intercepté une communication britannique, déclara Hickman à l'homme à bord du train, et la police va arrêter le train à Middlesbrough.

— Alors ils ont appris le changement de plan ?

— Ils ont arrêté votre coéquipier à l'entrée d'Edimbourg, fit remarquer Hickman. Il a dû vous dénoncer.

L'homme réfléchit.

— Ça m'étonnerait, dit-il, en tout cas, pas si rapidement. Nous avons sûrement été suivis.

Hickman ne lui parla pas de l'effraction dans son bureau. Moins l'homme en savait, mieux ce serait. Il avait déjà perdu son équipe du *Free Enterprise* ainsi que l'un de ses hommes sur le sol britannique et il commençait à épuiser toutes ses ressources humaines. Il avait besoin de cet homme à Maidenhead.

— De toute façon, reprit Hickman, j'ai réglé le problème. Vous descendez du train à Newcastle-upon-Tyne et vous déposez le paquet dans une consigne automatique. Ensuite, vous vous rendrez aux toilettes les plus proches et déposerez la clé dans la chasse d'eau du cabinet le plus éloigné de la porte. J'ai envoyé quelqu'un chercher le paquet, qui l'acheminera pour la suite.

— Et ensuite ? demanda l'homme en regardant par la fenêtre.

Le panneau indiquait Bedlington. Il était à une cinquantaine de kilomètres de sa nouvelle destination.

— Rendez-vous à cette adresse à Maidenhead avec une voiture de location, lui enjoignit Hickman, et vous y retrouverez le reste de l'équipe.

— Voilà qui semble parfait.

— Ça le sera, conclut Hickman.

Tandis que Cabrillo et Adams volaient vers Londres, l'*Oregon* passait le cinquante-cinquième parallèle, au large de Newcastle-upon-Tyne. Dans son bureau, Michael Halpert consultait la pile de documents qu'il avait imprimés à partir des fichiers téléchargés. Halpert surlignait certaines phrases avec un feutre jaune lorsque l'un de ses ordinateurs émit une sonnerie et l'imprimante se mit en marche.

Halpert attendit que l'impression soit terminée puis il retira le document et le parcourut.

Les photos dérobées par Truitt dans le bureau de Hickman avaient été comparées avec la base de données de l'armée américaine. Le visage appartenait à un certain Christopher Hunt, de Beverly Hills. Hunt avait été capitaine de l'armée américaine et il avait été tué en Afghanistan. Pourquoi Halifax Hickman gardait-il la photo d'un soldat mort dans son bureau ? Pouvait-il y avoir un quelconque lien avec le vol de la météorite ?

Halpert décida de creuser un peu plus avant d'avertir Hanley.

Nebile Lababiti regarda avec joie la bombe, éclairée par le faisceau de sa lampe électrique. Elle était posée sur le sol d'un local commercial sur le Strand, au rez-de-chaussée de son immeuble. Le local était vide depuis plusieurs mois et Lababiti avait forcé la serrure, qu'il avait changée la semaine précédente, de manière à disposer de la seule clé. Tant que personne ne souhaitait faire visiter le bureau dans les prochains jours, il était tranquille.

Le local disposait d'une porte de garage basculante pour les livraisons. Cet espace serait parfait pour charger la bombe à bord d'un véhicule qui la transporterait jusqu'au parc. L'issue était à l'abri des regards mais elle permettait de sortir rapidement. Tout prenait forme.

Eteignant la lampe de poche, il sortit et traversa la rue jusqu'à un pub tout proche de l'hôtel Savoy. Puis il commanda une pinte et se mit à rêver de mort et de destruction.

35

O N était le 30 décembre 2005. Bob Meadows et Eddie Seng roulaient vers Londres. La circulation était dense et la chaussée rendue glissante par la pluie. Seng changea la fréquence de la radio pour trouver un bulletin météo, puis il écouta le journaliste donner les prévisions. Le tableau de bord de la Range Rover scintillait dans la pénombre et le chauffage était en marche.

Seng éteignit la radio.

— La pluie va se changer en neige fondue d'ici une heure, résuma-t-il. Comment les gens font-ils pour vivre ici ?

— C'est déprimant, je te l'accorde, renchérit Meadows en plongeant son regard dans l'obscurité, mais les gens sont étonnamment optimistes.

Seng ignora le commentaire.

— Les bouchons du vendredi soir, dit-il. Les gens doivent aller à Londres au spectacle.

— Je suis surpris que M. Hanley n'ait pas encore appelé, constata Meadows.

Après avoir quitté le pub, il avait en effet envoyé un rapport mentionnant leurs découvertes.

— L'*Oregon* a sans doute affaire à une grosse mer en ce moment, supposa Seng en s'arrêtant presque à la queue d'une file qui s'étendait sur des kilomètres.

Il faisait froid en mer du Nord, mais la mer n'était pas aussi agitée qu'on aurait pu le craindre. La perturbation qui venait du nord aplatissait l'eau et, à l'exception d'une chute de la température de plusieurs degrés en une heure, on avait remarqué peu de changement à bord de l'*Oregon*.

Sous le pont dans la Boutique Magique, Kevin Nixon était même bien au chaud. Il travaillait depuis quelques jours sur le téléphone satellite retrouvé sur le corps d'Al-Khalifa. L'appareil avait été immergé dans l'eau de mer lorsque le corps avait été jeté par-dessus bord mais, du fait que les sources géothermiques avaient fait gonfler le cadavre, le ramenant ainsi à la surface, l'intérieur du téléphone n'avait pas eu le temps de trop se corroder.

Nixon avait démonté l'appareil et l'avait nettoyé soigneusement. Mais lorsqu'il l'avait remonté, il ne marchait toujours pas. Il avait décidé de faire chauffer les composants électroniques dans un petit four à résistance pour être sûr qu'il ne subsistait plus une trace d'humidité. Il extirpa les composants du four avec des pinces de chirurgien, puis assembla le tout et ajouta la batterie rechargée.

L'écran s'alluma et la petite icône de messagerie clignota.

Nixon sourit et appuya sur l'interphone.

Hanley et Stone avaient mis à profit les informations fournies par Seng et Meadows. Ils étaient parvenus à s'introduire dans le registre des immatriculations britanniques et à retrouver un nom et une adresse grâce à la plaque de la moto. Puis ils avaient injecté les informations sur Nebile Lababiti dans une autre base de données et ils avaient obtenu des coordonnées bancaires ainsi que les renseignements contenus dans son visa touristique. Stone comparait à présent ces différents éléments.

— Les chèques de ses loyers ne correspondent pas à l'adresse qu'il a fournie au service d'immigration, fit-il remarquer. J'ai tapé le nom de l'immeuble pour lequel il paie un loyer dans un logiciel de localisation et j'obtiens une adresse dans le Strand. En revanche, il a déclaré au service d'immigration qu'il séjournait dans le quartier de Belgravia.

— Je connais le Strand, fit Hanley. La dernière fois que je suis passé à Londres, j'ai mangé dans un restaurant du Strand qui s'appelle Simpson's.

— C'était bon ?

— Il existe depuis 1828, expliqua Hanley. Si ça c'est pas un gage de qualité ! Rôti, agneau, desserts excellents.

— A quoi ressemble la rue du Strand elle-même ? demanda Stone.

— Animée, répondit Hanley. Il y a des hôtels, des restos, des théâtres. Ce n'est pas franchement l'idéal pour y installer une base secrète.

— Peut-être, mais ça semble être une cible idéale pour un attentat terroriste.

Hanley hocha la tête.

— Trouvez-moi l'héliport le plus proche.

— Je m'en occupe, répondit Stone.

A ce moment-là, l'interphone sonna et Nixon demanda à Hanley de descendre à la Boutique Magique.

Lababiti avait bu deux pintes de bière et un double shot de schnaps à la menthe. Il consulta sa montre en or et fuma une cigarette. Lorsqu'elle fut terminée, il l'écrasa dans le cendrier, jeta quelques livres sterling sur le bar et sortit.

Le jeune Yéménite qui devait acheminer la bombe allait arriver en bus depuis l'aéroport d'ici quelques minutes. Lababiti se rendit à l'arrêt de bus un peu plus loin dans la rue et s'appuya contre un mur en fumant une nouvelle cigarette.

Londres était animé en cette période de fêtes. Les vitrines étaient décorées et la foule nombreuse dans les rues. La plupart des hôtels étaient remplis de touristes venus fêter le Nouvel An. Il y avait un concert d'Elton John prévu à Hyde Park. Et dans Green Park et St. James Park près de Buckingham Palace, les arbres avaient été ornés de milliers de guirlandes de couleurs. Les rues près de Hyde Park seraient fermées à la circulation et des buvettes, snacks et WC temporaires seraient installés dans les rues pour la grande fête. Un feu d'artifice serait tiré depuis des barges sur la Tamise. La fête embraserait le ciel.

Lababiti sourit en songeant au secret dont il était seul détenteur. C'est lui qui allait fournir la plus grosse fusée du feu d'artifice et, lorsqu'il aurait terminé, toute la fête et tous ceux qui y avaient assisté seraient anéantis. Le bus arriva et Lababiti attendit qu'il se vide de ses passagers.

Le Yéménite n'était guère plus qu'un enfant, et il semblait effrayé et désorienté par cet environnement inhabituel. Il descendit timidement du bus après tous les autres passagers, en serrant une valise bon marché entre ses mains. Il était vêtu d'un manteau en laine noire en lambeaux qu'il avait dû acheter d'occasion. L'ombre d'une moustache qui n'aurait jamais le temps de pousser ornait sa lèvre supérieure comme une marque laissée par un verre de lait chocolaté.

Lababiti s'avança.

— Je suis Nebile.

— Amad, déclara à son tour le garçon d'une voix douce.

Lababiti le conduisit vers son appartement.

Ils avaient envoyé un gosse pour faire un boulot d'homme. Mais Lababiti s'en moquait; en aucun cas il ne se chargerait de cette mission.

— As-tu mangé? lui demanda Lababiti lorsqu'ils se furent éloignés de la foule.

— Des figues, répondit Amad.

— Nous allons porter tes affaires là-haut et ensuite je te ferai faire un tour.

Amad hocha simplement la tête. Il tremblait comme une feuille et était incapable de prononcer un mot.

Hanley écouta les messages d'Al-Khalifa et les sauvegarda.

— Son message d'accueil est bref, fit-il remarquer.

— Ce sera peut-être suffisant, déclara Nixon.

— Allez-y, alors, ordonna Hanley

— C'est parti, chef.

Hanley sortit de la Boutique Magique et reprit l'ascenseur pour gagner la salle de contrôle. Stone lui montra un plan de Londres sur un écran.

— On pourrait les faire arriver ici, dit-il, à Battersea Park.

— C'est loin de Belgravia et du Strand? demanda Hanley.

— L'héliport est bâti sur pilotis sur la Tamise, expliqua Stone, entre Chelsea Bridge à l'est et Albert Bridge à l'ouest. S'ils traversent le pont Albert sur Queenstown Road, ils arrivent à Belgravia. De là, il faut quelques minutes de voiture pour gagner le Strand.

— Magnifique, approuva Hanley.

Meadows décrocha à la première sonnerie.

— Allez à Battersea Park, annonça Hanley sans préambule. Il y a un héliport sur la Tamise. C'est là que Cabrillo va arriver à bord du Robinson.

— Vous avez réservé un hôtel ?

— Pas encore, répondit Hanley, mais je vais réserver plusieurs chambres au Savoy.

— Donc vous avez localisé notre homme ?

— Nous le pensons, répondit Hanley. Il devrait être juste de l'autre côté de la rue.

— Parfait, répondit Meadows.

Ensuite, Hanley fit son rapport à Cabrillo. Après lui avoir donné les coordonnées de l'héliport, il lui expliqua que Meadows et Seng viendraient l'y chercher.

— George aura besoin d'un hangar à Heathrow, précisa Cabrillo. Je ne pense pas qu'ils nous autorisent à rester sur l'héliport.

— Je m'en occupe, déclara Hanley.

— N'oublie pas de lui réserver un hôtel en même temps, ajouta Cabrillo. Il est épuisé.

— Je le mettrai à l'aéroport, pas loin du Robinson.

— A part ça ? demanda Cabrillo.

— Nixon a réussi à faire fonctionner le téléphone satellite d'Al-Khalifa.

— Est-ce qu'il a obtenu un échantillon de la voix pour que nous puissions appeler ses contacts ? demanda Cabrillo d'une voix animée.

— Nous le saurons bientôt.

36

ROGER Lassiter était assis sur un banc devant les toilettes de la gare de Newcastle-upon-Tyne. Il observait la porte et les environs depuis une vingtaine de minutes. Tout semblait normal. Il attendit qu'un homme qu'il avait vu entrer soit ressorti. A présent, la pièce devait être vide. Après un dernier regard sur les alentours, il se leva et entra.

Puis il se rendit dans le dernier cabinet des toilettes et ôta le couvercle de la chasse d'eau.

La clé de la consigne était là ; il la sortit rapidement et la mit dans sa poche. Puis il ressortit et regarda où se trouvait le casier correspondant. Après avoir fait le guet encore une demi-heure sans rien constater d'étrange, il attendit qu'un porteur à bagages passe devant lui et il le héla.

— J'ai une voiture de location dans le parking, déclara Lassiter en souriant, avec un billet de vingt livres à la main. Si je l'amène devant la porte, est-ce que vous pourrez y apporter un paquet ?

— Où est-il, monsieur ?

Lassiter lui tendit la clé.

— Par là-bas, montra-t-il, dans une consigne à bagages.

Le porteur prit la clé.

— Quelle marque de voiture devrai-je guetter ? demanda-t-il.

— Une Daimler noire, répondit Lassiter.

— Bien monsieur, conclut le porteur en poussant son chariot en direction de la consigne.

Lassiter sortit du hall de la gare et traversa la route jusqu'au parking. S'il montait dans la voiture, démarrait et réussissait à sortir, il était tranquille. Si quelqu'un avait été sur ses traces, il serait déjà passé à l'action.

Personne ne vint. Personne ne s'interposa. Personne ne savait.

Après avoir réglé le stationnement de sa voiture, Lassiter emprunta la bretelle d'accès jusqu'à l'avant de la gare. Le porteur attendait le long du trottoir avec une caisse sur son chariot. Lassiter se gara et appuya sur le bouton du coffre, dissimulé dans la boîte à gants.

— Mettez-le dans le coffre, demanda-t-il en ouvrant la fenêtre du passager.

Le porteur installa la caisse dans la Daimler et referma le coffre. Lassiter démarra et s'éloigna.

L'agent de la CIA responsable de la coordination avec le MI5 était assis dans les bureaux du MI5 à Londres.

— Vos prestataires nous ont procuré une cassette qui montre la plaque d'immatriculation de la camionnette qui contient selon nous la bombe nucléaire, dit-il. Nous avons une équipe qui se rend à l'agence de location en ce moment même. Dès que nous aurons obtenu des informations sur le conducteur qui a loué le véhicule, nous serons en mesure de récupérer la bombe.

— Excellent, commenta l'agent de la CIA sur un ton égal. Et la météorite, où en sommes-nous ?

— Ce point-là devrait être bientôt résolu, déclara l'agent du MI5.

— Aurez-vous besoin de notre aide ?

— Je ne pense pas, non, répondit le Britannique. L'armée et la Marine sont déjà sur le coup.

L'agent de la CIA se leva de son siège.

— Dans ce cas, j'attendrai que vous me contactiez, dit-il, après avoir remis la main sur la météorite.

— Lorsque nous l'aurons, je vous préviendrai immédiatement.

Dès que l'homme de la CIA eut quitté son bureau, le Britannique attrapa son téléphone.

— Dans combien de temps aura lieu l'interception ?

— Le train est à cinq minutes d'ici, répondit la voix.

Dans une zone boisée à un kilomètre et demi au nord du village de Stockton, la gare la plus proche de Middlesbrough, on aurait dit que la guerre éclatait. Deux chars d'assaut Challenger de l'armée britannique étaient stationnés de chaque côté des voies. Plus loin sur les voies vers le nord, là où se trouverait approximativement l'arrière du train lorsqu'il serait arrêté, deux pelotons de Marines en camouflage se cachaient dans les bois, se préparant à entrer dans le train par l'arrière. Plus loin à gauche et à droite des rails, dans des clairières dissimulées derrière la lisière des bois, se trouvaient un avion Harrier et un hélicoptère Mongoose Agustawestland A-129, équipé d'une nacelle d'armes.

Le bruit du train numéro vingt-sept qui venait du nord s'amplifiait.

Le colonel de l'armée britannique chargé des opérations attendit d'apercevoir le nez de la locomotive. Puis il appela le mécanicien par radio et lui ordonna de s'arrêter. Dès que le mécanicien aperçut les Challenger, il freina à fond et le train ralentit brutalement, dans des gerbes d'étincelles. Le Harrier et l'Agustawestland, qui étaient restés en suspension, surgirent de derrière les arbres et se chargèrent de la couverture aérienne à l'instant même où les Marines sortaient des bois et embarquaient par toutes les portes.

Ils allaient effectuer une fouille méthodique du train, mais en vain.

Au même moment, Roger Lassiter conduisait vers le sud sur l'autoroute de Londres. En passant devant Stockton, il remarqua le ralentissement au loin et emprunta la sortie en direction de Windermere. Lorsqu'il serait sur la principale autoroute nord-sud qui traversait Lancaster, il passerait par Birmingham et arriverait dans le sud de l'Angleterre.

A l'approche de la Tamise, Adams consulta le GPS pour déterminer sa situation exacte. Cabrillo regardait le parc de l'autre côté du fleuve. Une immense tente, éclairée par des projecteurs, grouillait d'ouvriers qui achevaient de tout installer.

— A gauche, chef! fit Adams dans son micro.

La silhouette massive de l'héliport était illuminée par des lumières clignotantes. Une voiture garée dans les environs fit un appel de phares. Adams abaissa le levier de pas et amorça sa descente.

— Seng et Meadows sont là, annonça Cabrillo. Je vais leur

demander de m'emmener à l'hôtel pour qu'on se concerte. Hanley va vous envoyer quelqu'un à Heathrow devant le terminal des avions d'affaires, et qui vous apportera votre clé d'hôtel. Il vous faudra autre chose, George ?

— Non, rien, chef, répondit Adams. Je vais faire le plein et j'irai tout droit à l'hôtel. Appelez-moi quand vous aurez besoin de moi.

— Reposez-vous, ordonna Cabrillo. Vous l'avez mérité.

Adams était en approche finale et il ne répondit pas. Il descendit au-dessus de Battersea Park et se cala au-dessus de la plate-forme, sur laquelle il se posa légèrement. Cabrillo ouvrit la porte et attrapa son téléphone. Puis il s'éloigna du Robinson, le dos courbé. Il s'approchait de la Range Rover lorsque Adams décolla et retraversa la Tamise.

Meadows descendit du siège passager et ouvrit la portière arrière pour Cabrillo.

— Où en sommes-nous ? demanda Cabrillo en montant dans la voiture et en claquant la portière.

— Nous avons transmis toutes nos informations à M. Hanley, répondit Seng. Il nous a dit que vous nous expliqueriez la suite.

Seng s'écarta de l'héliport et sortit du parc. Il s'arrêta au feu et attendit pour tourner sur Queenstown Road afin de traverser le Chelsea Bridge.

Cabrillo commença à leur raconter ce qui s'était passé pendant que Seng les conduisait au Savoy.

L'*Oregon* filait vers le sud. Il était presque minuit en ce 30 décembre et le navire devait atteindre les docks de Londres vers neuf heures le lendemain matin. La salle de conférences était pleine à craquer. Hanley écrivait quelques notes sur un tableau effaçable qui commençait à être bien rempli.

— Voilà ce que nous savons, dit-il. Nous sommes maintenant convaincus que le vol de la météorite et la bombe nucléaire ukrainienne perdue n'ont aucun lien. Nous pensons qu'Al-Khalifa et son groupe ont été avertis de l'existence de la météorite grâce à un agent corrompu chez Echelon, et qu'ils ont décidé de combiner cela avec leur plan existant, à savoir, d'après nous, une attaque terroriste au cœur de Londres.

— Au départ, la météorite, elle a été volée par qui ? demanda Murphy.

— Les dernières informations obtenues par M. Truitt à Las Vegas semblent désigner Halifax Hickman.

— Le milliardaire ? demanda Ross.

— Exactement, répondit Hanley, sauf que nous ignorons encore pourquoi. Hickman possède des parts dans des hôtels ou complexes touristiques, des casinos, des manufactures d'armes et des articles ménagers. En plus de ça, il a une quantité de funérariums, une usine de bricolage qui fabrique des clous et des fermoirs. Il a aussi des parts dans des compagnies de chemin de fer et dans un satellite télévisé.

— Un magnat à l'ancienne, fit remarquer Pete Jones. Pas comme aujourd'hui, où les plus riches ont gagné leur fortune grâce à une seule source comme l'informatique ou les chaînes de pizza.

— Il n'a pas la réputation de vivre en ermite ? demanda Julia Huxley.

— Un peu comme Howard Hughes, concéda Hanley.

— Je vais faire un profil psychologique, proposa Huxley, pour que nous voyions à qui nous avons affaire.

— Halpert est en train de fouiner dans ses dossiers informatiques pour voir si nous pouvons trouver un mobile.

— Quelle est la position de la météorite en ce moment ? demanda Franklin Lincoln.

— Comme vous le savez, Juan et Adams l'ont vue quitter les îles Féroé à bord d'un Cessna qu'ils ont poursuivi. Lorsque l'hélicoptère a manqué de carburant, Juan a suivi en voiture la camionnette qui avait pris la relève du Cessna jusqu'à une gare près d'Edimbourg. Là, il était prêt à l'intercepter lorsque le Président, par l'intermédiaire d'Overholt, lui a ordonné de laisser les autorités britanniques régler le problème. Ils projetaient d'arrêter le train il y a environ une heure mais nous n'avons pas encore de leurs nouvelles.

— Donc s'ils ont récupéré la météorite, intervint Hali Kasim, notre seule tâche sera de l'acheminer jusqu'aux Etats-Unis.

— En effet, répondit Hanley, et c'est pourquoi je veux que nous concentrions nos efforts sur l'engin nucléaire. Nous pensons qu'il a traversé la mer Noire jusqu'à un port de l'île de Sheppey à bord d'un cargo grec. Là, des hommes que nous pensons faire partie de l'équipe de terroristes d'Al-Khalifa ont dérobé l'arme sans payer et se sont enfuis. Seng et Meadows se sont rendus sur place

225

et ils ont trouvé une cassette vidéo qui nous a donné des pistes à suivre.

— Voilà qui semble étrange, fit remarquer Jones. Si Al-Khalifa est mort, pourquoi les autres n'ont-ils pas abandonné leur mission ? Ils ont l'intention de la mener jusqu'au bout sans leur chef ?

— C'est ça le plus beau, expliqua Hanley. Nous pensons qu'ils ignorent encore la mort d'Al-Khalifa.

— Pourtant il n'a pas été en contact avec eux depuis quelque temps, objecta Ross.

— Certes, concéda Hanley, mais apparemment, cela lui est déjà arrivé, en tout cas, d'après les rapports que nous avons pu amasser sur lui.

— Alors l'un de nous va se transformer en Al-Khalifa ? demanda Pete Jones.

Hanley fit un signe à Nixon qui hocha la tête et tendit la main vers un magnétophone.

— Nous avons retrouvé le téléphone satellite d'Al-Khalifa dans sa poche. Il y avait une petite annonce d'accueil dans sa messagerie. J'ai mixé ça avec une cassette de surveillance que nous avions déjà et j'ai réalisé une empreinte de sa voix dans l'ordinateur.

Nixon alluma le magnétophone et la voix d'Al-Khalifa flotta dans la pièce.

— Nous pensons que nous pouvons appeler son contact avec son téléphone et organiser un rendez-vous, déclara Hanley, pour pouvoir mettre la main sur la bombe.

— De combien de temps dispose-t-on ? demanda Kasim.

— Ils vont sans doute frapper demain soir à minuit, répondit Hanley.

— Pour le réveillon ! s'exclama Murphy. Les enfoirés.

— Il y aura une fête et un concert dans un parc près de Buckingham Palace, ajouta Hanley. Elton John va chanter.

— Là, j'ai vraiment les boules, fit Murphy. J'adore la musique de ce gars-là.

— Bon, allez, dit Hanley, je veux que tout le monde se dirige vers sa cabine pour prendre un peu de repos. La plupart d'entre vous irez à Londres demain pour travailler sur cette opération. On se retrouve ici en salle de conférences à sept heures pour la distribution des ordres de mission et, dès que nous approcherons de Londres, vous serez débarqués et envoyés en ville. D'autres questions ?

— Juste une, intervint Julia Huxley. Est-ce que l'un d'entre nous sait comment désamorcer une bombe atomique ?

37

L AISSEZ-la devant, ordonna Seng en tendant un billet de
cent dollars au voiturier du Savoy. Et ne la bloquez pas.
Cabrillo entra et se dirigea vers le comptoir de l'accueil.
— Puis-je vous aider? demanda l'employé.
— Je m'appelle Cabrillo, déclara-t-il, mon entreprise a fait une
réservation.

L'employé tapa le nom puis relut une note que le directeur du
personnel avait laissée : *client extrêmement important – liquidités
illimitées – Banque des Vanuatu – quatre suites pour ce soir avec
vue sur la Tamise – chambres supplémentaires selon demandes.*

L'employé attrapa les clés puis claqua dans ses doigts et un
chasseur arriva en trottinant. A ce moment-là, Meadows et Seng
entraient dans le hall.

— Je vois que vous n'avez pas de bagages, monsieur Cabrillo,
ajouta le réceptionniste. Voulez-vous que nous vous fassions
quelques achats?

— Oui, répondit Cabrillo en sortant de sa poche un bout de
papier et un stylo.

Il griffonna quelques lignes.

— Appelez Harrods demain matin. Demandez M. Mark Ander-
sen au rayon Hommes, demandez-lui de me livrer ces vêtements. Il
a déjà mes mesures.

Meadows et Seng s'approchèrent de la réception avec deux sacs
chacun. Cabrillo leur tendit leurs clés.

— Est-ce que vous avez besoin de quelque chose chez Harrods ? leur demanda-t-il.

— Non merci, répondirent les deux hommes.

Le chasseur fit mine de prendre leurs sacs mais Seng leva la main pour l'en empêcher.

— On va s'occuper de ça, lui dit-il en lui glissant un billet de vingt livres. Suivez-nous seulement pour reprendre votre chariot.

Les sacs étaient remplis d'armes, d'instruments de communication et d'explosif C-6 en quantité suffisante pour réduire l'hôtel en miettes. Le chasseur ignorant ces détails hocha la tête et leur laissa le chariot, prêt à monter derrière les deux hommes.

— Qu'est-ce que vous avez envie de manger ? demanda Cabrillo à Seng et Meadows qui posaient leurs sacs sur le chariot.

— Je veux bien un petit déjeuner, déclara Meadows.

— Faites-nous monter trois petits déjeuners anglais complets dans ma suite, demanda Cabrillo au réceptionniste, dans quarante-cinq minutes.

— On a le temps de prendre une douche et de se rafraîchir, dit Cabrillo à ses hommes, et on se retrouve dans ma suite à une heure et demie.

Puis, suivis du chasseur, ils poussèrent le chariot vers l'ascenseur et montèrent à leurs chambres. Devant la porte de sa suite, Cabrillo s'arrêta.

— Attendez ici, s'il vous plaît, demanda-t-il au chasseur. Je voudrais que vous fassiez nettoyer mes vêtements.

Il entra, se déshabilla et revêtit un peignoir puis revint à la porte chargé de ses vêtements. Il les remit au chasseur dans un sac en plastique pour la laverie, accompagnés d'un billet de cent dollars, et sourit.

— Rapportez-les-moi le plus vite possible.

— Voulez-vous qu'on cire vos chaussures ? s'enquit le chasseur.

— Non, merci, répondit Cabrillo, ça ira.

Dès que l'employé de l'hôtel fut parti, Cabrillo entra sous la douche et se frotta énergiquement. Puis il remit le peignoir et alla ouvrir la porte. On avait déposé un panier contenant un nécessaire de toilette, qu'il apporta dans la salle de bains. Il se rasa et s'aspergea les joues avec le luxueux after-shave, puis se lava les dents et se coiffa. Il revint enfin dans sa chambre pour appeler la salle de contrôle de l'*Oregon*.

Au moment où Cabrillo finissait de se faire beau, il était plus de vingt heures à Washington. Thomas « TD » Dwyer avait passé les derniers jours à travailler seize heures quotidiennement dans le laboratoire des agents infectieux de Fort Detrick, dans le Maryland, qui se trouvait dans les montagnes au nord de Washington DC, près de Frederick. Dwyer était épuisé et presque prêt à abandonner pour aller se coucher. Il avait déjà soumis les échantillons récoltés en Arizona à des ultraviolets, différents acides, des combinaisons de gaz, et des radiations.

Rien ne s'était produit.

— On en a terminé pour ce soir ? lui demanda le technicien de l'armée.

— Je vais seulement prélever un échantillon pour demain matin, déclara Dwyer, et nous reprendrons à huit heures.

— Vous voulez que je fasse chauffer le laser ? demanda le technicien.

A travers l'épaisse vitre de protection, Dwyer regarda l'échantillon qui était serré dans un étau sur un établi, dans une pièce parfaitement étanche. Dwyer avait installé une scie à air comprimé portable, à pointe de diamant, dans le sas d'entrée, puis il l'avait posée sur l'établi en passant à travers le mur ses bras protégés par des gants en Kevlar épais. La scie était maintenant entre les pinces d'un robot que Dwyer pouvait contrôler grâce à une manette.

— Je vais me servir de la scie, déclara Dwyer. Attendez.

Le technicien s'assit dans un fauteuil devant une grande console électronique. Le mur devant lui, y compris les espaces entourant les petites fenêtres donnant sur la zone étanche, était entièrement recouvert de jauges et de cadrans.

— Tout va bien, fit remarquer le technicien.

Dwyer actionna soigneusement sa manette et la scie se mit à tourner. Puis il l'abaissa lentement sur l'échantillon. La scie se mit à fumer et s'arrêta.

On ne parviendrait pas à la réparer avant le lendemain midi.

Tiny Gunderson fit ralentir le Gulfstream à l'approche de Heathrow et commença ses manœuvres d'atterrissage. Pilston et lui s'étaient relayés pour dormir depuis leur départ de Las Vegas.

Truitt s'était reposé à l'arrière et il était à présent réveillé et buvait sa deuxième cafetière.

— Du rab de café ? proposa-t-il à travers la porte du cockpit.

— Non merci, répondit Gunderson. Et toi, Tracy ?

Pilston était en contact avec la tour de contrôle et elle refusa d'un geste de la main.

— Hanley vous a réservé des chambres d'hôtel, déclara Truitt. Je vais prendre un taxi pour aller en ville.

Gunderson effectua un virage pour l'approche finale.

— Nous allons faire le plein, ensuite nous attendrons à l'hôtel, déclara-t-il.

— Ça me paraît très bien, répondit Truitt.

Quelque chose titillait Truitt depuis le début du vol mais il n'arrivait pas à mettre le doigt dessus. Il avait essayé de se remémorer l'agencement du bureau de Hickman mais malgré ses efforts, l'image restait floue. Il se laissa aller dans son siège et boucla sa ceinture dans l'attente de l'atterrissage.

Dix minutes plus tard, il était dans un taxi qui l'emmenait au Savoy à travers les rues désertes. Le taxi passait devant la gare de Paddington lorsque le souvenir le frappa.

Overholt avait prévu de dormir sur le canapé de son bureau. Bon ou mauvais, il se produirait forcément un événement au cours des prochaines quarante-huit heures. Il était presque vingt-deux heures lorsque le Président lui téléphona.

— Vos gars se sont plantés, lui assena le Président. Il n'y avait rien à bord du train.

— Impossible, répliqua Overholt. Je travaille depuis des années avec la Corporation et ils ne font pas d'erreur. La météorite était à bord du train ; elle a dû être de nouveau transférée.

— En tout cas, déclara le Président, maintenant elle se balade quelque part en Angleterre.

— Cabrillo est à Londres en ce moment, ajouta Overholt, il est sur la piste de la bombe nucléaire.

— Langston, déclara le Président, vous avez intérêt à reprendre au plus vite le contrôle de la situation, sinon, vous pourrez commencer à calculer le montant de votre retraite anticipée.

— Bien, monsieur, fit Overholt avant que la communication soit coupée.

— La météorite se dirige en ce moment vers le sud sur la route juste après Birmingham, répondit un Hanley épuisé à la question d'Overholt. Nous serons au large de Londres demain matin et à ce moment-là, nous pourrons envoyer nos agents pour la traquer.

— Il va falloir faire vite, répliqua Overholt. Je joue ma chemise sur ce coup-là. Et où en est-on au sujet de la bombe ?

— Cabrillo et son équipe projettent de la localiser demain et d'appeler le MI5, répondit Hanley.

— Je dors à mon bureau ce soir, ajouta Overholt. S'il y a un quelconque changement, prévenez-moi.

— Vous avez ma parole, déclara Hanley.

Dick Truitt prit sa clé à la réception puis il donna un pourboire au chasseur pour faire porter son sac dans sa chambre. Il emprunta le couloir jusqu'à la suite de Cabrillo et frappa doucement à la porte. Ce fut Meadows qui lui ouvrit.

— Facile, lança Meadows lorsqu'il vit de qui il s'agissait.

Il s'effaça pour laisser passer Truitt qui entra. Des assiettes à moitié pleines étaient posées sur une table à côté de dossiers ouverts et de mémos.

— Bonjour, chef, fit-il à Cabrillo.

Puis il appela la réception pour commander un sandwich club et un Coca-Cola. De retour à la table, il s'installa sur une chaise.

— Halpert a découvert l'identité du soldat sur les photos que vous avez fauchées, annonça Cabrillo, mais nous ignorons encore quels peuvent être ses liens avec Hickman.

— C'est son fils, déclara simplement Truitt.

— La vache ! laissa échapper Seng, voilà qui explique bien des choses.

38

— **C**'EST forcément son fils, reprit Truitt. Lorsque j'étais dans le bureau de Hickman, j'ai vu un détail qui m'a semblé bizarre mais je n'ai pas eu le temps de creuser la question avant son arrivée. Sur une étagère près de son bureau, il y avait une paire de chaussures de bébé cuivrées.

— C'est curieux, fit remarquer Cabrillo. Hickman n'a pas de progéniture connue.

— Certes, dit Truitt, mais autour, il y avait des plaques d'identité militaires.

— Tu as pu lire les plaques ? demanda Seng, lui-même ancien Marine.

— Non, mais je suppose que quelqu'un de la police de Las Vegas pourrait s'en charger. La question est : pourquoi serait-il en possession de plaques militaires d'un autre homme ?

— A moins qu'il ne s'agisse de quelqu'un de proche, compléta Meadows, et que cette personne soit morte.

— Je vais appeler Overholt pour lui demander de faire vérifier cela par la police de Las Vegas, déclara Cabrillo. Vous, je vous conseille de vous reposer. J'ai le sentiment que demain sera une longue journée.

Meadows et Seng sortirent de la pièce, mais Truitt demeura.

— J'ai dormi dans le Gulfstream, chef, dit-il. Si vous me donnez les adresses que vous avez, je pourrais aller faire une petite reconnaissance nocturne.

Cabrillo hocha la tête et donna les informations à Truitt.

— Retrouvez-nous à huit heures du matin, Dick, lui demanda-t-il. Les autres arriveront à ce moment-là.

Truitt fit un signe d'assentiment et reprit le couloir pour aller se changer. Cinq minutes plus tard, il descendait par l'ascenseur.

Halpert avait décidé de travailler toute la nuit. L'*Oregon* se dirigeait vers Londres avec un équipage réduit au minimum. Les agents chargés de la mission du lendemain dormaient dans leur cabine et le bateau était silencieux. Halpert aimait cette solitude. Il lança une recherche dans les dossiers du Département de la Défense, puis il emprunta le couloir en direction de la cuisine où il mit un bagel à griller tandis qu'il se préparait un café. Il étala du fromage frais sur le bagel, l'enroba de papier et le glissa sous son bras, pour prendre la cafetière dans l'autre main.

Une seule feuille de papier était sortie de l'imprimante ; il la saisit et la parcourut lentement. Le plus proche parent de Christopher Hunt était sa mère, Michelle Hunt, qui résidait à Beverly Hills en Californie.

Halpert entra le nom de la femme dans l'ordinateur pour voir ce qu'il pouvait dénicher.

Il était quatre heures du matin à Londres lorsque le Hawker 800XP transportant Hickman atterrit à Heathrow. Une limousine Rolls Royce vint immédiatement à sa rencontre sur la piste. Puis elle fila à travers les rues désertes en direction de Maidenhead.

Hickman voulait arriver à l'usine de Maidenhead avant son ouverture. Le reste de son équipe allait arriver de Calais et il avait beaucoup à accomplir. Il regarda la fiole contenant le mortel virus acheté à Vanderwald. Un peu de ceci mélangé à la poussière de la météorite et le tour serait joué.

L'intérieur de la maison était plus luxueux que ne l'aurait laissé supposer sa situation dans le quartier de l'East End. Ce qui avait longtemps été la partie la plus pauvre de la capitale britannique s'était embourgeoisée au cours des dernières années, à mesure que la flambée des prix dans le centre de Londres avait poussé les habitants vers les quartiers de banlieue.

La maison à deux étages de Kingsland Road, non loin du musée

Geffrye, s'était tirée presque indemne des bombardements de la Seconde Guerre mondiale. Après avoir été longtemps divisée en chambres louées à des immigrés arrivés à la fin du vingtième siècle, elle avait été transformée depuis quelques années en un bordel de luxe, tenu par une famille du crime établie depuis longtemps dans l'East End et dont le chef se nommait Derek Goodlin.

Le rez-de-chaussée consistait en un ensemble de salons et un pub. Au premier, il y avait un casino, équipé d'un autre bar, et le deuxième étage abritait les chambres décorées selon diverses ambiances en fonction des goûts et des fétichismes des clients.

Dès que Lababiti avait garé sa voiture devant l'établissement et qu'il était descendu avec Amad, Derek Goodlin, qui tenait la maison pour la soirée, avait été averti de son arrivée. Goodlin, que l'on appelait « La Fouine » derrière son dos à cause de ses petits yeux ronds et brillants et de sa peau vérolée, sourit et se précipita vers l'entrée, comptant déjà mentalement ses gains.

Goodlin avait déjà eu affaire à l'Arabe et il savait que la maison gagnerait des mille et des cents avant que Lababiti s'en aille.

— Chivas et Coke, commanda Goodlin au barman en se précipitant pour accueillir son client.

Il ouvrit la porte et sourit, découvrant de petites dents pointues.

— Monsieur Lababiti! s'écria-t-il avec toute la chaleur d'un serpent, comme c'est gentil de venir passer la soirée avec nous.

Lababiti détestait Goodlin, ce vendeur de débauche, qui symbolisait tous les péchés de l'Occident. Le fait que lui-même profite fréquemment de ses services n'y changeait rien.

— Bonsoir, Derek, dit doucement Lababiti en prenant le verre des mains d'un serveur qui avait accouru vers lui. Je vois que vous faites toujours votre sale boulot.

Goodlin lui dédia un sourire mauvais.

— Je me contente de fournir aux gens ce qu'ils veulent, protesta-t-il.

Lababiti hocha la tête et fit signe à Amad de le suivre à l'intérieur. Il se dirigea vers le bar en acajou sculpté et s'assit à une table ronde éclairée par une bougie. Goodlin leur emboîta le pas comme un petit chien.

— Est-ce que vous jouerez ce soir? leur demanda le propriétaire lorsqu'ils furent assis tous deux.

— Peut-être plus tard, répondit Lababiti, mais pour l'instant, apportez un arak à mon ami et faites descendre Sally.

Goodlin fit signe au serveur d'apporter la bouteille de spiritueux au fort parfum de réglisse, puis il baissa les yeux vers Lababiti.

— Sally Forth ou Sally Spanks?

— Forth pour lui, indiqua Lababiti, et Spanks pour moi.

Goodlin courut chercher les femmes. Quelques instants plus tard, le serveur posait la bouteille d'arak et un verre sur la table. Amad, qui devait mourir le lendemain, avait l'air effrayé.

Derek Goodlin referma la porte derrière Lababiti et son comparse, puis il regagna son bureau. Il s'assit et se mit à compter une liasse de billets tout en sirotant un brandy. La soirée avait été bonne. L'Arabe et son silencieux ami avaient ajouté cinq mille livres à la cagnotte. A cela s'ajoutaient les grosses pertes essuyées à la roulette par un habitué japonais et au total, le chiffre d'affaires de la soirée était de trente pour cent supérieur à celui de la veille.

Il attachait un élastique autour d'une liasse de billets pour la mettre au coffre lorsque l'on frappa à la porte.

— Un instant, dit-il tandis qu'il plaçait les billets dans le coffre-fort et refermait la porte munie d'un code. C'est bon, lança-t-il ensuite, entrez!

— Je viens pour ma paie, déclara Sally Forth, ma dernière paie.

Sa paupière gauche était enflée et violacée.

— Lababiti? demanda Goodlin. Je croyais que tu devais t'occuper du gamin.

— Oui, c'est ça, confirma Sally. Il est devenu mauvais lorsque...

— Lorsque quoi? demanda Goodlin.

— Lorsqu'il n'a pas réussi à bander, répondit Sally.

Goodlin sortit du tiroir de son bureau l'une des enveloppes qu'il avait préparées pour les filles et la lui tendit.

— Prends quelques jours de repos, dit-il, et reviens bosser mercredi.

Avec un hochement de tête résigné, elle quitta le bureau et reprit le couloir.

Lababiti conduisait la Jaguar vers l'ouest sur Leadenhall Street. Amad, sur le siège passager, se tenait coi.

— Tu as passé une bonne soirée? demanda Lababiti.

Amad émit un grognement.

— Tu penses que tu seras prêt pour demain ?

— Allah est grand, répondit tranquillement Amad.

Lababiti se tourna pour regarder le Yéménite qui contemplait les immeubles par sa fenêtre. Il commençait à avoir des doutes sur Amad, mais il allait les garder pour lui. Le lendemain, il lui donnerait ses ultimes instructions.

Puis il prendrait le tunnel sous la Manche pour se réfugier en France.

Truitt descendit le Strand jusqu'à la petite rue dans laquelle, selon les registres, Lababiti louait un appartement. Au rez-de-chaussée, une boutique vide communiquait avec l'entrée. Les trois étages supérieurs, composés d'appartements, étaient plongés dans l'obscurité ; les habitants dormaient. Truitt força la serrure de l'entrée de l'immeuble et la traversa en direction de la rangée de boîtes aux lettres. Il étudiait les noms lorsqu'une berline Jaguar se gara devant l'immeuble et que deux hommes en descendirent. Truitt se faufila devant l'ascenseur jusqu'à l'escalier et il tendit l'oreille.

Il attendit que l'ascenseur descende, s'ouvre et se referme, puis commence à remonter, pour sortir de sa cachette et regarder les numéros qui s'allumaient au-dessus des portes. L'ascenseur s'arrêta au second. Truitt regagna l'escalier et grimpa les deux étages. Puis, sortant un petit micro de sa poche, il mit une oreillette et parcourut lentement le couloir devant les appartements. Devant le premier, il entendit un ronflement, et à la porte du deuxième, le miaulement d'un chat. Il avait parcouru la moitié du couloir lorsqu'il entendit des voix.

— Ça se déplie pour faire un lit, disait un homme.

Truitt ne distingua pas la réponse. Il nota le numéro et repéra où se trouvaient les fenêtres sur la façade de la rue. Ensuite, il passa un petit compteur Geiger sur la porte de l'appartement. Aucun signe de radioactivité.

Il redescendit l'escalier sans bruit, sortit du hall et leva les yeux vers les fenêtres de Lababiti. Les stores étaient baissés. Truitt se glissa sous la Jaguar et attacha un petit disque magnétique sous le réservoir. Puis il passa la voiture au compteur Geiger sans rien détecter.

Après un examen des immeubles alentour, il revint sur le Strand.

La rue était presque déserte ; seuls quelques taxis passaient et un camion effectuait une livraison à un McDonald's ouvert vingt-quatre heures sur vingt-quatre. Truitt longea le côté nord du Strand et lut les affiches devant les théâtres. Il marcha presque jusqu'à Leicester Square avant de faire demi-tour pour parcourir le trottoir sud.

Là, il passa devant une vitrine qui exposait des motos anglaises classiques. Il s'arrêta pour regarder les motos exposées, éclairées par des spots. Ariel, BSA, Triumph, et même la légendaire Vincent. Un véritable régal pour un amateur de motos.

Il revint au McDonald's et commanda un café et une viennoiserie.

A cinq heures trente à Londres, vingt et une heures trente à Las Vegas, le capitaine de police Jeff Porte avait bien du mal à convaincre le responsable de la sécurité de Dreamworld de l'autoriser à entrer dans le penthouse.

— Vous aurez besoin d'un mandat, lui dit le chef de la sécurité, je ne vous laisserai entrer sous aucun autre prétexte.

Porte réfléchit.

— Nous avons appris que vous avez eu une effraction, dit-il, et nous menons une enquête.

— Je ne peux pas vous laisser entrer, Jeff, déclara le chef de la sécurité.

— Dans ce cas, je vais réveiller un juge pour obtenir un mandat, rétorqua Porte, et quand je reviendrai, je serai accompagné par des caméras de télévision. Voilà qui devrait arranger les affaires de votre casino : des policiers et des journalistes dans le hall et dans toutes les parties communes.

Le responsable de la sécurité réfléchit un instant.

— Je vais passer un coup de fil, dit-il enfin.

Hickman était presque arrivé à Maidenhead lorsque son téléphone satellite sonna. Lorsque le garde lui expliqua ce qu'il se passait, Hickman fut très clair.

— Dites-lui de revenir avec un mandat, déclara-t-il, et contactez notre avocat pour qu'il essaie dès à présent de le faire annuler. Quoi qu'il se passe, retardez le plus longtemps possible leur entrée.

— Il y a un problème, monsieur ?

— Rien que je ne puisse maîtriser, répondit Hickman en coupant la communication.

Le filet se refermait sur lui et il sentait les mailles se resserrer de plus en plus.

Michael Halpert élargissait ses recherches. Il se connecta au terminal de la direction fédérale de l'aviation civile pour y trouver les dernières destinations de l'avion privé de Hickman. Dès qu'il les vit, il sut qu'il tenait leur suspect. Un avion privé appartenant à Hickman, un Hawker 800XP, avait récemment fait enregistrer un plan de vol pour le Groenland. Le dernier plan de vol répertorié était un Las Vegas-Londres, ce qui laissait supposer que Hickman se trouvait à Londres en ce moment même.

Halpert les imprima et lança une recherche au sein des titres de propriété en Angleterre.

Il n'y avait rien au nom de Hickman ; aussi utilisa-t-il ensuite la longue liste de ses entreprises. Des heures s'écouleraient avant que ses recherches portent leurs fruits. Tandis que l'ordinateur moulinait, Halpert se creusait la tête à essayer d'imaginer pourquoi l'un des hommes les plus riches du monde voudrait conspirer avec des terroristes arabes pour faire exploser une bombe nucléaire au cœur de Londres.

C'était toujours l'un ou l'autre, songea Halpert, l'amour ou l'argent.

Il ne pouvait concevoir que Hickman puisse tirer le moindre profit financier d'un tel désastre. Halpert envisagea la question sous cet angle pendant une heure mais ne trouva rien.

Il en conclut que le mobile devait être l'amour.

Et qui aime-t-on assez pour tuer, si ce n'est sa propre famille ?

39

L'*OREGON* s'amarra à Southend-on-Sea à l'embouchure de la Tamise à six heures du matin.

Les agents qui seraient envoyés sur le terrain étaient tous debout et douchés. Ils entraient un par un dans la salle à manger pour y prendre leur petit déjeuner. Ils devaient se retrouver dans la salle de conférences à sept heures. Hanley avait dormi quelques heures et il avait repris le travail à cinq heures pour planifier la logistique de l'opération à venir.

A six heures, il avait téléphoné à Overholt et l'avait réveillé.

— Notre équipe va débarquer à Londres, dit-il. Nous pensons avoir localisé les suspects, mais jusqu'à présent, nous n'avons encore détecté aucune trace de radiation.

— Vous êtes-vous mis en relation avec le MI5 ?

— M. Cabrillo les contactera bientôt et il leur laissera le commandement de l'opération. Il veut seulement s'assurer que notre équipe est bien en place en renfort.

— Voilà qui semble raisonnable, dit Overholt d'une voix lasse. Et la météorite ?

— Nous abordons les choses une par une, répondit Hanley. Dès que la menace de la bombe aura disparu, nous basculerons notre équipe sur ce problème.

— Où se trouve-t-elle en ce moment ?

— Au sud d'Oxford, répondit Hanley, et elle se dirige vers le sud. Si elle arrive dans la banlieue de Londres, nous nous en occuperons. Sinon, nous attendrons d'avoir retrouvé la bombe.

— La police de Las Vegas a été bloquée, l'informa Overholt, donc j'ai passé une directive de sécurité nationale qui va leur permettre de faire ce qu'ils veulent. Ils devraient entrer très prochainement dans le penthouse. Vous savez que si vous vous êtes plantés et que Hickman est innocent, je perds mon boulot.

— Ne vous inquiétez pas, monsieur Overholt, rétorqua Hanley, nous cherchons constamment à recruter des gens compétents.

— Toujours le mot pour rire, monsieur Hanley, conclut Overholt.

Hanley reposa le combiné sur sa base et il se tourna vers Stone.

— Comment ça se passe ?

— Comme d'habitude, M. Truitt a été Monsieur-Sur-la-Brèche, répondit Stone. Il travaille depuis cette nuit. Il a acheté des vêtements et des manteaux anglais pour les agents que nous envoyons à Londres. Il s'est aussi débrouillé pour qu'un car de tourisme vienne les chercher ici. La dernière fois que je lui ai parlé, il était en route, dans le bus.

— Bien joué, fit Hanley. Et Nixon, il en est où ?

— Il a terminé tout l'équipement et il s'occupe en ce moment des dernières vérifications.

— Halpert ?

— Il était toujours en plein boulot la dernière fois que je l'ai appelé. Il dit qu'il tente une approche différente et que nous devrions avoir les résultats d'ici quelques heures.

— Passez-moi tout le monde en revue, demanda Hanley.

— Nous avons déjà quatre hommes sur place, résuma Stone en lisant une feuille imprimée. Cabrillo, Seng, Meadows et Truitt. Les six agents qui vont y être transportés sont Huxley, Jones, Lincoln, Kasim, Murphy et Ross.

— Ce qui nous fait dix personnes à Londres, fit remarquer Hanley.

— C'est ça, dit Stone. En soutien aérien à Heathrow, nous avons Adams dans le Robinson et Gunderson et Pilston dans le Gulfstream. Judy Michaels revient tout juste de vacances et elle va prendre la relève sur l'hydravion.

— A bord de l'*Oregon* ? demanda Hanley.

— Le bateau sera manœuvré par Gannon, Barrett, Hornsby, Reinholt et Reyes.

— Qui reste-t-il ?

241

— Vous, moi, Nixon à la Boutique Magique, Crabtree ici à la logistique et King.

— J'avais oublié King, s'exclama Hanley. Nous avons besoin de lui sur place pour nous couvrir.

— Vous voulez que je le rajoute au groupe de Truitt ? demanda Stone.

Hanley réfléchit.

— Non, répondit-il au bout d'un moment. Demandez à Adams de venir le chercher et qu'ils se tiennent prêts tous les deux. Je veux qu'ils restent le plus près possible de la cible et prêts à décoller à mon signal. Adams et King pourront assurer la couverture aérienne.

— Je m'en occupe, déclara Stone.

— Parfait, conclut Hanley.

— Truitt a fait un repérage dans l'immeuble du suspect cette nuit, annonça Cabrillo, qui prenait son petit déjeuner dans sa suite avec Seng et Meadows.

— Où est-il en ce moment ? demanda Meadows.

— Il est en route pour le port où est arrivé l'*Oregon*, pour ramener le reste de l'équipe.

— Dans ce cas, je suppose qu'il n'a pas trouvé de trace de la bombe, dit Seng ; sinon, sous serions déjà sur le pied de guerre.

— En effet, confirma Cabrillo.

— Donc nous devons attendre qu'ils fassent le premier pas ? demanda Meadows.

— Si la bombe est à Londres, déclara Cabrillo, et que les terroristes se rendent compte que nous sommes sur leurs traces, ils risquent de la faire sauter à n'importe quel moment. Ils ne sont peut-être pas encore sur le lieu prévu pour l'explosion, mais avec une ogive nucléaire, même petite comme celle-ci, les dégâts seraient épouvantables.

— Donc il faut qu'on essaie de les faire sortir de leur tanière, demanda Seng, puis d'attraper la bombe et de la neutraliser ?

— Je ne suis pas sûr que c'est ce que souhaite le MI5, répliqua Cabrillo, mais c'est ce que je recommanderais.

— Quand devez-vous les retrouver ? demanda Meadows.

Cabrillo s'essuya la bouche avec la serviette en lin puis il consulta sa montre-bracelet.

— Dans cinq minutes, dans le hall de l'hôtel.

— Et nous, que voulez-vous qu'on fasse ?

— Que vous vous baladiez dans le coin de l'appartement pour vous habituer aux lieux.

Edward Gibb n'était pas content. Se faire réveiller à l'aube le 31 décembre pour aller au boulot ne correspondait pas à sa conception de vacances agréables. Un avocat lui avait téléphoné pour lui demander de retrouver le nouveau propriétaire de l'usine et de lui ouvrir les portes. Gibb avait failli refuser – il prévoyait de prendre sa retraite et voulait en avertir le service du personnel dès son retour en janvier – mais la perspective de rencontrer le mystérieux acheteur de la filature de Maidenhead l'intriguait.

Le temps de prendre une douche, de s'habiller et d'avaler un thé et des toasts, il se mit en route. Une limousine attendait devant la grille et le pot d'échappement envoyait des nuages de fumée dans l'air glacé. Gibb s'approcha et frappa à la vitre arrière. La vitre s'abaissa et un homme lui sourit.

— Monsieur Gibb ?

Gibb hocha la tête.

— Halifax Hickman, se présenta l'homme en sortant de la voiture. Je vous prie de m'excuser de vous enlever à votre famille pendant les fêtes.

Les deux hommes échangèrent une poignée de main.

— Ça ne fait rien, monsieur, répondit Gibb en se dirigeant vers la grille. Je comprends que vous ayez envie de voir au plus vite ce que vous venez d'acquérir.

— J'étais en Europe ces jours-ci, mentit Hickman, et je dispose de très peu de temps.

— Je comprends, monsieur, dit Gibb en prenant un trousseau de clés dans sa poche pour ouvrir la porte de l'usine.

— Merci, fit Hickman tandis que Gibb s'effaçait pour le laisser entrer.

— Gardez-les, dit Gibb en tendant les clés à Hickman, j'en ai un autre trousseau.

Hickman les empocha. Gibb passa devant la réception et entra dans le grand atelier où étaient stockés fils et tissus. Il tendit la main vers l'interrupteur du disjoncteur sur le mur et l'abaissa. L'intérieur de la grande salle s'alluma. Gibb se tourna vers Hickman qui étudiait les différentes machines.

— Cette machine s'occupe de la dernière étape, dit-il, d'égalisation et d'aspiration, dit-il en désignant une machine qui ressemblait à la version géante d'un grill de fast-food. Le tissu arrive sur le tapis roulant, il est traité et il ressort ici sur ces rouleaux.

La structure métallique qui soutenait les rouleaux, à environ un mètre vingt du sol, conduisait à une aire d'emballage, puis elle s'étirait en demi-cercle pour finir près du hangar de chargement. Les rouleaux de tissu pouvaient être poussés jusqu'à ce qu'ils soient mis dans des cartons ou enveloppés, puis chargés dans des camions.

Hickman scrutait les environs.

— Ce sont les tapis de prière pour l'Arabie Saoudite ? demanda-t-il en voyant trois grands conteneurs métalliques près de la machine et de la porte du hangar. Puis-je les voir ?

— Oui, monsieur, répondit Gibb en ouvrant chaque conteneur qu'il laissa ouvert. Nous sommes en retard pour la livraison.

Hickman regarda à l'intérieur. Chaque conteneur était aussi grand qu'un semi-remorque. Ils étaient conçus pour tenir dans un avion-cargo de type 747. Les tapis étaient attachés à des vis au couvercle de chaque conteneur et s'étendaient à perte de vue. Il y en avait des milliers dans chaque conteneur.

— Pourquoi ne sont-ils pas empilés ? demanda Hickman.

— Il faut que nous vaporisions de l'insecticide et du désinfectant pour pouvoir les faire pénétrer en Arabie Saoudite. Ils ne veulent pas de la vache folle ou d'un autre agent pathogène. C'est obligatoire dans tous les pays, maintenant.

— Laissez-les ouverts, déclara Hickman, et donnez-moi les clés des conteneurs.

Gibb opina et lui tendit les clés.

— Quand les ouvriers doivent-ils reprendre ? demanda Hickman.

— Le lundi 2 janvier, répondit Gibb en suivant son nouveau patron qui traversait l'atelier pour regagner l'entrée.

— J'ai des employés qui viennent des Etats-Unis pour donner un coup de main, dit Hickman alors qu'ils arrivaient près des bureaux. Pouvez-vous me montrer un bureau où je puisse téléphoner ?

Gibb tendit la main vers l'escalier qui menait à un bureau vitré ayant vue sur l'atelier.

— Vous pouvez utiliser le mien, monsieur. Il est ouvert.

Hickman sourit et lui tendit la main.

— A présent, monsieur Gibb, si vous rejoigniez votre famille ? Nous nous verrons lundi.

Gibb hocha la tête et se dirigea vers la porte, puis il s'arrêta.

— Monsieur Hickman, dit-il lentement, voudriez-vous venir ce soir fêter le Nouvel An avec nous ?

Hickman était au milieu de l'escalier et il se retourna pour regarder Gibb.

— C'est gentil de votre part, dit-il, mais pour moi le réveillon est toujours un moment propice à la réflexion.

— Pas de famille, monsieur ? demanda Gibb.

— J'avais un fils, répondit doucement Hickman, mais il a été assassiné.

Sur ce, il tourna les talons et continua à monter.

Gibb reprit le chemin de la porte. Hickman n'avait rien du requin décrit par les journaux. C'était juste un vieil homme seul, tout à fait ordinaire. Gibb se demandait s'il allait vraiment partir à la retraite finalement ; avec un propriétaire tel que Hickman, de grands projets allaient peut-être voir le jour.

Hickman entra dans le bureau et s'empara du téléphone.

Cabrillo pénétra dans le hall de l'hôtel, suivi de Seng et Meadows. Un homme blond vêtu d'un costume noir et de chaussures bien cirées s'approcha immédiatement.

— M. Fleming a réservé un espace de la salle à manger où vous pourrez être tranquilles, lui dit l'homme en parlant du chef du MI5. C'est par ici.

Seng et Meadows se dirigèrent vers la sortie et, comme par magie, deux hommes qui lisaient des journaux dans le hall se levèrent et les suivirent. Ils ne seraient pas seuls pour leur petite reconnaissance.

Cabrillo suivit l'homme blond jusqu'à la salle à manger. Il emprunta un couloir sur la gauche et entra dans un salon privé où était assis un homme, devant une théière et un plateau d'argent rempli de viennoiseries.

— Juan, dit l'homme en se levant pour l'accueillir.

— John, lança Cabrillo en lui tendant la main.

— Ce sera tout, dit Fleming à l'homme blond qui sortit en refermant la porte.

Fleming lui indiqua un siège et Cabrillo s'assit. Fleming lui versa une tasse de thé et fit un geste en direction du plateau de viennoiseries.

— Merci, j'ai mangé, répondit Cabrillo en prenant la tasse de thé.

Fleming planta son regard dans les yeux de Cabrillo et le fixa ainsi un long moment.

— Bon, Juan, qu'est-ce que c'est que ce bordel ?

Dans la salle de conférences de l'*Oregon*, tous les sièges étaient occupés. Hanley entra en dernier, s'avança jusqu'à l'estrade et déposa un dossier sur la pile.

— Voici où on en est, commença-t-il. Nous pensons avoir localisé la bombe dans l'ouest londonien. M. Truitt est allé voir l'appartement que loue secrètement le principal suspect, Nebile Lababiti, et il a pu observer Lababiti arriver tard hier soir avec un autre homme. Après qu'ils sont rentrés dans l'appartement, M. Truitt a passé un compteur Geiger près de la porte mais il n'a rien trouvé. Tous les six, vous allez apporter du renfort à M. Cabrillo, qui est déjà accompagné de M. Seng et M. Meadows. M. Truitt a également posé un émetteur sur la Jaguar de Lababiti et jusqu'à maintenant, il n'y a eu aucun mouvement.

— Quelle est l'échéance à votre avis ? demanda Ross.

— Nous pensons toujours que le plan prévoit une attaque à minuit, répondit Hanley, pour le symbole.

— Nous saurons exactement quelle est notre mission quand nous serons à Londres ? demanda Murphy.

— C'est ça, confirma Hanley. M. Cabrillo va se mettre d'accord avec le MI5. Ils vous affecteront ensuite à vos missions respectives au fur et à mesure des événements.

Le biper de Hanley se mit à vibrer et il l'ôta de sa ceinture pour lire le message.

— Bon, écoutez-moi tous, dit-il. M. Truitt vient d'arriver pour vous emmener à Londres. Il est sur le quai. Assurez-vous de prendre toutes les caisses de matériel que Nixon vous a préparées ; elles sont alignées le long de la passerelle. D'autres questions ?

Personne ne pipa mot.

— Dans ce cas, bonne chance, lança Hanley.

Les six agents sortirent un à un vers la coursive.

Cabrillo finit de briefer Fleming, puis il prit une gorgée de thé.

— Le Premier ministre ne souhaitera pas laisser le public dans l'ignorance de ce problème, avoua Fleming.

— Vous savez que si le Groupe Hammadi se rend compte que sa couverture a été percée à jour, ils peuvent faire exploser la bombe à n'importe quel moment, lui dit Cabrillo. Notre meilleure chance est d'essayer d'entrer en contact avec eux, grâce à notre enregistrement de la voix d'Al-Khalifa, ou alors d'attendre tout simplement qu'ils fassent un mouvement, pour les suivre jusqu'à la bombe, puis de la neutraliser.

— Nous devrions annuler le concert, déclara Fleming. Cela réduira au moins le nombre de personnes sur les lieux.

— Je pense que cela alerterait le Groupe Hammadi, objecta Cabrillo.

— Il faut au moins évacuer la famille royale et le Premier ministre en lieu sûr, insista Fleming.

— Si vous pouvez le faire discrètement, n'hésitez pas.

— C'est le prince Charles qui doit annoncer Elton John avant le concert, mais il pourrait dire qu'il est indisposé, déclara Fleming.

— Utilisez un sosie, proposa Cabrillo.

— Si le plan des terroristes est de faire exploser la bombe pendant le concert, déclara Fleming, et qu'elle n'est pas encore en place, ils devront l'apporter sur le site.

— Si vous envoyez des équipes sonder discrètement les lieux avec des compteurs Geiger et qu'ils ne trouvent aucune trace de radiation, cela signifiera qu'ils ont l'intention d'apporter la bombe dans un véhicule.

— Oui, éliminons déjà les alentours immédiats de la scène, et si nous ne trouvons rien, dit lentement Fleming, il ne nous restera plus qu'à contrôler les routes menant à Mayfair et St. James Park.

— Exactement, acquiesça Cabrillo. La circulation est déjà épouvantable dans les parages. Il suffira de mettre en place des camions dans les rues latérales, prêts à être utilisés pour barrer les grands axes si nécessaire. Mais je ne crois pas que nous en arriverons là. Si c'est bien Lababiti qui détient la bombe, nous savons qu'elle ne se trouve pas dans sa Jaguar, mais elle ne doit pas être loin. Je pense que notre seul espoir est de le coller d'aussi près que des mouches sur une carcasse de viande, puis de l'arrêter le moment venu.

247

— Si nous nous trompons et qu'il ne nous conduit pas à la bombe, poursuivit Fleming, notre seule chance sera de l'arrêter grâce au cordon autour de Mayfair et St. James.

— Si vous disposez vos camions correctement, pas une voiture ne pourra passer par ces rues, assura Cabrillo.

— Mais aurons-nous le temps de neutraliser la bombe ?

— Evidemment, plus nous l'intercepterons loin du lieu du concert, plus nous aurons de temps pour la neutraliser. Assurez-vous que tous vos hommes sont équipés de schémas qui leur permettront de savoir quels câbles couper pour empêcher le détonateur de parvenir au bout de son cycle.

— Ah, soupira Fleming, si seulement nous savions exactement où se trouve la bombe !

— C'est sûr, répliqua Cabrillo, que ce serait quand même plus facile.

40

O VERHOLT faisait son rapport à son commandant en chef.
— Voilà où nous en sommes, monsieur le Président, conclut-il à l'aube du 31 décembre.

— Avez-vous offert aux Britanniques toute l'aide dont nous disposons ? demanda le Président.

— Absolument, répondit Overholt. Fleming, qui dirige le MI5, dit que nous ne pouvons plus rien faire à ce stade, si ce n'est avertir nos experts nucléaires de la base aérienne de Mindenhall, pour qu'ils se tiennent prêts.

— Et je suppose que vous l'avez fait, déclara le Président.

— Ils ont été transférés il y a une heure en hélicoptère par l'US Air Force, confirma Overholt. Ils sont maintenant à Londres et doivent se concerter avec la Corporation et le MI5.

— Que pouvons-nous faire d'autre ?

— J'ai contacté le Pentagone, répondit Overholt. Ils préparent des équipements médicaux et du matériel de première nécessité au cas où ça tournerait mal.

— J'ai ordonné l'évacuation de tous les personnels non essentiels de notre ambassade de Londres, ajouta le Président. Ils étaient déjà peu nombreux à cause des fêtes.

— Je ne vois pas ce que nous pouvons faire de plus, soupira Overholt, à part prier pour que cela finisse bien.

De l'autre côté de l'Atlantique, Fleming résumait la situation au Premier ministre.

— Voilà les dernières nouvelles. Nous devons vous évacuer ainsi que votre famille, dès que possible.

— Je ne suis pas de ceux qui désertent le champ de bataille, déclara le Premier ministre. Evacuez ma famille, mais moi je reste. Si la situation tourne mal, je ne peux pas laisser mourir mes compatriotes alors que j'étais averti de la menace.

S'ensuivit une conversation houleuse pendant quelques minutes : Fleming essayait de persuader le Premier ministre de se laisser mener en lieu sûr. Ce dernier resta inébranlable.

— Monsieur, insista Fleming, le fait que vous deveniez un martyr n'aidera en rien le pays.

— Peut-être, admit le Premier ministre, mais j'ai décidé de rester et je resterai.

— Laissez-nous au moins vous installer dans les bunkers sous le ministère de la Défense, plaida Fleming. Ils sont blindés et équipés de générateurs d'air.

Le Premier ministre se leva. La réunion était close.

— J'assisterai au concert, déclara-t-il. Occupez-vous de la sécurité.

— Oui, monsieur, répondit Fleming en se levant pour gagner la porte.

Dans la petite rue proche du Strand, quatre microphones paraboliques étaient dissimulés dans des immeubles et dirigés vers les fenêtres de l'appartement de Lababiti. Les paraboles captaient les vibrations des vitres et amplifiaient les sons jusqu'à ce que tout dans l'appartement puisse être entendu aussi clairement qu'un enregistrement haute définition.

Une douzaine d'agents du MI5 déguisés en chauffeurs de taxi patrouillaient dans les rues environnantes, tandis que d'autres flânaient dans la rue en faisant du lèche-vitrines ou en mangeant dans des restaurants. A l'hôtel qui se trouvait exactement en face de l'appartement, quelques agents étaient assis dans le hall, et lisaient des journaux, en attendant qu'il se passe quelque chose.

Truitt se leva de son siège près du chauffeur tandis que le car s'arrêtait devant le Savoy. Il avait appelé Cabrillo sur son portable et

Meadows et Seng étaient venus à leur rencontre. Truitt sortit du car, suivi du reste de l'équipe, et entra dans le bâtiment.

— Rendez-vous dans la suite de Cabrillo, annonça Meadows en ouvrant la porte.

A chaque agent qui passait devant lui, Seng tendait une clé de chambre. Quelques minutes plus tard, ils étaient tous réunis dans la suite de Cabrillo. Lorsqu'ils furent tous assis, il prit la parole.

— Les agents du MI5 ont décidé de ne pas tenter d'intercepter l'engin avant que les terroristes aient bougé, dit-il. Nous leur apporterons du renfort au cas où l'arme réussirait à s'approcher des environs du concert.

— Que fait le suspect en ce moment ? demanda Murphy.

— Nous avons mis son appartement sur écoute, répondit Cabrillo, et en ce moment, le suspect et son acolyte dorment.

— En quoi consiste exactement notre mission ? demanda Linda Ross.

— Chacun de vous a été entraîné à désamorcer la bombe, donc vous serez placés le long des itinéraires possibles pour aller de l'appartement au lieu du concert. Nous attendrons ici au cas où on nous appellerait.

Cabrillo s'approcha d'un tableau en liège posé sur un chevalet. Un grand plan de Londres était épinglé et une série d'axes avaient été surlignés au marqueur jaune.

— D'après la situation de l'appartement, ce sont les itinéraires les plus probables, dit Cabrillo. Nous pensons, où que se trouve la bombe en ce moment, que celui qui la détient va passer chercher Lababiti et l'autre homme pour qu'ils la transportent ensemble jusqu'à St. James Park.

— Vous croyez qu'ils vont cacher la bombe, puis armer le détonateur et s'enfuir ? demanda Kasim.

— C'est ce que nous espérons, admit Cabrillo. Ce type d'engin possède un interrupteur de sûreté qui exige un laps de temps de dix minutes entre l'amorce et la détonation, afin d'éviter les explosions involontaires.

— Donc il ne suffit pas d'appuyer sur l'interrupteur pour que le processus de fission commence ? demanda Julia Huxley.

— Non, répondit Cabrillo. Les bombes russes sont semblables aux nôtres sur ce point. Elles exigent une série de manœuvres avant que l'engin puisse être opérationnel. Nous pensons que la bombe qu'ils ont achetée est petite et conçue pour des destructions ciblées. Elle peut tenir tout entière dans une caisse d'un mètre cinquante de long sur un mètre de large et un mètre de hauteur.

— Combien pèse-t-elle ? demanda Franklin Lincoln.

— Moins de deux cents kilos.

— Donc nous savons qu'ils ne peuvent pas la transporter sur un vélo, par exemple.

— Ils auront besoin d'un véhicule motorisé, déclara Cabrillo, ce qui signifie qu'ils devront emprunter les routes.

Il désigna l'appartement sur la carte.

— Depuis l'appartement, dit-il, il y a deux itinéraires possibles. Le premier est juste derrière nous. Ils peuvent tourner sur Savoy Street en direction de la Tamise et prendre les quais vers le sud. Une fois sur le quai Victoria, plusieurs possibilités s'offrent à eux : tourner à Northumberland Avenue et emprunter le Mall, ou bien continuer sur Bridge Street et Great George Street, puis descendre Birdcage Walk. La deuxième possibilité est de filer tout droit du Strand au Mall, mais cela oblige à passer par Charing Cross et Trafalgar Square, où la circulation est en général très importante. Enfin, ils peuvent toujours emprunter les petites rues latérales, qui forment un itinéraire moins direct mais plus difficile à suivre. Pour l'instant, nous ne pouvons qu'élaborer des hypothèses.

— Qu'est-ce que vous en pensez, chef ? demanda Truitt.

— Je ne crois pas qu'ils comptent transférer la bombe depuis un autre quartier de Londres, dit doucement Cabrillo. Je crois qu'elle n'est pas loin. Le point de départ est sans doute l'appartement où un lieu très proche, et si j'étais le chauffeur, je voudrais me débarrasser aussi vite que possible de ma mission, pour essayer d'échapper au plus fort de l'onde de choc. Je prendrais les quais, j'irais jusqu'à St. James Park et je m'enfuirais en surveillant l'heure. Au bout de neuf minutes, je chercherais un immeuble costaud pour me cacher.

— Jusqu'où s'étendrait le souffle de l'explosion ? demanda Truitt.

Cabrillo prit le marqueur et dessina un cercle. Au nord se trouvaient la A40 et la gare de Paddington, et au sud, Chelsea, presque jusqu'à la Tamise. La limite Est était Piccadilly Circus et l'ouest s'étendait jusqu'aux extrémités de Kensington et Notting Hill.

— Tout ce qui est à l'intérieur de ce cercle sera complètement anéanti. Autour, il y aura un cercle d'un kilomètre de diamètre qui sera lourdement endommagé, y compris la plupart des ministères, et dans un cercle de huit kilomètres de rayon à partir du centre de l'explosion, les immeubles seront endommagés et les retombées radioactives très importantes.

Tous observèrent la carte.

— Ça fait presque la totalité de Londres, murmura enfin Murphy.

— Et nous nous ferons griller nous aussi, remarqua Julia Huxley, le médecin de l'équipe.

— Griller, demanda Jones, au sens médical du terme?

Larry King se dirigea à pied vers l'endroit où Adams venait de se poser, non loin de l'*Oregon*. Il se pencha pour se protéger des pales qui tournaient, ouvrit la porte arrière du Robinson, fit glisser l'étui de son arme à l'intérieur, puis claqua la portière et vint s'installer à l'avant sur le siège du passager. Il enfila un casque, referma la porte et la verrouilla avant de parler.

— Salut George, fit-il, laconique.

— Larry, le salua Adams en tirant sur le collectif pour décoller, comment ça va?

— Belle journée pour la chasse, répondit King en regardant le paysage par la fenêtre.

Hanley avait obtenu l'autorisation de poser l'hélicoptère sur le toit d'une banque fermée pour les fêtes. L'héliport qui s'y trouvait servait aux livraisons de courrier nocturnes les jours de semaine.

Mais d'abord, ils avaient un paquet à livrer à Battersea Park.

Meadows, Seng et Truitt, assis dans la Range Rover prêtée par le MI5, scrutaient le ciel. Dès que le Robinson apparut, Meadows se retourna vers Truitt.

— Votre Majesté, votre visage est arrivé, déclara-t-il.

Substituer Truitt au prince Charles était une idée de Cabrillo, à laquelle avait souscrit Fleming. D'abord, la Boutique Magique de l'*Oregon* disposait des capacités techniques pour réaliser un masque en latex qui reproduisait fidèlement les traits du prince et qui s'adapterait au visage de n'importe quel membre de la Corporation, grâce aux données numérisées de leur visage que possédait déjà Nixon. Ensuite, Cabrillo voulait un homme qui ne risque pas de flancher pour ce rôle et on ne pouvait pas faire plus imperturbable que Truitt. Enfin, de tous les hommes de la Corporation, c'était Truitt qui avait la taille et la stature les plus proches de celles de l'héritier du trône.

— Dans ce cas, déclara Truitt, je suggère qu'un roturier aille chercher le paquet ; il fait froid et humide et je suis bien au chaud ici.

Meadows se mit à rire et ouvrit la porte. Il courut vers l'hélicoptère qui se posait et prit la boîte contenant le masque des mains de King. Il regagna la Range Rover et se tourna pour regarder Adams décoller.

Adams traversa de nouveau la Tamise et prit vers le nord sur une petite distance jusqu'à l'intérieur de Westminster. Là, sur Palace Street, il trouva la banque et se posa sur le toit.

King descendit et s'avança pour regarder par-dessus le rebord du muret qui entourait le toit. Au nord-ouest, il aperçut les jardins de Buckingham Palace et Hyde Park au nord.

Des marchands ambulants s'installaient déjà pour le concert du soir.

Le grand camion de glaces Ben & Jerry n'était guère attrayant en cette saison, contrairement à l'enseigne Starbucks. King regagna le Robinson et sourit à Adams.

— Il y a de la nourriture, des bouteilles d'eau, du soda et des Thermos de café préparées par les cuisines dans un des paquets à l'arrière. J'ai acheté des bouquins et des magazines qui sont dans l'autre sac.

— Combien de temps penses-tu qu'on attende ?

King consulta sa montre. Il était dix heures du matin.

— Au maximum quatorze heures, répondit-il, mais il faut espérer qu'ils trouveront la bombe plus tôt.

Au Savoy, les agents enfilaient les vêtements que Truitt avait achetés. Un par un, ils revenaient dans la suite de Cabrillo pour être affectés à leur poste. Chacun d'eux était équipé de micro-radios avec des oreillettes pour communiquer. Les émetteurs étaient attachés autour du cou, près du larynx. Pour parler, il leur suffisait de porter leur doigt à leur gorge ; tous les autres entendaient alors le message.

Les trois binômes se répartiraient le long de Green Park en un arc de cercle dont la partie fermée se trouvait près du Strand et la partie ouverte face à Green Park et St. James Park.

Au nord-ouest, Kasim et Ross se posteraient sur Piccadilly entre Dover Street et Berkley Street.

Ils quittèrent le Savoy et une voiture avec chauffeur du MI5 les y conduisit. Au centre du demi-cercle se trouvaient Jones et Huxley, en face de Trafalgar Square, près de la station de métro Charing Cross. Si la bombe arrivait droit du Strand, elle passerait tout près d'eux. La dernière équipe, composée de Murphy et Lincoln, devait se placer devant les War Cabinet Rooms, à l'intersection de Great George Street et Horse Guard Road. Si la bombe arrivait par les quais, ils seraient en mesure de l'intercepter. En se positionnant correctement, ils pouvaient voir St. James Park.

Comme ils étaient les seuls à disposer d'une vue dégagée pour tirer, Murphy avait un sac plein de petits missiles à lancement manuel, de fusils et de grenades fumigènes. Les autres binômes étaient armés de revolvers, de couteaux et de pointes aiguisées à répandre sur la route pour crever n'importe quels pneus.

Cabrillo resterait dans les environs de l'appartement, une zone qui grouillait d'agents du MI5. L'après-midi arriva sans qu'il y ait eu un seul mouvement.

41

LABABITI était peut-être un débauché et une ordure, mais il était également un terroriste extrêmement entraîné et, en ce jour critique, il ne voulait rien laisser au hasard. Il réveilla Amad en début d'après-midi, et posant la main sur la bouche du jeune garçon, il lui montra une feuille de papier. Il avait écrit en arabe : *A partir de maintenant, on ne parle plus, on communique seulement par écrit.* Amad hocha la tête et s'assit dans son lit.

Attrapant un papier et un crayon que lui tendait Lababiti, il griffonna un message.

Est-ce que les infidèles nous écoutent ?

On ne sait jamais, répondit Lababiti.

Au cours des heures suivantes, les deux hommes ne communiquèrent que par écrit. Lababiti lui expliqua le plan ; Amad s'assura d'avoir bien compris la mission. Londres était plongé dans l'obscurité lorsque les préparatifs furent terminés. Le dernier message de Lababiti était succinct.

Je dois partir bientôt. Tu sais où se trouve le glaive d'Allah et ce que tu dois en faire. Qu'Allah soit avec toi pour cette mission.

Amad déglutit et hocha la tête. Ses mains tremblaient lorsque Lababiti lui tendit un verre d'arak pour calmer ses nerfs. Quelques minutes plus tard, Cabrillo décida enfin d'utiliser le téléphone d'Al-Khalifa pour appeler l'appartement. Mais à ce moment-là, les deux hommes ne parlaient plus et le téléphone sonna quatre fois avant que le répondeur se déclenche. Cabrillo préféra ne pas laisser de message.

L'atout que la Corporation avait gardé dans sa manche ne se révélait finalement d'aucune utilité.

— Ça bouge, annonça par radio un des cinq hommes du MI5 qui surveillaient les micros paraboliques.

Il était à peine vingt et une heures et une fine neige s'était mise à tomber. Il faisait tout juste 0 °C et la neige ne tenait pas sur les routes, elle ne faisait que les mouiller. Si la température baissait encore, elles allaient verglacer. Les immeubles commençaient à être légèrement saupoudrés et des nuages de vapeur s'échappaient des bouches d'aération sous les toits. Les décorations de Noël qui restaient dans les vitrines ajoutaient un élément festif au décor et les rues étaient remplies de passants en vacances.

Tout aurait été tranquille, s'il n'y avait pas eu de bombe nucléaire dans les parages.

Lababiti emprunta l'ascenseur pour descendre. Il avait expliqué à Amad comment se rendre dans la boutique vide. On avait révisé le véhicule et fait le plein une semaine avant. Le Yéménite savait comment enclencher le détonateur. Il n'y avait rien d'autre à faire.

Rien d'autre que de prendre la fuite.

Le plan de Lababiti était simple. Il roulerait jusqu'à la M20, qu'il emprunterait vers le sud jusqu'au terminal de Folkestone à environ quatre-vingts kilomètres. Il serait là-bas une demi-heure avant le départ, comme il était demandé, et embarquerait la Jaguar sur le Shuttle qui devait partir à vingt-trois heures trente.

Le train quitterait tout juste le tunnel sous la Manche à minuit pour arriver à Coquelles, près de Calais, à minuit cinq. Lababiti ne risquerait pas d'être enterré par un éventuel effondrement du tunnel mais il pourrait tout de même apercevoir l'explosion par la fenêtre du train.

C'était une fuite soigneusement orchestrée et minutée.

Lababiti ne pouvait pas savoir que des dizaines d'agents du MI5, tout comme ceux de la Corporation, surveillaient ses faits et gestes. Il n'était plus qu'un lièvre pourchassé par une meute toujours plus proche.

Lababiti sortit de l'ascenseur, traversa le hall et se retrouva dans la rue. Rien ne lui sembla inhabituel lorsqu'il balaya les environs du regard. Il se sentait confiant et à l'aise, mais avait l'impression énervante que des yeux invisibles l'épiaient. De la paranoïa pure et simple, songea-t-il, sûrement parce qu'il était le seul à être au courant de la destruction imminente. Lababiti chassa ces pensées d'un haussement d'épaules, ouvrit la portière de la Jaguar et monta.

Il démarra, passa la première et descendit le Strand de quelques mètres avant de tourner à droite.

— Je le suis, annonça par radio un agent du MI5.

L'émetteur installé par Truitt sous le réservoir d'essence fonctionnait parfaitement.

Près de l'entrée du Savoy, Fleming et Cabrillo, debout sur le trottoir, observèrent la Jaguar attendre au feu pour tourner au coin de la rue. Fleming tourna le dos à la voiture pour parler dans le micro attaché à son cou.

— Equipes quatre et cinq, suivez-le à distance.

La Jaguar tourna et un taxi sortit de la place où il était garé pour le suivre à distance. Un pâté de maisons plus loin, la Jaguar passa devant une petite camionnette portant le logo d'une entreprise de livraison en vingt-quatre heures ; la camionnette s'inséra dans la circulation et la suivit discrètement.

— La Jaguar n'était pas radioactive, la bombe ne se trouve pas dedans, rappela Fleming à Cabrillo. Alors où croyez-vous qu'il aille ?

— Il s'enfuit ! s'exclama Cabrillo. Il laisse le gamin faire un boulot d'homme.

— A quel moment devons-nous l'intercepter ? s'enquit Fleming.

— Laissez-le atteindre sa destination, suggéra Cabrillo. L'aéroport, ou la gare, ou autre. Ensuite, faites-le arrêter. Mais que vos hommes s'assurent qu'il n'ait pas la possibilité de téléphoner avant la garde à vue.

— Et ensuite ? demanda Fleming.

— Ramenez-le ici, déclara Cabrillo d'une voix plus glaciale que l'atmosphère environnante. Nous ne voudrions pour rien au monde qu'il rate la fête.

— Magnifique, fit Fleming.

— Voyons à quel point il est prêt à mourir pour Allah.

Plus minuit approchait, plus la tension augmentait.

Les micros de l'appartement de Lababiti ne transmettaient que les prières à haute voix d'Amad. Fleming était posté à l'hôtel avec une douzaine d'hommes du MI5. Les trois équipes de la Corporation étaient en place depuis plus de treize heures. L'attente les usait. Cabrillo faisait des allées et venues près de Bedford Street; il passa une centaine de fois devant le magasin de motos classiques, le traiteur indien et la petite épicerie.

— Il faut qu'on y aille, déclara un agent du MI5 à Fleming.

— Et si la bombe se trouve à quelques rues d'ici? fit Fleming, si quelqu'un actionne le détonateur? Dans ce cas, on la loupe, et Londres brûle. On attend; il n'y a rien d'autre à faire.

Un autre agent du MI5 entra dans le hall de l'hôtel.

— Monsieur, dit-il à Fleming, nous avons en ce moment vingt véhicules qui patrouillent dans le quartier. Dès que le suspect grimpera dans une voiture, nous pourrons bloquer la circulation en un instant.

— Et les démineurs sont sur place, prêts à intervenir?

— Quatre experts britanniques, confirma l'homme, et deux Américains de l'US Air Force.

A cet instant, Amad cessa de prier et un bruit de pas résonna sur le sol de l'appartement.

— Il y a du mouvement, annonça Fleming par radio aux dizaines d'hommes en attente. Ne tentez rien pour l'instant.

Fleming priait pour que tout soit bientôt fini. Il était vingt-trois heures quarante-neuf.

Il y avait des agents du MI5 devant, derrière et de tous les côtés de l'immeuble. Toutes les voitures garées dans la rue avaient été munies d'une commande à distance et d'un engin électronique capable de provoquer un court-circuit. Chacune avait été passée au compteur Geiger et on n'avait rien trouvé.

Tout le monde était persuadé qu'Amad allait se rendre à un autre endroit pour y prendre la bombe.

Mais celle-ci était au rez-de-chaussée, installée dans le side-car d'une moto russe de la marque Ural, identique à celle sur laquelle s'était entraîné Amad au Yémen.

Dès que la porte de l'appartement s'ouvrit et qu'Amad sortit, un agent du MI5 passa dans le hall et regarda le voyant de l'ascenseur. Il le vit monter et s'arrêter à l'étage de Lababiti, puis redescendre. L'ascenseur s'arrêta au premier étage.

L'agent du MI5 murmura ces informations dans sa radio, puis sortit rapidement de l'immeuble. Tous ceux qui écoutaient se figèrent : c'était maintenant que tout se jouait.

La nourriture et la bière coulaient à flots dans une atmosphère pleine d'entrain malgré le froid et les quelques flocons de neige. Dans les environs de Hyde Park et de Green Park affluaient des dizaines de milliers de spectateurs. En coulisses, un agent de liaison du MI5 expliquait la froide réalité à Elton John.

— Vous auriez dû nous avertir ! s'exclama son agent, nous aurions pu annuler.

— Il a déjà donné l'explication, répliqua Elton John. Cela aurait donné l'alerte aux terroristes.

Vêtu d'une tenue de scène jaune à paillettes, de lunettes de soleil décorées de pierres précieuses et de bottes noires à semelles compensées avec des lumières clignotantes, Elton John aurait pu être considéré comme un de ces musiciens capricieux et gâtés. La vérité était bien différente. Reginald Dwight avait péniblement gravi les échelons de l'existence grâce à sa force, sa persévérance et des dizaines d'années de travail acharné. Personne ne peut dominer les ventes de disques année après année sans être à la fois solide et réaliste. Elton John était un battant.

— La famille royale a été évacuée, c'est ça ? demanda-t-il.

— Venez par ici, monsieur Truitt, appela l'agent du MI5 à l'extérieur de la caravane.

Truitt ouvrit la porte et entra.

— Voici la doublure du prince Charles, annonça l'agent.

John regarda Truitt et sourit.

— Ça lui ressemble, commenta-t-il.

— Monsieur, déclara Truitt, je veux que vous sachiez que nous allons retrouver la bombe et la désamorcer avant qu'il n'arrive quelque chose. Nous vous remercions de votre coopération.

— J'ai confiance dans le MI5, répliqua Elton John.

— Lui, il est du MI5, précisa Truitt. Moi je fais partie d'un groupe qui s'appelle la Corporation.

— La Corporation ? répéta le chanteur. Qu'est-ce que c'est ?

— Nous sommes des agents secrets indépendants.

— Des agents secrets indépendants ! fit Elton John en secouant la tête. Voyez-vous ça ! Et vous êtes bons ?

— Nous avons un taux de réussite de cent pour cent.

Le chanteur se leva de son fauteuil ; il était temps de se préparer pour le spectacle.

— Faites-moi plaisir, déclara-t-il. Soyez à cent dix pour cent sur ce coup-là.

Truitt opina.

Elton John était à la porte mais il s'arrêta.

— Dites au cameraman de ne pas faire de gros plans sur le prince Charles ; au cas où les terroristes regarderaient.

— Tu vas y aller ? s'exclama son agent, incrédule.

— Et comment ! Il y a des milliers de compatriotes qui sont venus me voir sur scène. Soit ces types, dit-il avec un geste vers Truitt et l'agent du MI5, réussissent à résoudre le problème, soit je pars en chantant.

Truitt sourit et suivit Elton John jusqu'à la porte.

Il y a six moyens de pénétrer dans une pièce. Quatre murs, un plancher ou un plafond. Amad se servait d'une échelle. A l'extrémité du couloir du premier étage se trouvait un placard. Deux mois auparavant, Lababiti avait soigneusement scié les quatre coins du plancher pour l'ôter et révéler le sol brut. Puis, à l'aide d'une scie sauteuse de soixante centimètres de diamètre, il y avait percé un trou pour accéder au local du rez-de-chaussée. Dans l'interstice entre le sol et le plancher, il avait dissimulé une échelle de corde. Après avoir nettoyé la poussière en bas, il avait rattaché le rond du plafond. Puis il avait remis du mastic sur les bords pour que l'on ne puisse rien déceler à l'œil nu.

Amad pénétra dans le placard grâce à une clé copiée par Lababiti.

En laissant la porte ouverte sur le couloir vide, il souleva la trappe découpée dans le plancher à l'aide d'un tournevis. Puis, il la rabattit contre le mur et ferma la porte derrière lui. Il prit deux crochets dans sa poche et les vissa dans un mur, puis y attacha l'échelle de corde. Après avoir enlevé les attaches qui retenaient le rond du plafond, Amad le souleva et le posa dans le placard.

Puis il jeta l'échelle dans le trou et descendit.

Tous les agents du MI5 sur les toits avaient leurs lunettes braquées sur le premier étage.

— Rien, rapportaient-ils un à un.

Celui qui était entré dans l'immeuble quelques instants plus tôt y retourna et vit le voyant de l'ascenseur toujours sur le premier étage.

— Toujours au premier, déclara-t-il à Fleming par radio.

Dans l'hôtel en face, Fleming regardait sa montre. Quatre minutes s'étaient écoulées depuis que le suspect avait arrêté l'ascenseur au premier.

— Montez par l'escalier, ordonna-t-il à l'agent.

Amad consulta les instructions rédigées en arabe, puis ouvrit le regard donnant sur le mécanisme d'armement. Les symboles étaient en cyrillique mais le diagramme était facile à suivre. Amad releva un interrupteur et une diode se mit à clignoter. Tournant un bouton, il ajusta le minuteur à cinq.

Puis il enfourcha l'Ural et démarra le moteur d'un coup de pédale. Il trouva, scotché aux poignées, le boîtier qui commandait l'ouverture de la porte du garage et appuya sur le bouton. Il passa la première et avançait déjà à quinze kilomètres à l'heure lorsque la porte du garage s'ouvrit.

Tout se passa d'un seul coup.

Au moment où l'agent arriva au premier étage et découvrit qu'il n'y avait personne, la porte du garage commençait à s'ouvrir.

— Il y a une porte qui s'ouvre, annonça Fleming par radio en s'élançant vers la porte de l'hôtel.

Il était parvenu aux battants vitrés lorsqu'une moto apparut et sortit dans la rue. En une seconde, Amad était à l'intersection avec le Strand.

— Le suspect est sur une moto ! hurla-t-il dans sa radio.

Les tireurs d'élite avaient leur arme pointée sur Amad mais il tourna avant que soit donné l'ordre de tirer.

Sur le Strand, trois taxis conduits par des agents secrets britanniques avaient entendu l'appel radio et se mirent en place pour tenter de bloquer la moto. Amad fit un écart et monta sur le trottoir pour leur échapper, puis revint sur la chaussée et accéléra à fond. A toute vitesse, il se glissait entre les voitures comme un fou.

Devant lui, un camion de la police essaya de bloquer la rue mais Amad réussit à se faufiler.

Ils me poursuivent, songea-t-il.

Maintenant, il n'avait plus qu'à transporter la bombe jusqu'à l'endroit prévu, ou mourir sur le chemin. Quoi qu'il arrive, il mourrait en martyr. Et quoi qu'il arrive, Londres serait anéanti.

Cabrillo vit que les véhicules du MI5 ne réussissaient pas à barrer la rue. Ils n'avaient pas prévu que le terroriste pourrait utiliser une moto et cela compromettait toute l'opération. Il n'y avait plus qu'une chose à faire ; et Cabrillo n'hésita pas un instant.

Il attrapa un présentoir à journaux sur le trottoir et le lança à toute volée dans la vitrine du magasin de motos anciennes. L'alarme se déclencha. Cabrillo passa à travers le verre brisé. La Vincent Black Shadow de 1952 avait la clé sur le contact. Il se servit de sa botte pour dégager les bouts de verre puis il appuya sur la pédale de démarrage et le moteur vrombit. Il souleva l'avant de la Vincent pour passer par-dessus le rebord de la vitrine, enclencha la première, franchit le seuil et atterrit sur le trottoir.

L'Ural passa devant le magasin de motos et se mit à descendre le Strand.

Cabrillo tourna l'accélérateur et fonça. L'Ural était rapide mais aucune moto ne peut rivaliser avec la Black Shadow. Si l'Ural n'avait pas eu une bonne longueur d'avance, la Shadow l'aurait rattrapée en quelques secondes.

— Le suspect est sur une moto vert foncé avec un side-car, il descend le Strand, cria Fleming dans sa radio, il transporte la bombe. Je répète, il transporte la bombe.

Le Robinson décolla, avec Adams et King à son bord. Près de Trafalgar Square, Jones et Huxley tirèrent leurs armes et les pointèrent sur la rue. Des centaines de personnes déambulaient et malgré leurs efforts pour obtenir un angle de tir dégagé, ils ne purent y parvenir. Devant les War Cabinet Rooms, Murphy et Lincoln se détournèrent du quai et se mirent à observer Hyde Park et Green Park. Sur Piccadilly Street, Kasim et Ross se séparèrent pour couvrir chacun une extrémité de la rue.

Truitt restait à l'écart des autres en coulisses jusqu'à ce qu'arrive le moment de monter en scène. Il dansait d'un pied sur l'autre pour tromper son attente.

— C'est l'heure, annonça l'agent de John.

Truitt voulut faire signe à l'homme du MI5, mais celui-ci était en communication radio, donc il monta sur scène et s'approcha du micro.

— Mesdames et messieurs, dit-il, je vous prie d'accueillir cette nouvelle année en compagnie du musicien préféré de l'Angleterre, sir Elton John.

Hormis la lumière du projecteur braqué sur Truitt, l'obscurité était complète sur la scène. Puis un spot s'alluma sur Elton John, assis devant un piano surélevé. Toujours vêtu de sa tenue jaune à paillettes, il s'était coiffé d'un casque de l'armée britannique en Kevlar.

L'introduction de la chanson « Saturday night's alright for Fighting » retentit. Quelques secondes plus tard, Elton John commençait à chanter.

Truitt regagna les coulisses et s'approcha de l'agent du MI5.

— Le suspect est sur une moto et se dirige droit sur nous, lui dit l'homme.

— Je vais dans le public, annonça Truitt.

L'Ural passa devant la colonne Nelson, talonnée par la Black Shadow. Cabrillo aurait voulu ouvrir son manteau pour attraper son arme dans son holster mais il ne pouvait pas enlever les mains du guidon. Il accéléra et arriva à hauteur de l'Ural juste devant Charing Cross. Huxley et Jones accoururent et essayèrent de viser mais les deux motos étaient trop près l'une de l'autre et la foule trop dense.

A l'intersection du Strand et de Cockspur Street, Cabrillo se colla à l'Ural et décocha un coup de pied à Amad. Ce dernier fit une embardée mais reprit le contrôle.

— Ils vont passer par le Mall ! cria Jones dans sa radio.

Kasim et Ross se mirent à traverser Queen's Walk en courant en direction du concert.

Murphy pouvait se montrer nerveux, mais lorsqu'il avait un fusil de sniper entre les mains, il était toujours très calme. Lincoln faisait le repérage et observait les parcs devant eux.

— Le seul endroit où tu as une bonne visibilité entre les arbres, c'est quand ils atteindront presque le Mémorial de la Reine Victoria, dit Lincoln.

— La rue autour du Mémorial tourne dans le sens des aiguilles d'une montre, c'est bien ça ?

— Exact.

— Je vais shooter ce salopard au moment où il ralentira pour prendre le virage, comme JFK, dit Murphy.

— Je les ai, annonça Lincoln qui venait d'apercevoir l'avant des deux motos.

Adams vira à gauche, juste avant les bâtiments de l'Old Admiralty, et descendit sur le Mall derrière les motos.

— Tête ! lança King dans le casque.

— C'est pas le moment de parler foot...

— Mais non, rétorqua King, je vais viser la tête de cette ordure.

Il visa et retint son souffle. Le vent froid qui s'engouffrait par la porte de l'hélicoptère le faisait larmoyer mais il s'en rendait à peine compte.

Cabrillo regarda devant lui. Il y avait une rangée de buvettes le long de l'allée qui bordait le Mémorial de la Reine Victoria. Ils approchaient du lieu du concert. Il se rapprocha pour se préparer à sauter sur l'Ural.

— Quatre, trois, deux, un, lança Lincoln.

Murphy appuya sur la détente au moment où King tirait en rafales depuis l'hélicoptère. Amad était presque à l'intérieur du cercle lorsque le sang éclata sur sa tête, sa poitrine et ses épaules. En une seconde, il était mort et lorsque Cabrillo sauta de la Vincent à l'Ural, ses mains agrippèrent un corps sans vie.

La Vincent se fracassa sur la chaussée dans un concert d'étincelles et fit des tonneaux avant de s'arrêter. Cabrillo poussa Amad par terre et il rebondit sur le sol comme un pantin. Il trouva le levier de vitesses, mit l'Ural au point mort et appuya sur le frein. La moto s'arrêta juste devant la rangée de buvettes.

Cabrillo regarda le minuteur. Le compte à rebours venait de passer sous la barre du deux. Cabrillo espérait qu'il s'agissait bien de minutes et pas d'une unité plus courte.

Truitt n'avait parcouru qu'une vingtaine de mètres dans la foule quand il se rendit compte qu'il fallait se débarrasser de son masque. Sous les traits du prince Charles, tout le monde voulait le toucher mais lorsqu'il enleva son masque, les gens s'écartèrent.

— M. Cabrillo a pris le contrôle de la bombe au Mémorial de la Reine Victoria, annonça Lincoln dans la radio.

Des hurlements de sirène résonnèrent tandis que des équipes du MI5 dans des voitures banalisées installaient leurs gyrophares sur le toit pour foncer vers le Mémorial. Des barrages se mirent en place pour bloquer la circulation et une sirène de raid aérien retentit. Truitt traversa la rue en courant et arriva auprès de Cabrillo alors qu'il sectionnait le câble.

— La bombe est toujours active ! cria Cabrillo dès qu'il vit Truitt.

Truitt parcourut rapidement du regard les alentours. Il y avait un camion de glaces Ben & Jerry le long de la route. Il s'y précipita et en ouvrit la porte arrière. L'employé n'eut pas le temps de réagir que Truitt était déjà entré. Il attrapa un bloc de glace entre ses mains gantées et revint en courant auprès de Cabrillo qui était en train de démonter l'ogive nucléaire à l'aide de pinces Leatherman.

Cabrillo venait d'ouvrir le regard du mécanisme de mise à feu lorsque Truitt arriva.

— Essayons de geler le mécanisme, dit Truitt.

Le minuteur était à une minute douze.

— Allez-y ! cria Cabrillo.

Les gants de Truitt étaient gelés par le bloc de glace et il ne sentait plus ses mains. Il jeta le bloc avec ses gants sur l'ogive et glissa ses mains grises sous ses aisselles. Le minuteur cliqueta encore quelques fois et s'arrêta.

Cabrillo regarda Truitt en souriant.

— Je suis surpris que ça ait marché, lança-t-il.

— Nécessité fait loi, rétorqua Truitt en claquant des dents.

Cabrillo hocha la tête et prit son micro-cravate.

— J'ai besoin des démineurs au Mémorial de la Reine Victoria le plus vite possible.

Les feux d'artifice fusèrent au-dessus du parc et à travers la ville pour célébrer la nouvelle année.

Deux minutes plus tard, une voiture arrivait et un militaire britannique en descendait. Bientôt, une deuxième voiture se garait, transportant elle un expert américain. Cinq minutes plus tard, les deux hommes avaient enlevé et embarqué le mécanisme de mise à feu. A présent, la bombe n'était plus que la coquille d'un noyau d'uranium enrichi.

Son cœur avait été arraché à son corps, et avec lui, la force vitale capable de donner la mort.

Tandis que les experts désamorçaient la bombe, Cabrillo et Truitt s'avancèrent vers le corps d'Amad qui gisait sur la chaussée dans une mare de sang. La radio avait rapporté l'arrestation de Lababiti qui était actuellement dans un hélicoptère à destination de Londres. Les chansons d'Elton John emplissaient toujours l'atmosphère. La zone autour de la moto avait été bouclée par les militaires anglais et les agents secrets ; la plupart des spectateurs du concert ignoraient ce qu'il s'était passé.

— Ce n'était qu'un gosse, constata Cabrillo en baissant les yeux.

Truitt hocha la tête.

— On va vous emmener voir un toubib pour vos mains.

Kasim et Ross, arrivés quelques minutes après l'arrêt du minuteur, rapportèrent la Black Shadow cabossée à Cabrillo. La vieille moto était mal en point. Les réservoirs et la carrosserie étaient rayés, le guidon tordu et un pneu crevé. Un parfait spécimen de l'histoire de la moto avait été détruit. Cabrillo regarda l'engin et secoua la tête.

— Je voudrais que vous retourniez à la boutique, dit-il à Ross et Kasim, pour payer cette moto. Ensuite, demandez au vendeur où on peut l'envoyer pour la faire restaurer.

— Vous la gardez, chef ? demanda Ross.

— Et comment ! s'exclama Cabrillo.

A ce moment apparut Fleming, et Cabrillo s'approcha pour lui faire son rapport. On ramenait Lababiti à Londres mais il faudrait des semaines pour obtenir toutes les informations manquantes.

Deuxième partie

42

A BORD de la frégate lance-missiles de la marine américaine, Scott Thompson et son équipage du *Free Enterprise* n'avaient pas encore craqué. Ils s'étaient fait cuisiner par le commandant du navire américain, mais n'avaient rien révélé depuis leur arrestation.

Dans la timonerie, le commandant Timothy Gant attendait l'arrivée d'un hélicoptère en provenance de la terre. Le ciel était noir et le vent fouettait l'écume à la crête des vagues. Sur le radar, un signal lumineux rendait compte de la progression de l'hélicoptère.

— Il est en approche finale, monsieur, annonça l'homme de barre, les vents soufflent de trente à quarante kilomètres à l'heure du nord et du nord-ouest.

Gant prit sa radio.

— Accrochez-le au pont dès qu'il se sera posé, commanda-t-il au responsable de l'équipage.

— Compris, monsieur.

L'hélicoptère apparut dans le brouillard transpercé par les feux d'atterrissage. Il se dirigeait droit sur le bateau, ralentissant à peine.

— Chaud devant ! annonça le pilote par radio.

Cent mètres, quatre-vingts, soixante, quarante, vingt avant que le pilote ralentisse. Lorsqu'il fut pile au-dessus du pont et à un tiers de sa descente, il discerna d'abord les hommes équipés de lampes-torches, puis l'espace dégagé sur le pont et posa l'hélicoptère. Dès que les patins furent au contact du pont, des matelots accoururent courbés en deux pour les sécuriser avec des chaînes. Les pales ne s'étaient pas encore arrêtées qu'un homme portant une valise débarquait de l'appareil; on le guida vers l'intérieur. Gant était descendu de la timonerie et lui ouvrit la porte.

— Venez vite à l'abri, déclara Gant tandis que l'homme entrait dans le bateau. Je suis le commandant Timothy Gant.

L'homme était grand et maigre, avec une peau vérolée et un nez crochu.

— Docteur Jack Berg, se présenta-t-il. Central Intelligence Agency.

— Les prisonniers n'ont pas encore parlé, prévint Gant en conduisant le médecin vers la prison.

— Ne vous inquiétez pas, rétorqua calmement Berg. C'est pour ça que je suis là.

Trouver un technicien pour réparer la scie en pleine période de fêtes n'était pas une tâche des plus faciles. Finalement, Dwyer était entré dans la pièce isolée, revêtu d'une combinaison anticontamination et il avait fait la réparation lui-même. Heureusement, le problème était en réalité assez simple : l'une des courroies qui faisaient tourner la lame avait déraillé et Dwyer n'avait eu qu'à resserrer la poulie avec une clé. Après avoir contrôlé l'efficacité de ses réparations à l'intérieur de la pièce étanche et constaté que la scie fonctionnait, Dwyer était ressorti par le sas, avait lavé sa combinaison sous la douche chimique, puis l'avait enlevée et fait sécher avant de regagner la salle principale.

Le technicien qui surveillait les jauges releva les yeux.

— Pas de fuites, déclara-t-il. Et on dirait que vous avez réparé la scie ?

Dwyer opina et appuya sur le bouton pour redémarrer la scie. Dès que la lame se mit à tourner, il s'approcha de la manette de contrôle et abaissa la scie sur l'échantillon prélevé dans le cratère en Arizona. La lame mordit dans le morceau de métal gros comme un citron et des étincelles se mirent à jaillir telles les gerbes pétillantes d'un cierge magique de la Fête nationale.

Dwyer était au milieu du bloc quand l'alarme se déclencha.

— Pression négative ! cria le technicien.

— Ajoutez de l'air.

Le technicien tourna un cadran et regarda les compteurs sur le mur.

— Ça dégringole toujours ! hurla-t-il.

A l'intérieur de la pièce isolée, des tourbillons semblables à une minitornade s'étaient formés. Plusieurs échantillons furent soulevés comme s'ils ne pesaient rien et la clé à vis que Dwyer avait laissée à l'intérieur fut aspirée au-dessus de l'établi et se mit à danser dans les airs près de la scie. C'était comme si un tuyau géant avait été ouvert et que l'air contenu dans la pièce était avalé vers le néant.

— Air au maximum ! cria Dwyer.

Le technicien tourna la valve de contrôle mais la pression continuait de baisser.

L'épaisseur intérieure du mur vitré avait commencé à se fêler en toile d'araignée. S'il cédait, il ne resterait plus entre Dwyer et le technicien qu'une mort certaine. Les gants en Kevlar qui passaient de l'autre côté du mur étaient complètement recroquevillés sur eux-mêmes. Dwyer referma rapidement deux cercles de métal sur les ouvertures pour les bras puis tourna les verrous qui les maintenaient en place. L'établi dans la pièce étanche était vissé au sol par des vis de deux centimètres et demi de diamètre. L'une d'elles sauta en direction du centre de l'établi qui se mit à tanguer tandis que les autres vis se desserraient.

— Monsieur ! cria le technicien, on va pas y arriver ! J'injecte le plus d'air possible mais le vide augmente toujours.

Dwyer parcourut la pièce du regard. Il était à quelques secondes de la catastrophe. Puis il eut une idée de génie. Il fit un pas vers la console et alluma le laser. L'extrémité rougeoyante se mit à tourner follement. La fumée emplit la pièce tandis qu'il tournoyait et qu'il atteignait enfin l'échantillon. Le laser brûlait tout ce qu'il touchait.

— La pression remonte, cria le technicien un instant plus tard.

— Fermez l'arrivée d'air, ordonna Dwyer.

Les objets dans la pièce se stabilisèrent à mesure que la pression retournait à la normale. Quelques minutes plus tard, tout était rentré dans l'ordre. Dwyer éteignit le laser et regarda dans la pièce.

— Monsieur, demanda le technicien au bout de quelques instants, ça vous ferait rien de m'expliquer ce qui vient de se passer ?

— Je crois, répondit Dwyer, qu'il y a quelque chose dans ces échantillons qui adore le goût de notre atmosphère.

— Mon Dieu ! s'exclama le technicien.

— Heureusement pour nous, ajouta Dwyer, nous avons trouvé le remède en même temps que le mal.

— Parce qu'il y en a d'autres, des comme ça ?

— Environ cinquante kilos.

Bientôt les pèlerins afflueraient en Arabie Saoudite dans des avions spécialement affrétés, des cars venus de Jordanie et des bateaux traversant la mer Rouge depuis l'Afrique. Saud Al-Sheik avait encore mille détails à régler, dont le plus important était la livraison des tapis de prière. On lui avait promis que le nouveau propriétaire de la filature le contacterait le lendemain. Il appela donc la compagnie aérienne nationale et réserva un espace de fret sur un avion-cargo pour le surlendemain.

Si les tapis de prière n'arrivaient pas à temps, même ses liens de parenté ne pourraient lui épargner la terrible colère qu'il aurait à affronter. Il balaya du regard l'entrepôt de La Mecque. Des palettes de nourriture et de bouteilles d'eau étaient empilées jusqu'au plafond. Un camion à chariot élévateur entra et souleva le premier conteneur de tentes pour le poser dans la benne afin de le livrer au stade.

Le lendemain, on dresserait la première tente.

A partir de ce moment-là, les choses iraient très vite.

Il faudrait s'assurer de n'oublier ni les poteaux ni les piquets. Al-Sheik s'avança vers la porte pour vérifier que le chauffeur chargeait correctement le camion.

Jeff Porte rassembla les objets qu'il avait pris dans le bureau de Hickman et regarda le chef de la sécurité dans les yeux.

— Notre mandat nous donne le droit de confisquer tout ce qui peut nous sembler important.

La grande enveloppe en papier kraft que Porte tenait à la main contenait des documents, les plaques d'identité militaires et quelques cheveux qu'il avait ramassés sur le bureau.

— Je comprends, Jeff, déclara le vigile.

— Deux de mes hommes resteront ici, ajouta Porte, au cas où nous aurions besoin d'autre chose.

Le chef de la sécurité opina.

Porte sortit et emprunta le couloir en direction du salon où deux de ses inspecteurs l'attendaient.

— Que personne ne sorte ou n'entre sans mon autorisation, déclara Porte.

Porte quitta le penthouse, descendit par l'ascenseur, sortit de l'hôtel et monta dans sa voiture. Dès qu'il fut de retour au poste de police, il fit une copie des plaques d'identité et des autres documents et faxa le tout à Overholt.

A son tour, Overholt transmit les données à l'*Oregon*.

Hanley parcourait les documents lorsque Halpert entra dans la salle de contrôle.

— Monsieur Hanley, annonça-t-il, j'ai mon rapport.

Hanley hocha la tête et lui tendit les papiers envoyés par Overholt.

— Voilà qui confirme mes découvertes, dit Halpert. J'ai trouvé l'acte de naissance de Hunt. Sa mère, Michelle, n'a pas déclaré le nom du père mais j'ai réussi à accéder à de vieux registres de la maternité : la facture de son séjour avait été payée par une entreprise de Hickman. Il n'y a plus de doute maintenant ; Hunt était bien son fils.

— Mais quel est le rapport avec la météorite ? demanda Hanley.

— Regardez ça, dit Halpert en lui tendant un dossier.

— Hunt a été tué par les Talibans en Afghanistan, fit Hanley après avoir fini sa lecture.

— A partir de ce moment-là, Hickman a adopté un comportement étrange, dit Halpert en consultant ses notes.

— Donc il reproche au monde arabe tout entier la mort de son fils unique, conclut Hanley.

— Et comment en est-il venu à financer l'expédition au Groenland ? demanda Stone.

— Apparemment, après la mort de son fils, Hickman a financé de nombreux chercheurs en archéologie dans le pays. L'expédition d'Ackerman avec l'université du Nevada était l'une d'entre elles. La plus importante était celle d'un chercheur qui voulait trouver en Arabie Saoudite les preuves que l'existence de Mahomet serait un mythe. Le travail d'Ackerman n'avait rien à

275

voir mais il a reçu une partie des fonds donnés par Hickman à l'université. Je pense que la découverte de la météorite était juste un coup de chance.

— Donc au départ, Hickman voulait utiliser l'histoire pour attaquer le monde arabe, dit lentement Hanley, et tout à coup, la météorite lui est tombée entre les mains, comme par miracle.

— Mais cela n'a aucun rapport avec l'Islam et Mahomet, objecta Stone.

Halpert hocha la tête.

— Je suppose qu'à ce moment-là, Hickman était arrivé à la conclusion qu'il lui fallait une vengeance plus directe. J'ai trouvé les dossiers qu'il a téléchargés juste après la découverte d'Ackerman. Ils exposent la nature radioactive de l'iridium et les dangers que cela entraîne.

— Donc il décide de récupérer la météorite et puis quoi ? De la combiner avec une tête nucléaire pour bombarder un pays arabe ?

— Ça me semblait vraiment bizarre, admit Halpert. J'ai d'abord abordé la question sous cet angle, mais ça ne mène nulle part. Il n'y a absolument rien qui rattache Hickman à la bombe ukrainienne ni à aucune autre, donc j'ai commencé à élargir mon champ d'investigation.

— La poussière radioactive ? demanda Hanley.

— C'est la seule utilisation logique, confirma Halpert.

— Qu'avez-vous découvert d'autre ?

— Des dossiers qui prouvent que Hickman vient d'acheter une usine textile en Angleterre, près de Maidenhead.

— C'est effectivement là que se trouve la météorite d'après nos données actuelles, déclara Stone.

— Il veut saupoudrer des vêtements et les envoyer au Moyen Orient ? demanda Hanley.

— Je ne crois pas, monsieur, répondit Halpert. La filature a eu une grosse commande de l'Arabie Saoudite pour un grand nombre de tapis de prière qui n'ont pas encore été envoyés.

— Donc il projette de saupoudrer les tapis de poussière radioactive pour que les Musulmans s'empoisonnent pendant leur prière, fit Hanley. C'est diabolique.

— Il est arrivé à Londres de bonne heure ce matin dans son avion privé, ajouta Halpert. Je pense...

A ce moment-là, le téléphone de Hanley sonna et il fit signe à Halpert d'attendre un instant. C'était Overholt, qui ne s'embarrassa pas de préambule.

— Nous avons un problème, commença-t-il.

— Non, déclara le chef de la sécurité de Dreamworld. J'appelle de chez moi ; je ne pense pas être sur écoute.

Il expliqua que la police était revenue avec un mandat et avait emporté différents objets.

Hickman écoutait attentivement.

— Où êtes-vous en ce moment, monsieur ? demanda le vigile. La police voudrait vraiment vous parler.

— Il vaut mieux que vous ne le sachiez pas, répliqua Hickman.

— Peut-on faire quelque chose pour vous ?

— Pour le moment, répondit Hickman, je suis le seul à pouvoir agir.

Il raccrocha et se cala dans son fauteuil de l'usine de Maidenhead.

Quelqu'un au sein du gouvernement était sur ses traces. Il ne leur faudrait pas longtemps pour le retrouver. Il attrapa le téléphone et composa un autre numéro.

Les hommes du *Free Enterprise* qui étaient restés à Calais lorsque le bateau était parti vers le nord, étaient arrivés à Londres le matin même. Il y avait quatre hommes, ce n'était plus qu'un équipage squelettique, mais c'était tout ce dont disposait Hickman. Il leur communiqua ses ordres.

— Il va falloir que vous voliez trois camions, expliqua Hickman. Rien ne sera disponible à la location en raison des fêtes.

— De quel type ? demanda leur chef.

— La cargaison se compose de conteneurs de douze mètres qui se glissent à bord de semi-remorques en plateau, répondit le milliardaire. J'ai appelé mon employé de Global Air Cargo et il m'a recommandé différents types de camions.

Hickman lut la liste à l'homme.

— Une fois que nous les aurons, où devrons-nous aller ?

— Prenez votre carte, ordonna Hickman. Vous voyez la ville de Maidenhead au nord de Windsor ?

— Oui.

— Quand vous y serez, rendez-vous à cette adresse, dit Hickman en lui donnant quelques indications.

— Quand aurez-vous besoin de nous ? demanda l'homme.

— Dès que possible, répondit Hickman. J'ai un 747 de Global Air Cargo qui attend la cargaison à Heathrow.

— Comment avez-vous fait ça le 31 décembre ?

— La compagnie m'appartient.

— Donnez-nous au moins une heure, dit l'homme.

— Le plus tôt sera le mieux.

Le nœud coulant se resserrait mais Hickman ne le sentait pas encore autour de son cou.

Judy Michaels amena l'hydravion au côté de l'*Oregon*, puis elle coupa le moteur et s'approcha de la porte de la cabine. Elle attendit que l'avion soit entraîné par le courant, puis lança un cordage à un matelot du pont. Le matelot attacha l'avion et Cliff Hornsby descendit de l'échelle.

— Salut Judy, lança-t-il en prenant les caisses qu'on lui passait, il fait quel temps là-haut ?

— Flocons et neige fondue, répondit Michaels en attrapant elle aussi des sacs et des caisses.

Rick Barrett grimpa à bord avec un sac et se tourna vers Michaels.

— Il y a du café et de quoi dîner là-dedans, dit-il. Je l'ai préparé moi-même.

— Merci, dit Michaels en prenant le dernier paquet.

Halpert et Reyes embarquèrent à leur tour.

— Est-ce que l'un de vous a une expérience de pilotage ? demanda Michaels avant de retourner vers le cockpit.

— Moi je prends des cours, déclara Barrett.

— Cuistot et pilote ! s'exclama Michaels. Ça fait une sacrée combinaison. Viens devant dans ce cas, tu m'aideras pour la radio et la navigation.

— Et nous, demanda Halpert, qu'est-ce qu'on fait ?

— Lorsque le matelot lancera le filin, prenez cette gaffe pour nous écarter du cargo. Ensuite, refermez et verrouillez la porte et asseyez-vous.

Elle se glissa aux commandes, attendit que Barrett soit assis à côté d'elle puis elle se retourna.

— Quand vous voulez, lança-t-elle.

Hornsby attrapa le cordage, Halpert poussa sur l'*Oregon* pour les dégager et Reyes referma la porte.

— Tu peux démarrer ! fit Halpert.

Michaels tourna la clé de contact et les moteurs vrombirent. Elle se laissa dériver et attendit d'être à cinquante mètres de l'*Oregon* pour mettre les gaz. L'hydravion fendit les flots et décolla.

Michaels prit de l'altitude, puis vira sur la gauche.

Elle pilotait toujours lorsqu'ils atteignirent les faubourgs de Londres.

Hanley regarda l'hydravion s'éloigner grâce aux caméras de sécurité, puis il se tourna vers Stone.

— Vous vous en sortez ? lui demanda-t-il.

Halpert avait laissé ses notes dans la salle de contrôle et Stone suivait les différentes pistes.

— J'épluche la liste des entreprises de Hickman pour le moment, répondit Stone.

— Je vais regarder si le pilote de son avion privé a rempli un autre plan de vol, déclara Hanley.

A l'annexe de Heathrow réservée au fret, deux pilotes buvaient du thé en regardant la télévision dans le salon du grand hangar de la compagnie Global Air Cargo.

— Tu as sorti le dernier bulletin météo ? demanda le pilote au copilote.

— Il y a quinze minutes, répondit le copilote. La perturbation est au-dessus de la France. Le temps est dégagé sur la Méditerranée et jusqu'à Riyad.

— Les autorisations et les papiers sont en ordre ? demanda le pilote.

— On est prêts.

— La distance à parcourir est de trois mille cent kilomètres, déclara le pilote.

— Ce qui fait un peu plus de cinq heures et demie de vol, compléta le copilote.

— Dommage qu'on n'ait pas encore le chargement.

— Le proprio a dit d'attendre, on attend, répliqua le copilote.

L'autre hocha la tête.

— Qu'est-ce qu'il y a à la télé ce soir?

— La rediffusion du concert d'Elton John à Hyde Park, répondit le copilote. La première partie commence bientôt.

Le pilote se releva et se dirigea vers la cuisine.

— Je vais nous faire du pop-corn, dit-il.

— Avec plein de beurre pour moi, s'il te plaît.

Michaels s'aligna sur le fleuve et se posa. Lorsqu'ils furent près de la rive, les hommes attachèrent l'avion à des arbres puis ils déchargèrent le matériel et débarquèrent.

Tous les hommes du MI5 étaient à Londres et il n'y avait personne pour les accueillir.

— Quelqu'un sait démarrer une voiture volée? demanda Halpert.

— Oui, moi, répondit Reyes.

— Cliff, ordonna Halpert, va avec Tom et trouvez-nous quelque chose d'assez grand pour nous transporter tous avec l'équipement.

— C'est parti, lança Hornsby en gravissant le talus avec Reyes pour se diriger vers la ville.

Halpert étudia le plan en les attendant. Il avait demandé à Michaels de survoler l'usine avant de se poser; maintenant il ne restait plus qu'à trouver l'itinéraire sur la carte. Quand ce fut fait, il se tourna vers Michaels, qui était toujours dans l'avion.

— Est-ce que je peux te prendre une tasse de café? demanda-t-il.

Michaels prit la Thermos dans le cockpit et en versa une tasse qu'elle lui apporta sur la rive.

— C'est quoi le plan? demanda-t-elle.

— D'abord on observe, répondit Halpert, ensuite on attaque.

A ce moment-là, Reyes se gara le long de la rive dans une vieille camionnette Ford à plateau. Quelques cages à poules se trouvaient près de la cabine, ainsi que des outils rouillés et des chaînes.

— Désolé pour le confort, dit Reyes en descendant, mais le choix était limité.

— On charge, ordonna Halpert en tendant à Reyes la carte avec l'itinéraire qu'il avait surligné.

— Je m'occupe de la liaison radio, déclara Michaels tandis que les hommes transportaient le matériel sur le plateau de la camionnette. Bonne chance!

280

Halpert sourit sans répondre. Lorsque tout le monde fut à bord, il tambourina contre la carrosserie.

— C'est parti !

Dans un tourbillon de neige, la camionnette prit en cahotant la direction de la filature.

43

I L était plus d'une heure du matin le 1er janvier 2006 lorsque Cabrillo appela enfin l'*Oregon* pour faire son rapport.

— Nous avons neutralisé la bombe, annonça Cabrillo.

— Le MI5 est satisfait ? demanda Hanley.

— Ils sont ravis, répondit Cabrillo. On parle de me faire Chevalier de l'Empire britannique.

— C'est toi qui l'as interceptée ? s'exclama Hanley, incrédule.

— Je te raconterai à mon retour. Que se passe-t-il d'autre ?

— Pendant que ton équipe s'occupait de la bombe, Halpert a trouvé de nombreuses informations qui relient la météorite à Halifax Hickman. Nous pensons maintenant que depuis que son fils a été tué en Afghanistan par les Talibans, il prépare une attaque contre le monde musulman dans son ensemble. Il a récemment acquis une filature à l'ouest de Londres qui doit envoyer une grosse commande de tapis de prière pour le hadj.

— Rafraîchis-moi la mémoire, demanda Cabrillo, le hadj c'est le pèlerinage à La Mecque, c'est ça ?

— Oui, répondit Hanley. Cette année, il tombe le 10 janvier.

— Donc nous avons tout notre temps pour boucler cette opération.

— Pas tout à fait, dit Hanley. Il s'est passé un tas de choses pendant que tu étais à Londres.

Hanley rapporta ce que lui avait expliqué Overholt à propos des tests effectués sur des fragments de météorite. Puis il récapitula les découvertes de Halpert.

— Où en sommes-nous maintenant ? demanda Cabrillo.

— J'ai détaché Halpert avec trois autres hommes à la filature, expliqua Hanley. Elle se trouve à Maidenhead.

— Et les émetteurs sur la météorite ? demanda Cabrillo.

— Ils indiquent qu'elle se trouve toujours dans cette zone.

— Donc si Hickman tente de briser la sphère, la catastrophe pourrait être encore pire que celle causée par une bombe atomique, dit Cabrillo.

— Stone a procédé à quelques vérifications et il n'y a pas de machine dans une usine textile normale capable de briser ou de scier l'iridium, ajouta Hanley. Si tel est bien le plan de Hickman, il doit avoir prévu une machine dans l'usine ou dans les environs.

Cabrillo resta silencieux quelques instants.

— Halpert va avoir besoin d'aide, dit-il finalement. Je vais laisser Seng et Meadows ici ; ils ont été en coordination avec le MI5 depuis le début et ils pourront s'occuper des derniers détails pour effacer nos traces.

Hanley griffonna quelques mot sur un carnet.

— Bien, dit-il. Et les autres ?

— Appelle Adams et fais venir le Robinson à l'héliport de l'autre côté du fleuve dans une demi-heure, ordonna Cabrillo. Préviens Halpert que nous arrivons.

— C'est comme si c'était fait, répondit Hanley.

— La Corporation a neutralisé la bombe, monsieur le Président, annonça Overholt. L'affaire est dans les mains des services secrets britanniques.

— Bon travail ! s'écria le Président avec chaleur. Présentez-leur mes sincères félicitations.

— Je le ferai sans faute, dit Overholt, mais il y a un autre problème dont il faut que je vous parle.

— Lequel ? demanda le Président.

Overholt évoqua les tests pratiqués sur les échantillons de météorite.

— C'est une mauvaise nouvelle, répondit le Président. On pourrait facilement prétendre que c'est par suite d'une erreur de la CIA que la météorite a atterri entre de mauvaises mains.

— Pourriez-vous me rendre un service ? demanda Overholt.

Nous avons besoin de mettre la mère du fils de Hickman secrètement en garde à vue ; ni mandat ni avocat.

— Vous me demandez de suspendre ses droits en invoquant le Patriot Act ?

— C'est cela, monsieur le Président.

Le Président réfléchit un instant. Il avait beau vouloir boucler cette affaire au plus vite, arracher des citoyens américains à leur maison et leurs affaires sans aucune explication avait pour lui des relents de dictature. Il n'utilisait cette possibilité que lorsque la menace était trop importante.

— Allez-y, soupira-t-il, mais faites ça en douceur.

— Faites-moi confiance, monsieur, dit Overholt. Personne ne saura qu'elle est partie.

Six hommes de la direction des opérations de la CIA encerclèrent la maison de Michelle Hunt à Beverly Hills au cours de l'après-midi. Elle fut arrêtée dès son retour du travail, alors qu'elle pénétrait dans son garage. A dix-neuf heures, elle avait été conduite à l'aéroport de Santa Monica et installée à bord d'un avion privé du gouvernement à destination de Londres. L'avion survolait le fleuve Colorado au-dessus de l'Arizona lorsque l'un des agents commença à lui expliquer la situation.

— Et alors, demanda-t-elle doucement, vous voulez vous servir de moi comme appât ?

— Nous ne savons pas encore, avoua l'agent de la CIA.

Michelle Hunt hocha la tête en souriant.

— Vous ne connaissez pas le père de mon fils, dit-elle. Pour lui les gens sont comme des objets qu'il possède et qu'il peut utiliser comme il l'entend. Me menacer ne vous servira à rien.

— Avez-vous une meilleure idée ? demanda l'homme de la CIA.

Michelle Hunt réfléchit.

Voler trois camions en plein réveillon du Nouvel An s'était avéré assez facile. Le quartier des transporteurs dans la banlieue londonienne était quasiment désert. Une cour dans laquelle étaient garés de nombreux camions était ouverte et gardée par un seul homme. Les marins restants du *Free Enterprise* n'avaient eu qu'à entrer, ligoter le gardien et prendre les trousseaux de clés qui les intéressaient. Personne ne se soucierait de l'homme avant le matin.

D'ici là, le transfert serait terminé et ils se seraient débarrassés des camions.

Scott Thompson, le capitaine du *Free Enterprise*, avait fait preuve jusque-là d'une détermination de fer. Il avait conservé une attitude de défi jusqu'au moment où un officier de la frégate américaine l'avait attaché à une table en s'assurant qu'il ne pouvait pas remuer les bras.

— J'exige de savoir ce qui se passe, déclara Thompson tandis que des gouttes de sueur perlaient sur son front.

L'officier se contenta de sourire. Puis la porte s'ouvrit et le Dr Jack Berg entra dans l'infirmerie, une valise à la main. Il se dirigea vers l'évier et se lava les mains. Thompson tendit le cou pour apercevoir l'homme mais ses liens trop serrés l'en empêchèrent. Le bruit de l'eau qui coulait glaça le cœur de Thompson.

Les trois camions entrèrent dans le parking de la filature de Maidenhead et se dirigèrent vers l'aire de chargement du matériel à l'arrière du bâtiment. Ils se garèrent dos au hangar, le plus près possible de l'ouverture, éteignirent leurs moteurs et descendirent.

Halpert et Hornsby étaient postés à l'arrière du bâtiment tandis que Barrett et Reyes surveillaient l'avant. A part une Rolls Royce et une berline Daimler garées près de l'entrée, l'usine semblait déserte.

Halpert attendit que les chauffeurs des camions entrent dans l'usine pour chuchoter dans sa radio.

— On se rapproche pour voir ce qui se passe.

— On entre à l'avant, répondit Reyes.

A l'intérieur, Roger Lassiter était assis dans le bureau et regardait Hickman.

— Bien sûr, à cause de la date, je n'ai pas pu vérifier que les fonds avaient bien été transférés.

— Vous le saviez en acceptant le contrat, rappela Hickman. Il va falloir me faire confiance.

La caisse contenant la météorite était posée sur le bureau entre les deux hommes.

— Je ne suis pas du genre confiant, dit Lassiter. Contrairement à vous, peut-être.

— Je peux vous assurer que vous serez payé, déclara Hickman.

— Où va être utilisée la météorite ? demanda Lassiter.

Hickman hésita à répondre.

— A la Kaaba, dit-il rapidement.

— Vous êtes vraiment une ordure, fit Lassiter en se levant, mais de toute façon moi aussi.

Lassiter sortit du bureau et du bâtiment. Tandis qu'il montait dans la Daimler, Reyes le photographia discrètement.

Hickman transporta la météorite au rez-de-chaussée de l'usine où il vit deux hommes sortir des camions et s'approcher du bâtiment. Ils se retrouvèrent au milieu du grand atelier.

— Vous avez vu les conteneurs ? leur demanda-t-il.

— Les trois près de la porte ?

— Oui, répondit Hickman en se rapprochant de l'aire de chargement, ses hommes sur les talons. Lorsque je les aurai fermés, vous les chargerez dans les camions pour les emmener à Heathrow.

Hickman était presque arrivé à la porte du hangar.

— Voici le revêtement que vous aviez demandé, dit l'un des hommes.

— Parfait, déclara Hickman en s'approchant de la machine à fouler. Donnez-le-moi.

L'homme s'exécuta.

44

ABRILLO et son équipe attendaient à l'héliport de Battersea à bord de la Range Rover empruntée au MI5, lorsque Fleming les contacta par téléphone. Adams descendait au-dessus de la Tamise et s'apprêtait à virer pour atterrir.

— Juan, annonça Fleming, nous venons d'apprendre quelque chose qui va vous intéresser, à propos de votre météorite. Considérez ça comme notre façon de vous remercier...

Le bruit de l'hélicoptère qui approchait s'amplifiait.

— De quoi s'agit-il, monsieur ? demanda Cabrillo.

— C'est notre agent en Arabie Saoudite qui nous a prévenus, répondit Fleming. La mosquée de La Mecque en direction de laquelle prient les Musulmans cinq fois par jour s'appelle la Kaaba. Elle renferme un objet intéressant.

— Lequel ? fit Cabrillo.

— Une météorite noire qui aurait été découverte par Abraham. Ce site est le cœur même du culte musulman.

Cabrillo resta interdit.

— Merci de m'avoir prévenu, articula-t-il enfin. Je vous tiendrai au courant.

— Je pensais que ça vous serait utile. Prévenez le MI5 si vous avez besoin d'aide. Nous vous devons bien ça.

Halpert fouilla dans un sac à dos qu'il avait apporté de l'*Oregon* et en sortit des émetteurs GPS qu'il attacha aux trois camions. Puis il posa un micro au bas du mur, près de la porte. Il fit signe à Hornsby et les deux hommes regagnèrent leur cachette derrière les arbres.

Halpert reprit alors sa radio.

— Tom, fit-il, quelle est ta position ?

Reyes et Barrett venaient de poser des micros identiques près des portes vitrées de l'entrée du bâtiment, après quoi ils s'étaient dissimulés derrière le mur du parking.

— On est connectés, chuchota-t-il à son tour.

— Il n'y a plus qu'à attendre et à écouter, répondit Halpert.

L'équipe de Hickman travaillait en silence. Après avoir recouvert les conteneurs d'un film imperméable à l'aide d'un pulvérisateur de peinture, un des hommes perça deux petits trous dans les parois métalliques de chaque conteneur. L'un était près du haut, au niveau de sa taille et l'autre en bas, au niveau de sa cheville.

Puis ils insérèrent des injecteurs dans les trous, raccordés à de petits tuyaux.

Lorsque ce fut fait, Hickman prit la parole.

— Masques, ordonna-t-il.

Les cinq hommes prirent leurs masques à gaz dans leurs sacs et les enfilèrent. Puis l'un d'eux attacha une pompe à vide au bas du conteneur et l'actionna. L'air de l'intérieur fut aspiré. Hickman traça deux traits sur la fiole contenant le poison afin de la diviser en trois et il versa le liquide dans une petite cuve en acier qu'il vissa au trou du haut. Puis, les yeux rivés sur sa montre, il chronométra l'introduction du virus dans le conteneur, ôta la cuve et vissa un couvercle hermétique sur le trou.

Il laissa ensuite fonctionner la pompe pendant trente secondes pour créer un léger vide, puis l'ôta et referma le deuxième trou. Pendant qu'il passait au conteneur suivant, un de ses hommes vaporisa le film imperméable sur les deux couvercles pour s'assurer de leur étanchéité totale. Tandis que Hickman insérait le poison dans les conteneurs, un autre membre de l'équipe aspergeait la météorite posée sur le sol d'une deuxième couche de revêtement spécial. Il fit tourner le globe pour couvrir toute sa surface et le rangea ensuite dans sa caisse.

Hickman acheva sa tâche sur les conteneurs. Puis il se saisit du flacon qui avait contenu le poison, le posa par terre un peu plus loin et l'aspergea d'essence avant d'y jeter une allumette. Les flammes jaillirent.

Près des conteneurs, les quatre hommes avaient sorti de petits chalumeaux semblables à ceux que les plombiers utilisent pour souder les petits tuyaux. Ils les allumèrent au maximum et les agitèrent en l'air pendant cinq bonnes minutes.

— Bien, fit Hickman. Ouvrez les portes mais gardez les masques.

L'un de ses hommes appuya sur les boutons qui actionnaient l'ouverture des trois portes roulantes. Puis les chauffeurs sortirent, mirent en place les treuils à l'arrière des camions et commencèrent à y hisser les conteneurs. Lorsqu'ils furent attachés, Hickman monta à l'avant du premier camion et fit signe au chauffeur de démarrer.

Halpert et Hornsby avaient surveillé cette opération depuis leur cachette, et pris autant de photos que possible avec leurs appareils à infrarouges, mais ils ne pouvaient guère faire plus. Ils regardèrent les camions quitter un à un l'aire de chargement en laissant les portes ouvertes à tous les vents.

La neige s'était muée en pluie et les pneus des camions faisaient jaillir des éclaboussures sur le sol du parking qu'ils traversèrent avant de s'arrêter à l'avant du bâtiment.

— Tom! s'écria Halpert, n'essayez pas d'entrer; les hommes qui viennent de sortir portaient des masques à gaz.

— Compris, fit Reyes.

— Je vais appeler l'*Oregon*, dit Halpert, pour demander des instructions.

Dès qu'il eut raccroché, Cabrillo appela Hanley pour lui transmettre les informations de Fleming.

— Stone va s'en occuper immédiatement, répondit Hanley.

— Peut-être que Hickman ne prévoit pas du tout de détruire la météorite, dit Cabrillo. Dans ce cas, il doit avoir un autre plan.

A ce moment précis, Halpert les joignit par radio.

— Ne quittez pas, lui enjoignit Hanley. Je vous mets en conférence avec M. Cabrillo.

Une fois que la connexion fut établie, Halpert leur expliqua ce qui venait de se produire.

289

— Est-ce que vous recevez les signaux des émetteurs des camions ? demanda Cabrillo à Hanley.

Hanley jeta un coup d'œil vers l'écran que Stone lui indiquait.
Trois points clignotaient.

— On les a, répondit-il. Mais il y a un autre problème.

— Lequel ? demanda vivement Cabrillo.

— Nous avons perdu les signaux de la météorite depuis quelques
minutes.

— Et merde ! s'exclama Cabrillo.

Il réfléchit quelques instants.

— Voici ce que nous allons faire, déclara-t-il enfin. Je vais envoyer Adams et Truitt prendre dans le bateau des combinaisons de
protection contre les risques chimiques ; Michael, vous et les
autres, attendez leur arrivée.

— OK, chef, répondit Halpert.

— Jones et moi resterons dans la Range Rover, poursuivit Cabrillo. Dès que les camions auront pris une direction claire, nous
essaierons de les intercepter. Est-ce que l'autre équipe est déjà
arrivée à Heathrow ?

— Ils viennent de retrouver Gunderson et Pilston au Gulfstream
il y a cinq minutes, répondit Hanley.

— Bien, fit Cabrillo. Demande à Tiny de se tenir prêt en faisant
régulièrement chauffer les moteurs ; ils devront peut-être décoller
d'ici très peu de temps.

— Compris, répondit Hanley.

— Que Nixon prépare les combinaisons, ajouta Cabrillo.
L'hélicoptère sera là dans dix minutes.

— On s'en occupe.

— Maintenant, reste en communication et donne-moi la direction des camions.

— Bien, dit Hanley.

Assis dans la Range Rover, Cabrillo posa la main sur le combiné.

— Dick, dit-il, il faut que vous alliez avec Adams à l'*Oregon*
pour y prendre une caisse de combinaisons de protection. Nous
pensons que Hickman a introduit un produit chimique toxique dans
l'usine. Quand vous aurez les combinaisons, rendez-vous directement à Maidenhead. Halpert vous y attend avec trois autres agents.

Truitt ne posa pas de question ; il se contenta d'ouvrir la porte de la Range Rover et de courir dans l'obscurité jusqu'à l'endroit où se trouvait le Robinson. Il expliqua le changement de programme à Adams, qui décolla et repartit vers l'*Oregon*.

— Ils ont emprunté la M4, l'autoroute qui mène au centre de Londres, rapporta Hanley à Cabrillo.

— Monsieur Jones, demanda Cabrillo, pouvez-vous nous trouver l'itinéraire le plus rapide pour la M4 ?

— Avec le monde qu'il y a dans le centre de Londres pour le réveillon, « rapide » n'est pas le terme le plus adéquat.

Il passa la marche arrière, recula, puis se dirigea vers la sortie de Battersea Park. Il avait décidé de traverser le Battersea Bridge, puis de prendre Old Brompton Road et West Cromwell jusqu'au A4 qui menait à la M4. Même à cette heure tardive, ils n'iraient pas vite.

Hickman et ses trois camions avaient plus de chance. Ils traversèrent Maidenhead par Castle Hill Road, qui était également l'A4, puis tournèrent sur l'A308 qui les menait directement à la M4. Quatorze minutes après avoir quitté l'usine, ils approchaient de la sortie n° 4 vers l'aéroport de Heathrow.

Au moment où les camions ralentissaient pour sortir de la M4, Truitt et Adams se posaient sur le pont arrière de l'*Oregon*. Nixon, qui les attendait avec une caisse en bois contenant les combinaisons de protection chimique, courut vers l'hélicoptère, ouvrit la porte arrière pour y mettre la caisse tandis qu'Adams laissait tourner les pales. Puis, il ouvrit la porte avant et donna à Truitt la liste des précautions à prendre pour que les combinaisons soient bien hermétiques. Il ferma ensuite la porte et s'éloigna.

Lorsqu'il fut dégagé, il fit un signe du pouce à Adams qui fit décoller le Robinson.

En quelques minutes, l'hélicoptère était revenu au-dessus de Londres et filait vers Maidenhead. Ils mettraient douze minutes pour parcourir les quarante-deux kilomètres.

Les deux pilotes attendaient les camions dans le salon de Global Air Cargo. Le 747 cargo était sorti, le nez ouvert, attendant son chargement. La rampe arrière était également baissée pour permettre un accès plus facile. Hickman entra par une porte latérale et trouva les pilotes devant la télévision.

— Je suis Hal Hickman, dit-il, nous avons apporté le chargement prioritaire.

Le pilote se leva et s'avança vers Hickman.

— C'est un honneur de faire votre connaissance, monsieur. Je travaille pour vous depuis des années et je suis ravi de vous rencontrer enfin.

— Tout le plaisir est pour moi, répondit Hickman. Bon, comme je vous l'ai dit au téléphone, j'ai un chargement qui doit partir immédiatement. Vous êtes prêts ?

— Nous n'avons pas de chariot élévateur, dit-il. Ils n'arriveront que dans une heure ; avec les fêtes, tout a été un peu désorganisé.

— Ce n'est pas un problème, rétorqua Hickman. Mes hommes et moi allons conduire les conteneurs à bord et les attacher. Avez-vous reçu les autorisations de décoller ?

— Je peux appeler et nous les aurons dans quelques minutes, dit le pilote.

— Occupez-vous de ça, demanda Hickman ; nous transportons le chargement à bord.

Hickman regagna la porte et le pilote se tourna vers son copilote.

— Appelle le service météo et fais le plan de vol. Je pense que de Londres il faut survoler la France et passer par la Méditerranée pour Riyad. Si les conditions sont trop mauvaises, prévois les détours nécessaires.

Une fois ressorti du hangar, Hickman ramassa le masque à gaz qu'il avait laissé sur le sol et le remit sur son visage. Les chauffeurs avaient reçu des instructions précises quant au chargement et dès que Hickman leur fit signe de commencer, le premier conduisit son camion à l'arrière du 747. Il s'arrêta en faisant grimper son camion sur la rampe arrière, puis il détacha le câble qui maintenait le conteneur en place, et inclina légèrement sa remorque pour faire coulisser les conteneurs sur les rails en acier. Il s'écartait du 747 lorsque le deuxième chauffeur fit une marche arrière sous le nez de l'appareil et déposa son conteneur près de celui qui se trouvait déjà à l'arrière de l'avion. Il croisa le troisième camion qui s'apprêtait à entrer en marche arrière et alla se garer plus loin.

Le troisième semi-remorque entra et commença à décharger

tandis que Hickman montait dans l'avion avec le premier chauffeur. Comme ils s'y étaient entraînés, les deux hommes se mirent à amarrer les conteneurs au sol avec de longues sangles en toile. L'un s'occupait d'attacher la sangle et la poulie dans les encoches des rainures du sol, puis lançait la sangle par-dessus le conteneur au deuxième homme qui l'attachait au rail du sol et serrait ensuite la sangle grâce à une manivelle. Ils amarrèrent un à un les conteneurs avec trois sangles chacun.

Le dernier chauffeur s'éloignait du 747 lorsqu'ils arrivèrent au troisième conteneur.

Une, deux, trois sangles et ils eurent fini.

Hickman sortit du 747, fit signe au camion de se garer à une bonne distance de l'avion, puis regagna le hangar.

— Voici les documents, dit-il en tendant une liasse de papiers au pilote. Les conteneurs sont amarrés à l'intérieur. On décolle.

— Vous êtes sûr, monsieur? demanda le copilote. Le temps est mauvais au-dessus de la Méditerranée. Il serait plus prudent d'attendre demain matin pour partir.

— Il s'agit d'une extrême urgence.

— Bon, concéda le copilote. Mais le vol sera mouvementé.

Hickman tourna les talons et le copilote le regarda s'éloigner. Cet homme avait quelque chose d'étrange, mais il ne s'agissait pas d'un comportement excentrique comme le prétendaient les magazines à scandale quand ils parlaient de ce milliardaire si discret. Hickman semblait normal à tous égards. Sauf que ce soir, il avait un petite marque rouge à la commissure des lèvres, comme un triangle aux bords arrondis.

Le copilote chassa cette pensée; il avait beaucoup à faire en très peu de temps.

— Sortez-moi une carte détaillée, ordonna Hanley à Stone.

Les émetteurs des camions ne bougeaient plus depuis quelques minutes et Hanley voulait savoir où ils se trouvaient exactement. Stone appuya sur quelques touches de son clavier et il attendit que l'image soit chargée sur l'écran. Il se rapprocha lentement de la zone où se trouvaient les voyants clignotants et réduisit graduellement la carte à une plus petite échelle.

— L'annexe réservée au fret de Heathrow, déclara Stone.

Hanley s'empara du dossier laissé par Halpert et le feuilleta. Il se rappelait que Hickman possédait une compagnie aérienne de transport de fret. C'était celle-là. Global Air Cargo. Il chercha le numéro de téléphone du hangar de Heathrow et le tendit à Stone.

— Appelez-les et essayez de découvrir ce qui se passe, dit-il vivement. J'appelle Cabrillo.

— Voilà, annonça le pilote. Nous avons l'autorisation de décoller.

Le copilote prit ses bulletins météo et son journal de bord et il emboîta le pas au pilote. Ils avaient ouvert la porte du hangar lorsque le téléphone sonna.

— Laisse tomber, dit le pilote tandis que le copilote s'apprêtait à aller répondre. J'ai un crédit à payer, moi.

— Nous nous dirigeons par là, mais lentement, dit Cabrillo.

— Pas de réponse! cria Stone dans la salle de contrôle de l'*Oregon*.

— Nous essayons de joindre le hangar par téléphone, dit Hanley à Cabrillo, mais personne ne répond.

— Préviens Gunderson de se préparer à décoller, ordonna Cabrillo. Je vais essayer de contacter Fleming.

Cabrillo tapa sur la touche d'appel abrégée de son téléphone au moment même où le pilote verrouillait la porte-cargo à l'avant du 747 et faisait chauffer le moteur. Fleming répondit et Cabrillo lui résuma la situation.

— Vous pensez que le chargement est radioactif? demanda Fleming.

— Empoisonné, d'une manière ou d'une autre, répondit Cabrillo. L'une de mes équipes a vu les gens qui le contrôlent s'équiper de masques à gaz. Il faut que vous boucliez Heathrow.

Fleming resta silencieux.

— Je préfère qu'ils quittent le sol britannique, lâcha-t-il enfin.

Adams se posa sur le parking devant la filature de Maidenhead et éteignit le moteur du Robinson. Il descendit, fit le tour de l'appareil et aida Truitt à décharger la caisse. Halpert et les autres s'avancèrent. Adams ouvrit la caisse à l'aide d'un tournevis de sa trousse à outils et posa le couvercle sur le sol.

— Voilà vos costumes de cosmonautes, les gars, fit-il avec un sourire. On dirait que Kevin en a prévu quatre.

— On va s'habiller, dit Truitt. Toi tu sangleras nos chevilles et nos poignets.

Adams hocha la tête.

— Barrett, ordonna Truitt, tu restes sur le banc de touche. Les autres, habillez-vous.

Huit minutes plus tard, Truitt, Halpert, Hornsby et Reyes étaient prêts. Ils s'approchèrent de l'arrière de l'usine et y pénétrèrent. Truitt tenait dans sa main gantée un détecteur d'agression chimique qui signala presque immédiatement un danger.

— Dispersez-vous, dit Truitt et fouillez partout.

Hornsby s'élança vers la porte avant, déverrouilla les cadenas et sortit.

La circulation était de plus en plus fluide à mesure que Cabrillo et Jones s'éloignaient du centre de Londres et, lorsqu'ils atteignirent la M4, Jones accéléra pour rouler à un peu plus de cent quarante kilomètres à l'heure. Pendant ce temps, Cabrillo rappelait l'*Oregon*.

— Fleming refuse de boucler Heathrow, annonça Cabrillo dans le haut-parleur du téléphone dès que Hanley répondit. Quelle est la sortie la plus proche de Global Air Cargo ?

Stone la lui indiqua et Cabrillo répéta le numéro à Jones.

— Nous y sommes, chef.

— Suivez les pancartes vers Global Air Cargo, intima Cabrillo à Jones.

Jones appuya sur l'accélérateur et fonça sur les petites routes. Au bout de quelques instants, il aperçut un grand hangar sur le côté duquel était peint le nom de la compagnie en lettres de trois mètres de haut. Un 747 s'éloignait du hangar.

— Vous ne pouvez pas nous amener plus près ? demanda Cabrillo.

Un grillage à mailles en losanges interdisait l'accès à toute la zone.

— Impossible, chef, dit-il. Ils sont bien enfermés.

Le 747 s'apprêtait à prendre le taxiway.

— Allez jusqu'à cet endroit entre les deux bâtiments, demanda Cabrillo.

Jones accéléra et s'arrêta là où Cabrillo le lui avait demandé. Cabrillo prit des jumelles dans le vide-poche latéral et observa l'avion-cargo.

Puis il lut à voix haute les numéros de la queue à Hanley qui les nota rapidement.

— Fais-les suivre par Gunderson dans le Gulfstream, dit Cabrillo, résigné. C'est tout ce que nous pouvons faire pour l'instant.

A ce moment-là, Hornsby appela par radio et Stone lui répondit. Lorsqu'il leur eut expliqué ce qu'ils avaient découvert, Stone rédigea quelques mots et tendit le papier à Hanley.

— Juan, dit Hanley, je vais appeler le Challenger 604. J'ai le pressentiment que tu vas vouloir partir tout de suite pour l'Arabie Saoudite.

45

À PEU près au moment où le 747 de Global Air Cargo décollait de Heathrow, le camion transportant Hickman s'arrêtait dans une autre zone de l'aéroport.

— Allez retrouver les autres, débarrassez-vous des camions et disparaissez dans la nature, enjoignit Hickman au chauffeur qui le déposait devant le terminal réservé aux avions d'affaires. Je vous contacterai si j'ai besoin de vous.

— Bonne chance, monsieur, lui lança le chauffeur comme il descendait du camion.

Hickman lui fit un petit geste d'adieu et entra dans l'aérogare.

Le chauffeur sortit du parking puis il prit sa radio.

— Le grand chef est parti, annonça-t-il. Je vous retrouve à l'endroit convenu.

Douze minutes plus tard, les trois camions se rejoignaient dans une usine abandonnée de la banlieue ouest de Londres où ils avaient caché la voiture dans laquelle ils s'apprêtaient à fuir. Ils descendirent de leurs camions, nettoyèrent les surfaces qu'ils avaient pu toucher avec des mains non gantées et embarquèrent dans une berline britannique banale.

Leur plan était de traverser la ville jusqu'à la Manche, de laisser la voiture de location sur le parking et de prendre un ferry pour la Belgique. Il se déroulerait sans accroc.

— Prépare l'*Oregon* à naviguer, ordonna Cabrillo à Hanley tandis que Jones se garait devant le terminal des avions d'affaires. Mets le cap sur la Méditerranée et passe par le canal de Suez pour la mer Rouge. Je veux que le bateau arrive aussi près que possible de l'Arabie Saoudite.

Hanley lança l'alarme dans le bateau. Cabrillo entendait la sirène résonner dans le téléphone.

— Gunderson et les autres ont décollé, dit-il. L'avion-cargo se dirige vers Paris.

— Jones et moi allons embarquer dans le Challenger 604 dans quelques minutes, dit rapidement Cabrillo. Rappelle l'équipe de Maidenhead sur l'hydravion. Ensuite demande à Judy Michaels de décoller et de retrouver l'*Oregon* au-dessus de la Manche.

— Et l'usine ? demanda Hanley.

— Raconte à Fleming ce que nous avons trouvé, dit Cabrillo, et dis-lui de s'en occuper.

— On dirait que c'est l'heure du changement de côté, fit remarquer Hanley.

— L'action, déclara Cabrillo, se déplace en Arabie Saoudite.

Le copilote du Hawker 800 XP de Hickman l'attendait dans l'aérogare.

— Le pilote a fait le plein, il a terminé les vérifications et reçu les autorisations nécessaires, annonça-t-il en entraînant Hickman à travers le terminal en direction de la piste.

Les deux hommes se dirigèrent vers le Hawker et embarquèrent. Trois minutes plus tard, ils roulaient en direction de la piste nord-sud. Encore trois minutes et ils avaient décollé. Lorsqu'ils furent au-dessus de la Manche, le pilote ouvrit la porte de la cabine.

— Monsieur, déclara-t-il, à la vitesse à laquelle vous voulez voler, nous allons consommer une quantité énorme de carburant.

Hickman sourit.

— N'épargnez pas les moteurs, dit-il. Le temps nous est compté.

Hickman sentit les réacteurs monter en puissance et l'avion prendre de la vitesse. Le plan de vol prévoyait de traverser la France le long de la frontière belge, puis la Suisse en passant par Zurich et de continuer après la traversée des Alpes à descendre la côte italienne puis la Grèce, la Crète, pour enfin survoler l'Egypte.

Après la traversée de la mer Rouge, ils seraient à Riyad, en Arabie Saoudite, à l'aube.

Dès que Hanley les eut appelés, Truitt et ses coéquipiers se préparèrent à partir. Après s'être assurés d'avoir tout photographié, ils collèrent de l'adhésif sur les portes et les fenêtres de la filature et laissèrent des panneaux pour avertir les gens de ne pas entrer.

Lorsque ce fut fait, ils remontèrent dans la camionnette cabossée et revinrent vers le fleuve où les attendait l'hydravion.

Depuis la lisière des arbres, un jeune renard fit quelques pas hésitants pour sortir des broussailles. Tout en reniflant, il traversa l'aire de chargement à l'arrière de l'usine. L'air chaud soufflait depuis l'usine par les portes ouvertes et il leva la truffe pour sentir la tiédeur. Il avança avec un luxe de précautions et s'arrêta près de la porte du milieu ouverte.

Là, ne sentant aucune menace, le renard s'aventura à l'intérieur.

Elevé près des hommes, il savait que leur présence signifiait la nourriture.

Il huma une odeur humaine et se mit à chercher. Il marcha dans une étrange substance noire qui colla à ses pattes. Il continua à traverser la pièce, et la substance noire s'imprégna de traces du virus.

A ce moment, les radiateurs se mirent à cliqueter et il en fut effrayé. Il courut vers les portes coulissantes. Lorsqu'il constata que rien ne se produisait, il décida de se coucher sur le sol pour attendre. Il se mit à lécher le noir sur sa patte.

Au bout de quelques minutes, son corps fut pris de convulsions. Ses yeux s'injectèrent de sang et du liquide coula de sa truffe. Tremblant comme s'il était électrocuté, il essaya de se mettre debout et de s'enfuir.

Mais ses jambes ne le portaient plus et une écume blanche lui coulait de la bouche.

Le renard se coucha pour mourir.

Le son strident de la sirène résonnait dans l'*Oregon*.

Les membres de l'équipage se précipitèrent à leur poste et le bateau se mit à bourdonner d'activité.

— Les amarres sont larguées, monsieur Hanley, annonça Stone.

— Ecartez-vous de la jetée, ordonna Hanley au timonier par l'interphone.

L'*Oregon* s'éloigna peu à peu de la jetée en prenant de la vitesse.

— Vous avez fait le plan de nav? demanda Hanley à Stone.

— Je viens juste de terminer, répondit-il en désignant le grand écran sur le mur.

Une grande carte d'Europe et d'Afrique était affichée avec une grosse ligne rouge qui indiquait l'itinéraire prévu. Des intervalles de temps étaient inscrits le long de la ligne.

— Quand pouvons-nous espérer atteindre la mer Rouge au plus tôt? demanda Hanley.

— Le 4 janvier à onze heures du matin, répondit Stone.

— Coordonnez-vous avec Michaels pour retrouver l'hydravion et récupérez Adams, dit Hanley, puis prévoyez les tours de quart pour le voyage.

— Bien monsieur, répondit Stone.

Puis Hanley prit son téléphone.

La nécessité de faire passer la cargaison de tapis de prière par la France serait un atout pour l'un des deux camps et un handicap pour l'autre. L'avion de Global Air fut autorisé à atterrir sans difficulté. Au bout d'une heure, les procédures étaient terminées et il pouvait décoller de nouveau.

Gunderson et son équipe du Gulfstream n'eurent pas autant de chance. Ils reçurent la visite de douaniers français dès qu'ils eurent atterri. Hickman avait en effet obtenu la liste de tous les avions privés qui se trouvaient à Las Vegas lors de l'effraction de son penthouse. Il lui avait ensuite suffi de se renseigner sur ceux qui avaient déposé un plan de vol pour l'Angleterre juste après.

Le Gulfstream était le seul.

Hickman avait alors adressé un appel anonyme à Interpol en prétendant que l'avion transportait de la drogue. Il fallut deux jours entiers et de nombreux appels de Hanley et d'autres pour que Gunderson puisse repartir. Les Français pouvaient se montrer assez peu commodes.

Cabrillo eut plus de chance. Le Challenger 604 à bord duquel il se trouvait avec Jones quitta Heathrow une trentaine de minutes après le départ de Hickman. Le pilote mit immédiatement le cap sur Riyad, la capitale, à une vitesse de huit cent soixante-quinze kilomètres à l'heure. Il filait dans le ciel à une altitude de onze mille mètres.

Avec sa demi-heure d'avance, Hickman survolait déjà la France, à sa vitesse maximum de huit cent vingt kilomètres à l'heure. Le Challenger aurait pu arriver le premier puisqu'il allait plus vite mais cela ne serait pas le cas. Hickman connaissait sa destination depuis longtemps, tandis que Cabrillo venait de la découvrir.

En temps normal, il est difficile d'obtenir un visa pour l'Arabie Saoudite. Le processus est lent et arbitraire et le tourisme est non seulement découragé mais illégal. Plusieurs entreprises de Hickman faisaient des affaires avec le royaume et il était connu. Sa demande de visa ne prit que quelques heures.

Il n'en irait pas de même pour Cabrillo.

Le 1er janvier à l'aube, Saud Al-Sheik fut réveillé par le carillon de son ordinateur, indiquant qu'il avait reçu un e-mail. L'usine en Angleterre le prévenait que les tapis de prière avaient passé les douanes et étaient à Paris pour y recevoir leur certificat de provenance.

A leur arrivée au terminal de fret de Riyad, il faudrait leur faire traverser le pays par camions jusqu'à La Mecque. Là, on ouvrirait les conteneurs pour les asperger de pesticide et on les laisserait à l'air libre un jour ou deux avant de les mettre en place dans le stade.

Al-Sheik regarda l'échéancier au-dessus de son bureau. Comme il ignorait la date exacte à laquelle arriveraient les tapis, il n'avait pu réserver les camions, qui étaient tous occupés à d'autres tâches. Il ne pourrait pas transporter les tapis avant le 7 janvier. Il se débrouillerait pour les faire désinfecter le 8, après quoi ils resteraient quelques heures à l'air libre et seraient mis en place le 9.

Cela lui laissait encore une marge de vingt-quatre heures avant le début officiel du hadj. Le délai était serré mais Al-Sheik n'avait guère le choix. Il avait une foule de détails à régler et peu de temps pour accomplir l'impossible.

Tout se résoudrait, songea-t-il en se levant pour quitter son bureau et remonter dans son lit, tout se résolvait toujours. *Inch'Allah.*

Allongé dans son lit, Al-Sheik sentait son cerveau bouillonner. Sachant qu'il ne se rendormirait pas, il préféra se lever pour se préparer une tasse de thé.

Le Challenger 604 survolait la Méditerranée lorsque le pilote ouvrit la porte du cockpit et se tourna vers l'arrière.

— Monsieur le président, s'écria-t-il, l'Arabie Saoudite nous refuse l'entrée sur son territoire tant que nous n'avons pas de visa. Il faut que vous décidiez immédiatement ce que nous faisons.

Cabrillo réfléchit un instant.

— Dirigez-vous vers le Qatar, enjoignit-il. Je vais appeler le représentant de l'émir dans quelques minutes. Ne vous inquiétez pas, il accédera à notre requête.

— Au Qatar, donc, dit le pilote en refermant la porte.

Le soleil se levait lorsque le Hawker de Hickman traversa la mer Rouge puis survola le désert saoudien pour arriver à Riyad. Le pilote posa doucement l'appareil, puis il roula vers l'aérogare des avions d'affaires.

— Faites le plein et tenez-vous prêt, ordonna Hickman.

Dès que la porte fut ouverte, il sortit, descendit la passerelle et posa le pied sur le sol saoudien en portant la météorite dans une caisse.

— Voilà donc le pays que je vais détruire, murmura-t-il en lui-même en regardant les collines desséchées autour de l'aéroport, le cœur de l'Islam.

Il cracha par terre et partit d'un sourire mauvais.

Puis il se dirigea vers la limousine qui l'attendait pour le conduire à son hôtel.

Hickman dormait déjà dans sa chambre lorsque le Challenger atteignit l'océan Indien, puis vira pour passer au-dessus du détroit d'Ormuz et du golfe Persique afin d'atteindre le Qatar. L'émir avait résolu toutes les difficultés. Son secrétaire leur avait facilité l'entrée dans le pays et une suite attendait Cabrillo dans un hôtel. On avait fixé un rendez-vous avec l'émir à midi. Cabrillo pourrait d'abord dormir quelques heures, puis il expliquerait en personne la difficulté qu'il rencontrait.

Le pilote ouvrit encore la porte.

— La tour nous donne l'autorisation d'atterrir, chef, annonça-t-il.

Cabrillo regarda par la fenêtre et vit les eaux azur du golfe. Les boutres, ces étranges bateaux qui transportaient pêcheurs ou cargaisons dansaient paisiblement sur l'eau. Plus loin au nord, Cabrillo distinguait la silhouette d'un pétrolier qui se dirigeait vers le sud. Le sillage laissé par les massives hélices du navire courait sur des kilomètres.

Cabrillo entendit les réacteurs du Challenger ralentir.

Ils amorcèrent leur descente.

46

Douze Indiens étaient entassés dans l'appartement miteux d'un immeuble décrépit du centre-ville de Riyad. Ils étaient arrivés en Arabie Saoudite une semaine plus tôt grâce à des visas de travail en tant que manœuvres. Lorsqu'ils eurent passé les douanes et les services d'immigration, ils s'évanouirent dans la nature et ne reprirent pas contact avec l'agence de recrutement qui les avait fait venir.

Un à un, ils s'étaient rendus à l'appartement que Hickman avait fait approvisionner en nourriture, eau et diverses choses, en quantité suffisante pour tenir plusieurs semaines. Ils ne s'aventuraient jamais au-dehors, ne communiquaient avec personne, et devaient attendre là, cachés, qu'on les appelle.

Ces douze hommes seraient les seules forces dont disposerait Hickman en Arabie Saoudite pour le plan qu'il s'apprêtait à mettre en œuvre. Ce qu'il avait en tête était simple en apparence mais beaucoup plus complexe à exécuter. Lui et les douze Indiens devaient d'abord se rendre à La Mecque. Une fois sur place, Hickman projetait de voler l'objet le plus sacré de l'Islam, la météorite de la Kaaba découverte par Abraham, et la remplacer par celle du Groenland.

Ensuite il emmènerait ailleurs la météorite d'Abraham pour la détruire.

Hickman voulait frapper l'Islam en plein cœur.

Dans sa chambre d'hôtel, à Riyad, Hickman consultait ses notes.

La Mecque, ville natale de Mahomet et de la religion qu'il a fondée, est le centre de l'Islam. Située à soixante-dix kilomètres de la mer Rouge dans une plaine poussiéreuse parsemée de collines et de montagnes, la ville était autrefois une oasis sur une route de commerce qui reliait les pays méditerranéens avec l'Arabie, l'Afrique et l'Asie. Là, d'après la légende, deux mille ans avant l'ère chrétienne, Dieu aurait ordonné à Abraham de bâtir un sanctuaire. Au fil des siècles, ce sanctuaire avait été démoli et reconstruit de nombreuses fois. En 630, le prophète Mahomet prit le contrôle de La Mecque et débarrassa la structure de toutes les fausses idoles. La seule chose que Mahomet laissa en place fut la Kaaba et la pierre sacrée qu'elle recelait. Il en fit le centre de sa nouvelle religion.

Au cours des siècles qui suivirent, le bâtiment qui protégeait la pierre avait été entouré d'une série de murs et de structures plus vastes, de plus en plus élaborées. La dernière construction majeure, au vingtième siècle, financée par la famille royale saoudienne, était la grande mosquée Al-Haram, la plus grande du monde, qui englobait tous les bâtiments antérieurs.

Au centre de la mosquée se trouve la Kaaba, une petite structure tendue de brocart noir sur laquelle sont brodées des sourates du Coran au fil d'or. Le brocart est changé chaque année et, une fois par an, en signe d'humilité, le roi d'Arabie Saoudite balaie le sol.

Les pèlerins viennent embrasser la pierre sacrée et boire à la source de Zamzam toute proche.

Dans moins d'une semaine, plus d'un million de personnes se rassembleraient près de la Kaaba.

Pour l'instant, elle était fermée en raison des préparatifs.

Hickman alluma son ordinateur et s'identifia pour accéder au serveur de l'une de ses entreprises d'aérospatiale au Brésil. Il y avait stocké ses fichiers les plus importants. Il téléchargea les photos et documents, qu'il passa en revue.

Il étudia une photographie aérienne de la mosquée de La Mecque.

La mosquée Al-Haram est une structure massive. Des murs énormes et des arches de pierre entourent le cœur de l'édifice et sont reliés aux niveaux supérieurs par les mêmes arches. Les murs sont surmontés de sept minarets qui s'élèvent dans le ciel à des dizaines de mètres. Au total, soixante-quatre portes permettent aux pèlerins d'entrer ; la surface totale au sol couvre près de deux hectares.

La Kaaba, au milieu de cet ensemble gigantesque, paraît minuscule avec ses vingt mètres sur vingt.

Tout ce qu'avaient à faire Hickman et son équipe était de se glisser sous le rideau qui entourait la Kaaba, d'enlever la pierre sacrée, montée sur un socle en argent dans un mur au coin sud-ouest du bâtiment, à environ un mètre vingt du sol, et la remplacer par celle du Groenland. Ensuite, ils n'auraient plus qu'à essayer de fuir.

Bref, cela semblait à peu près impossible.

Le téléphone de sa chambre sonna. Le réceptionniste le prévenait qu'un paquet était arrivé pour lui. Hickman demanda qu'un chasseur le lui monte. Quelques minutes plus tard, on frappait à la porte.

Hickman ouvrit, glissa un pourboire au chasseur et prit le paquet.

L'*Oregon* ralentit au large des côtes françaises.

— Je le vois sur le radar, annonça Stone à Hanley.

Ce dernier hocha la tête et surveilla les caméras extérieures pour guetter l'hydravion qui sortait de la brume. L'avion ralentit, descendit et fit un amerrissage, puis se dirigea vers le cargo. Hanley surveilla les matelots qui amarraient l'hydravion tandis que l'équipe débarquait. Puis il prit sa radio.

— Mademoiselle Michaels, appela-t-il.

— Oui monsieur, répondit le pilote.

— Le cargo fait route vers la mer Rouge. Vous avez dormi récemment ?

— Pas beaucoup, avoua Michaels.

— Allez vous poser en Espagne et prenez une chambre d'hôtel, dit Hanley. Quand vous serez bien reposée, vous pourrez vous diriger vers le sud. Un aéroport du sud de l'Italie devrait convenir ; ainsi, vous serez assez proche pour que nous puissions vous appeler en cas de besoin.

L'hydravion s'était révélé très utile mais il était trop gros pour tenir à l'intérieur du cargo.

— Très bien, monsieur, dit Michaels.

— Je vous envoie quelqu'un avec deux liasses de billets de cent dollars, déclara Hanley; dix mille dollars en tout. Vous pourrez voler seule en toute sécurité ou voulez-vous que quelqu'un vous accompagne?

— Non merci, chef, dit Michaels. Ça ira très bien.

— Si vous avez besoin de plus d'argent, dit Hanley, appelez-nous. Nous vous ferons un virement là où vous serez. Maintenant, allez vous reposer, mais faites le plein et soyez prête à décoller à tout moment.

— Oui, monsieur.

— Michaels, ajouta Hanley, vous avez fait du bon boulot. Je sais que c'était votre première mission en tant que chef pilote et je veux que vous sachiez que la Corporation est entièrement satisfaite.

— Monsieur, appela Stone, Adams arrive à bord du Robinson.

Michaels passa la tête par la porte latérale de l'avion et leva les yeux vers une caméra pour dresser les pouces à l'intention de Hanley. Puis elle remonta et ferma la porte. Regagnant le cockpit, elle démarra les moteurs et alluma son micro.

— J'entends Adams dans la radio, dit-elle, je vais m'éloigner tout de suite.

Les amarres furent ramenées à bord de l'*Oregon* et Michaels s'écarta du bateau au ralenti. Lorsqu'elle fut assez loin, elle accéléra et fit décoller l'hydravion. Avec un léger arrondi vers la gauche, elle mit le cap sur l'Espagne.

— Récupérons Adams, ordonna Hanley, après quoi nous repartirons à pleine vitesse.

Deux minutes plus tard, le Robinson apparaissait au-dessus de la voûte du navire et se posait sur la plate-forme.

Dès que l'hélicoptère fut accroché au pont, Hanley ordonna que l'on donne la pleine puissance.

Cabrillo dormit comme une souche jusqu'à onze heures du matin, lorsque la réception lui téléphona pour le réveiller. Cabrillo commanda un petit déjeuner, puis appela la chambre de Jones.

— Je suis réveillé, chef, répondit Jones.

— Retrouvez-moi dans ma suite pour le petit déjeuner quand vous aurez pris votre douche, dit Cabrillo.

— Je serai là dans vingt minutes, déclara Jones.

Cabrillo était sorti de sa douche et il se rasait lorsque l'employé du service d'étage frappa à sa porte. Vêtu de son peignoir, Cabrillo alla ouvrir et fit signe au serveur de laisser le chariot. Puis il prit un billet dans son portefeuille posé sur la commode et voulut le tendre à l'homme.

— Désolé, monsieur, répondit celui-ci, l'émir s'est occupé de tout.

Puis il disparut avant que Cabrillo ait pu répliquer. Il finit de se raser et passa des vêtements propres. Il allumait la télévision pour regarder les informations lorsque Jones frappa à la porte. Cabrillo le fit entrer et les deux hommes prirent leur petit déjeuner. Jones avala la moitié de son omelette avant de prendre la parole.

— Je n'ai jamais rencontré l'émir, chef, dit-il. Il est comment ?

— Il a une cinquantaine d'années et il est progressiste, dit Cabrillo. Il a autorisé les Etats-Unis à maintenir une base militaire ici depuis quelques années. D'ailleurs, toute la deuxième guerre du Golfe s'est appuyée sur cette base aérienne.

— Quelles sont ses relations avec l'Arabie Saoudite ? demanda Jones.

— En général, elles sont bonnes, répondit Cabrillo, mais cela peut évoluer d'un jour à l'autre. Les Saoudiens n'ont qu'une marge de manœuvre étroite entre une attitude pro-occidentale, comme celle de l'émir aux yeux du monde arabe en général, et la nécessité de composer avec les fondamentalistes au sein de leur population. Cette position s'est révélée intenable à maintes reprises.

Cabrillo finissait sa dernière bouchée de pommes de terre lorsque le téléphone sonna.

— La limousine est en bas, annonça-t-il après avoir raccroché. Allons le rencontrer et vous pourrez vous forger votre propre opinion.

Jones se leva et emboîta le pas à Cabrillo.

A Langley, en Virginie, Langston Overholt lisait un rapport du MI5 concernant l'ogive nucléaire que la Corporation avait désarmée. La Grande-Bretagne était à présent en sécurité, mais on n'avait toujours pas retrouvé la météorite. Quant à Michelle Hunt, en Angleterre, Overholt ne savait toujours pas comment elle pourrait leur être utile.

Hanley avait fait son rapport une heure plus tôt et mis Overholt au courant des derniers développements mais un récent accrochage avec le gouvernement américain au sujet de son soutien à Israël avait rendu les Saoudiens de plus en plus fermés à toute collaboration avec les Etats-Unis. Overholt avait fait part à son homologue saoudien de ses soupçons concernant les tapis de prière empoisonnés mais il n'avait pas encore reçu de réponse.

Il pensait qu'il allait peut-être devoir appeler le président pour que celui-ci intercède.

Ce qui intriguait Overholt au plus haut point, c'était que la Corporation, au cours de ses fouilles de la filature de Maidenhead, n'avait trouvé aucune trace de la météorite, aucun résidu indiquant qu'elle aurait été réduite en poudre ainsi qu'ils l'avaient imaginé au départ.

Il fut interrompu dans ses réflexions par la sonnerie du téléphone.

— J'ai les images satellite que vous vouliez, monsieur, lui annonça un agent de la NSA, l'Agence nationale de sécurité. Je vous les envoie immédiatement.

— Très bien, répondit Overholt, mais dites-moi tout de suite où s'est posé le Hawker.

— A Riyad, monsieur, répondit l'homme. Il est arrivé tôt ce matin et il y est toujours. Nous avons un cliché de l'avion sur la piste et les plans de vol ; c'est ce que je vous envoie.

— Merci, dit Overholt avant de raccrocher.

Il se cala dans son fauteuil et sortit de son tiroir une balle de tennis qu'il se mit à faire rebondir contre le mur. Au bout d'un moment, il hocha la tête et attrapa son téléphone.

— Service de recherches, répondit une voix.

— J'ai besoin d'une synthèse rapide sur la religion musulmane et sur les sites sacrés de La Mecque.

Overholt venait de se rappeler quelque chose à propos d'une météorite, quelque chose qu'il avait appris en cours d'histoire des années auparavant.

— Quel niveau de détail et quel délai ? demanda la voix.

— Un bref résumé, dans une heure, répondit Overholt. Et trouvez-moi un spécialiste de l'Islam au sein de l'Agence et envoyez-le-moi.

— Bien, monsieur.

Tandis qu'Overholt attendait, il fit encore et encore rebondir la balle contre le mur. Il essayait de se mettre à la place du père hanté par la mémoire de son fils. Jusqu'où irait-il pour venger sa mort ? Comment s'y prendrait-il pour frapper l'ennemi en plein cœur ?

Le palais de l'émir, construit sur une colline qui dominait le golfe Persique, était somptueux. Entourés d'un haut mur qui abritait une cour, des garages, un grand parc et plusieurs bassins, les alentours du palais étaient étrangement accueillants, contrairement aux édifices austères et lugubres de la plupart des pays européens.

Tandis que la limousine passait la grille et empruntait l'allée en direction de la porte principale, plusieurs paons et deux flamants roses s'écartèrent. Sur un côté, un mécanicien vêtu d'une combinaison kaki lavait un véhicule tout-terrain Lamborghini tandis que deux jardiniers ramassaient les fruits d'un pistachier non loin de là.

La limousine s'arrêta devant la porte et un homme vêtu à l'occidentale sortit.

— Monsieur Cabrillo, déclara-t-il, je suis Akmad Al-Thani, secrétaire particulier de l'émir. Nous nous sommes parlé au téléphone.

— Monsieur Al-Thani, fit Cabrillo, c'est un plaisir de faire enfin votre connaissance. Voici mon associé, Peter Jones.

Jones serra la main d'Al-Thani avec un sourire.

— Venez par ici, messieurs, dit Al-Thani en entrant dans le palais, l'émir vous attend dans le petit salon.

Cabrillo suivit Al-Thani, Jones sur les talons.

Ils pénétrèrent dans un vaste vestibule au sol en marbre d'où partaient deux escaliers monumentaux pour accéder aux étages supérieurs. Il y avait plusieurs statues de marbre, disposées avec goût sur une grande table en acajou verni au centre et un immense bouquet de fleurs au milieu. Deux femmes de chambre s'affairaient et dans un coin un majordome en queue-de-pie donnait des instructions à un homme à tout faire qui réparait le projecteur pointé sur un tableau qui ressemblait à un Renoir.

Al-Thani poursuivit son chemin par un couloir qui menait à une vaste pièce dont un mur entier était vitré et donnait sur la mer. La salle devait faire plus de cinq cents mètres carrés avec ses divers salons séparés par des plantes vertes. Plusieurs écrans de télévision plasma étaient disposés et il y avait même un piano à queue.

L'émir, assis au piano, s'arrêta de jouer à leur entrée.

— Merci d'être venu, dit-il en se levant.

Il tendit la main à Cabrillo.

— Juan, déclara-t-il, c'est toujours un plaisir de vous voir.

— Votre Excellence, fit Cabrillo en se tournant vers Jones, je vous présente mon associé, Peter Jones.

Jones lui serra la main.

— Enchanté, fit l'émir avec un geste en direction des banquettes à côté d'eux. Asseyons-nous ici.

Les quatre hommes prirent place et, comme par magie, un domestique entra.

— Du thé et des gâteaux, commanda l'émir.

Le serviteur disparut aussi vite qu'il était venu.

— Alors comment les choses se sont-elles terminées en Islande ? demanda l'émir.

Cabrillo lui exposa les détails et l'émir hocha la tête.

— Si vous n'aviez pas été là pour faire la substitution, dit l'émir, qui sait où je serais en ce moment.

— Al-Khalifa est mort à présent, Votre Excellence, rappela Cabrillo, voilà donc un souci de moins pour vous.

— Néanmoins, fit l'émir, je souhaite que la Corporation fasse au plus vite une évaluation complète de ma sécurité et des menaces qui pèsent sur le gouvernement.

— Nous serons ravis de faire cela pour vous, assura Cabrillo, mais je dois d'abord vous parler d'un sujet très urgent.

L'émir hocha la tête.

— Allez-y, je vous écoute.

47

LES trois conteneurs remplis de tapis de prière contaminés étaient entreposés dans le terminal de fret de l'aéroport de Riyad, dans un espace grillagé qui représentait la superficie de plusieurs terrains de football. Si l'on n'avait pas été aussi près du hadj, les tapis auraient déjà été déchargés. Mais dans les circonstances actuelles et compte tenu de l'arrivée tardive de ces fournitures, elles n'étaient plus prioritaires. Si les tapis se trouvaient en place sur le sol autour de la Kaaba la veille du début du hadj, Al-Sheik considérerait déjà cela comme un succès.

Pour l'instant, l'organisateur avait des choses plus urgentes à régler.

En plus des tapis, il y avait presque un million de bouteilles d'eau en plastique qu'il faudrait mettre en place, dix mille WC chimiques à ajouter à ceux déjà présents sur le site, six tentes-infirmeries qui seraient disposées un peu partout et dix mille poubelles.

Des caisses de dépliants et de souvenirs, des exemplaires du Coran et des cartes postales, et des cartons contenant des tubes d'écran solaire étaient posés sur des palettes. De la nourriture pour les pèlerins, six mille balais pour ceux qui nettoieraient le site chaque soir, des parapluies en cas d'intempérie. Douze caisses de ventilateurs qui seraient installés dans la Grande Mosquée.

Mais Al-Sheik ne s'occupait pas des dispositifs de sécurité.

Il laissait cela à la police secrète saoudienne.

Dans une zone distincte du terminal de fret, des camions partaient déjà pour La Mecque avec les équipements de sécurité : un poste de commandement équipé de liaisons radio et vidéo ; cent mille cartouches et des grenades lacrymogènes en cas de problème, mille paires de menottes en plastique, quarante chiens entraînés avec leurs cages, de la nourriture, des laisses et des colliers ; enfin, une douzaine de cars blindés, quatre chars et des milliers de soldats.

Le hadj annuel était une entreprise gigantesque et c'était la famille royale saoudienne qui payait la facture.

Al-Sheik consulta son échéancier et traça une croix pour un camion qui quittait l'enclos.

L'émir avait écouté Cabrillo en sirotant son thé chaud pendant une vingtaine de minutes, sans l'interrompre. Il y eut ensuite un silence.

— Voudriez-vous que je vous relate brièvement l'histoire de l'Islam ?

— Je vous en prie, dit Cabrillo.

— Il y a trois sites importants dans la religion musulmane, deux en Arabie Saoudite et le troisième en Israël. Le plus sacré est la mosquée Al-Haram de La Mecque où se trouve la Kaaba, le deuxième est Masjid-al-Nabawi, la Mosquée du Prophète à Médine, avec le tombeau de Mahomet. Le troisième est Masjid-al-Aqsa à Jérusalem, le Dôme du Rocher, l'endroit où Mahomet a été hissé dans les airs sur son cheval ailé pour parler à Allah.

L'émir s'interrompit pour prendre une gorgée de thé puis il reprit.

— La Kaaba revêt une importance particulière pour les Musulmans ; c'est la *qibla*, le lieu en direction duquel nous prions cinq fois par jour, le véritable foyer de notre religion. Derrière le brocart qui recouvre le site sacré de la Kaaba, insérée dans l'édifice luimême, se trouve la pierre noire qu'a découverte Abraham et qu'il a placée là il y a des siècles.

Cabrillo et Jones hochèrent la tête.

— Comme vous l'avez dit, nous croyons que cette pierre est une météorite envoyée par Allah aux fidèles.

— Pourriez-vous nous la décrire ? demanda Jones.

L'émir hocha la tête.

— Je l'ai moi-même touchée à maintes reprises. La pierre est ronde, elle mesure une trentaine de centimètres de diamètre et elle est noire. Si je devais en estimer le poids, je dirais environ cinquante kilos.

— Ce sont à peu près les dimensions de la météorite trouvée au Groenland, dit Cabrillo.

L'inquiétude se peignit sur le visage de l'émir.

— Il y a quelque chose que j'ai oublié de mentionner, Votre Excellence, déclara Cabrillo. Nos scientifiques ont des raisons de croire qu'il pourrait y avoir un virus très dangereux à l'intérieur de la météorite. Si le globe était brisé...

— Quel type de virus ? demanda l'émir.

— Quelque chose qui consomme l'oxygène à une vitesse effrayante, dit Cabrillo, ce qui crée un vide qui aspire tout ce qui se trouve à côté.

— La fin du monde, souffla l'émir.

— Je dois entrer en Arabie Saoudite, dit vivement Cabrillo, pour empêcher cela.

— Cela, mon ami, va être plus difficile qu'il n'y paraît. Depuis la guerre du Golfe de 2003, le roi Abdallah et moi entretenons des relations diplomatiques complexes. Mon soutien inconditionnel aux Etats-Unis, la permission que j'ai donnée de construire une base aérienne ici a créé une faille dans notre amitié, au moins officiellement. Pour apaiser les radicaux de son pays et rester au pouvoir, il a jugé nécessaire de condamner publiquement mes actions.

— Mais si vous lui expliquez la menace qui pèse sur son pays, dit Jones, il va sans doute se rallier à votre point de vue.

— Je vais essayer, dit l'émir, mais pour le moment, nous ne nous parlons que par intermédiaires et le processus est long et laborieux.

— Allez-vous tenter de le faire tout de même ? demanda Cabrillo.

— Bien sûr. Mais même s'il vous permettait de l'aider, dit l'émir, vous aurez un autre problème. Et celui-là est de taille.

— C'est-à-dire ? demanda Cabrillo.

— Seuls les Musulmans sont autorisés à entrer dans la ville de La Mecque.

Scott Thompson était trempé de sueur froide.

Le Dr Berg venait de lui attacher sur les yeux ce qui ressemblait à un casque de jeux vidéo et avait fermement ajusté la sangle. Jusque-là, Thompson avait tenu bon ; on lui avait injecté du sérum de vérité, en vain ; il avait été cuisiné de façon incessante depuis plusieurs jours ; enfin ses proches aux Etats-Unis lui avaient téléphoné pour lui énumérer ce qu'on leur ferait subir s'il ne collaborait pas.

Rien n'avait pu le décider à parler.

Scott avait été formé à de telles éventualités et on lui avait inculqué sa doctrine au fer rouge.

Il avait appris à combattre le sérum de vérité, avait été formé à résister aux interrogatoires et on lui avait fait assimiler le fait que quoi qu'il arrive, le gouvernement américain ne s'attaquerait pas à ses proches pour le faire parler.

Mais personne ne l'avait prévenu de ce qui lui arrivait à présent.

Thompson sentit l'haleine de Berg près de son oreille.

— Scott, fit le médecin, vous allez voir dans un instant des lumières colorées devant vos yeux. Au bout d'un moment, elles vont provoquer des crises semblables à de l'épilepsie et une brûlure atroce comme si on vous enfonçait des clous dans le cerveau. Si vous avez besoin de vomir, ce qui sera le cas, vous ne pourrez sans doute pas bouger la tête, donc essayez de ne pas vous étouffer avec votre vomi. J'ai un infirmier à côté de moi qui évacuera les résidus. Vous comprenez ?

Thompson fit un léger signe de tête.

— Maintenant je vais vous donner une dernière chance de vous en tirer avant de commencer. Je veux que vous sachiez que nous utilisons rarement cette technique car nous y perdons souvent des patients. C'est-à-dire des gens qui se retrouvent dans un état catatonique ou végétatif et certains décèdent sur le coup. Vous comprenez ce que ça signifie ?

Le commandant Gant était sur le côté. Il ne pouvait supporter de regarder la scène et il fit signe qu'il allait sortir. Le Dr Berg le salua. Puis il s'approcha d'un ordinateur et appuya sur quelques touches.

Thompson fut alors pris de convulsions et arqua le dos contre les sangles.

Il se tordait sur la table comme un poisson hors de l'eau.

Il était quatorze heures au Qatar et neuf heures du matin à Washington DC lorsque Overholt décrocha le téléphone. Cabrillo ne perdit pas de temps.

— Je suis au Qatar, dit-il. Nous pensons maintenant que Hickman risque d'attaquer l'un des trois sites musulmans les plus importants.

— La Kaaba, le tombeau de Mahomet ou le Dôme du Rocher, déclara Overholt. J'ai appris ma leçon.

Overholt avait passé plusieurs heures la veille en compagnie du chercheur en études islamiques de la CIA et il avait lu les documents préparés par le service de recherches.

— Bien joué, lança Cabrillo.

— J'ai aussi fait rechercher par la NSA les communications depuis et vers le domicile de Hickman ces dernières semaines et j'ai enfin obtenu les résultats, dit Overholt. Il a été en relation avec Pieter Vanderwald ; d'ailleurs, un paquet vient d'être envoyé en Arabie Saoudite en express par une compagnie de Vanderwald.

— Pieter l'Empoisonneur ? demanda Cabrillo.

— En personne, répondit Overholt.

— Il faut que quelqu'un s'occupe de lui, dit Cabrillo.

— J'ai donné des directives, reprit Overholt. Un commando d'intervention est sur ses traces en ce moment.

— Est-ce que tu as parlé à Hanley récemment ? demanda Cabrillo.

— Oui, il m'a expliqué ce que vos hommes avaient découvert à la filature de Maidenhead. Nous pensons qu'il s'agit d'un produit toxique fourni par Vanderwald.

— Et ils en ont vaporisé sur les tapis de prière, ajouta Cabrillo.

— Je suis sûr qu'il a scellé les conteneurs, sinon les pilotes auraient été malades pendant le voyage et l'avion se serait écrasé. Hickman est fou mais pas stupide. Nous aurons un problème lorsque les conteneurs seront ouverts.

— Ce qui pourrait se produire à tout instant, fit Cabrillo.

A ce moment-là, le fax du bureau d'Overholt se mit à crépiter. Il feuilleta les papiers qui en sortaient.

— Je dirais qu'il va frapper le Dôme du Rocher et essayer de faire porter le chapeau aux Israéliens.

— Qu'est-ce qui te fait penser ça ? demanda Cabrillo.

— Tu te rappelles le yacht qui transportait la météorite vers les îles Féroé et qui a été intercepté par notre frégate lance-missiles ?

— Bien sûr, répondit Cabrillo.

— J'ai envoyé à bord un spécialiste de l'Agence, dit Overholt, et il a finalement réussi à faire parler leur chef.

— Et ?

— Il y a une quinzaine de jours, Hickman a envoyé une première équipe en Israël pour truffer le Dôme du Rocher de câbles et d'explosifs. S'il parvient à retrouver la pierre d'Abraham, il semble vouloir l'emmener à Jérusalem et la détruire dans l'explosion, puis montrer la vidéo au monde entier.

— Mais les opérations en Arabie Saoudite ? demanda Cabrillo. Il n'en a pas parlé ?

— Apparemment, il n'en savait rien. Hickman a dû compartimenter ses différents groupes.

— Rends-moi un service, dit Cabrillo.

— Lequel ?

— Sors les dossiers personnels de tous les militaires que nous avons au Qatar.

— Pour quoi faire ?

— Il me faut tous les Musulmans que nous avons, dit Cabrillo.

— Et qui prendra le commandement à La Mecque ?

— Ne t'inquiète pas, dit Cabrillo. J'ai l'homme de la situation.

L'*Oregon* entrait dans le Détroit de Gibraltar lorsque Hanley raccrocha après avoir parlé à Cabrillo. Il appuya sur le bouton de l'interphone.

— Kasim et Adams à la salle de contrôle, immédiatement, lança-t-il. Kasim et Adams en salle de contrôle.

En attendant leur arrivée, il se tourna vers Stone.

— Mettez le cap vers Israël, sur le port le plus proche de Jérusalem que vous pourrez trouver.

Stone sortit une carte sur son écran. Le port d'Ashdod était le plus proche. Il entra les coordonnées de leur nouvelle destination et le pilote automatique du bateau se réajusta instantanément. Adams entra alors dans la pièce.

— Oui, chef ?

— Je veux que vous prépariez l'hélicoptère pour déposer Kasim à Tanger, au Maroc.

— Et ensuite ?

— Faites le plein et revenez à l'*Oregon*.

— J'y vais tout de suite, dit Adams.

Quelques instants plus tard, c'est Kasim qui entrait dans la salle de contrôle.

— Vous êtes partant pour diriger une opération ? lui demanda Hanley.

— Oui, monsieur, répondit Kasim avec un sourire.

— Seul M. Cabrillo a accès aux dossiers personnels, déclara Hanley, mais il m'a dit que vous êtes musulman. C'est exact ?

— Oui, monsieur.

— Bien, dit Hanley. Le Challenger est en route depuis le Qatar et il va venir vous chercher au Maroc. Nous avons besoin de vous pour commander une équipe à La Mecque.

— Dans quel but, monsieur ? demanda Kasim.

— Vous allez, énonça lentement Hanley, sauver les sites les plus sacrés de l'Islam.

— Ce serait un grand honneur, monsieur, dit Kasim.

48

HICKMAN n'avait aucun scrupule à entrer dans La Mecque sans être musulman.

Il haïssait la religion musulmane et tout ce qu'elle représentait. Après un rendez-vous avec les Indiens dans la maison de Riyad à seize heures, au cours duquel il leur avait expliqué ce qu'il attendait d'eux, ils s'étaient tous mis en route pour La Mecque et la Kaaba, pour un voyage de dix heures à bord d'une camionnette volée sur laquelle était écrit en arabe : PROPRETÉ DU ROYAUME. Ils étaient vêtus de longues et amples robes blanches et chacun d'eux avait un balai, un seau, un couteau de vitrier et des brosses.

Hickman avait payé un faussaire pour écrire une lettre en arabe expliquant qu'ils étaient là pour enlever toute trace de chewing-gum sur le sol. A l'intérieur d'un chariot de ménage en plastique jaune vif, derrière un rideau en toile blanche, Hickman avait déposé la météorite ainsi que des aérosols envoyés par Vanderwald la veille. Chaque hindou avait un paquet d'explosif C-6 moulé et scotché au creux des reins avec un détonateur miniature. Sur leurs jambes, cachées sous leurs robes, se trouvaient des armes de poing au cas où les choses tourneraient mal.

La camionnette s'arrêta devant le portail de la Grande Mosquée.

Hickman et les autres sortirent le chariot, les seaux et les balais du véhicule puis s'avancèrent vers le garde. Hickman s'était entraîné sans relâche pour ce moment, en apprenant l'arabe et les postures corporelles à adopter. Il tendit la feuille de papier et prit la parole.

— Au nom d'Allah le Miséricordieux, nous venons pour nettoyer les lieux.

Il était tard, le garde était fatigué et la mosquée était fermée.

Il n'avait aucune raison de croire que les hommes lui mentaient et il les laissa passer sans commentaire. Poussant le chariot devant lui, Hickman emprunta un petit couloir qui menait à l'intérieur du sanctuaire.

Une fois dans le couloir, Hickman enfila un petit masque et un filtre sur son nez et sa bouche, puis il enveloppa son turban par-dessus de manière à ce que seuls ses yeux soient visibles. Il fit signe aux Indiens de se déployer et de placer les charges d'explosif dans tout le périmètre et se dirigea vers la Kaaba.

Quatre hommes de haute taille vêtus d'uniformes de cérémonie montaient la garde aux coins de l'édifice tendu de noir. Toutes les cinq minutes, ils changeaient de coin avec des pas exagérés qui faisaient monter leurs pieds en l'air comme les gardes de Buckingham Palace. Chaque garde quittait le coin dans lequel il se trouvait pour aller au suivant dans le sens des aiguilles d'une montre, puis il s'arrêtait et attendait. Ils finissaient tout juste leur changement de place lorsque Hickman s'approcha avec son chariot.

Il prit dans son chariot un aérosol, l'ouvrit et le poussa vers le gardien. Celui-ci resta immobile un instant puis ses genoux se dérobèrent sous lui et il s'effondra, le visage contre le sol de marbre. Hickman se glissa rapidement sous le brocart noir avec son chariot et le poussa à l'intérieur.

Puis il courut vers la pierre d'Abraham et la décrocha de son support en argent grâce à une courte tige métallique qu'il avait dissimulée dans le chariot. Il la remplaça rapidement par la météorite du Groenland et cacha la pierre d'Abraham sous le rideau blanc du chariot. Puis il disposa des charges explosives dans la pièce et repassa derrière le tissu.

Vanderwald lui avait expliqué que le gaz soporifique qu'il lui avait fourni ne produisait un effet que pendant trois à quatre minutes, après quoi celui qui l'avait inhalé reprenait connaissance. Hickman reprit le couloir.

Les Indiens avaient travaillé rapidement; les six chargés des piliers les plus proches du couloir étaient déjà prêts et l'attendaient. Deux autres arrivèrent quelques instants plus tard, puis encore deux autres.

Hickman regarda les deux derniers arriver en courant sur le sol en marbre.

Suivi des Indiens, Hickman repassa devant le gardien à l'entrée.

— Que faites-vous ? demanda celui-ci.

— Mille pardons, répondit Hickman en arabe tout en se dirigeant vers la camionnette. On nous a dit à l'intérieur que nous ne devions faire le ménage que demain soir.

Hickman et ses acolytes s'entassèrent dans la camionnette et ils démarraient lorsque le gardien se réveilla. Il s'assit lentement sur le marbre puis balaya la pièce du regard pour voir si quelqu'un avait remarqué. Le garde du coin opposé lui tournait le dos comme l'exigeait le cérémonial. Il se releva précipitamment et consulta sa montre. Plus qu'une minute trente avant le changement de place. Le garde décida de garder le secret sur son évanouissement. Il savait que s'il en parlait à quiconque, il serait remplacé avant le hadj.

Il avait rêvé toute sa vie de revêtir l'uniforme de cérémonie. Il n'allait pas laisser une légère insolation ou une intoxication alimentaire briser son rêve.

Hickman guida le chauffeur jusqu'à la route qui menait à la ville de Rabig sur la mer Rouge.

Une fois là-bas, les Indiens se cacheraient dans une maison qu'il avait louée. Le lendemain soir, ils se rendraient à Médine. Quant à Hickman, il ne passerait pas la soirée à Rabig ; un bateau l'attendait dans le port. Aux premières lueurs du jour, il serait à bord en route vers le nord.

Overholt était assis dans le Bureau ovale. Il acheva son compte rendu et se laissa aller contre le dossier de son fauteuil.

— Voilà un sacré sac de nœuds, Langston, dit le Président.

Overholt hocha lentement la tête.

— Nous sommes au plus mal avec l'Arabie Saoudite en ce moment, poursuivit le Président. Depuis que le sénateur Grant a fait passer la loi condamnant le royaume pour avoir hébergé les kamikazes du 11 septembre, et que le Congrès a voté la taxe spéciale sur le pétrole brut saoudien, nos diplomates n'ont même pas réussi à arranger la moindre réunion. Les derniers sondages montrent que la majorité des Américains pensent que nous devrions avoir attaqué l'Arabie Saoudite au lieu de l'Irak, et maintenant vous me dites qu'un milliardaire américain fou veut attaquer les sites les plus sacrés du pays.

— Je sais que la situation est explosive, monsieur le Président.

— Explosive ? s'écria le Président. C'est bien pire que ça. Si Hickman a empoisonné les tapis de prière et substitué une météorite à la pierre d'Abraham comme vous semblez le croire, je vois trois choses qui pourraient se produire. La première est une évidence : les Saoudiens mettront un embargo sur le pétrole à destination des Etats-Unis, ce qui nous plongera dans une nouvelle crise alors que nous sommes à peine sortis de la précédente ; ce serait un choc dont notre économie ne pourrait pas se relever. La deuxième, c'est que le fait que Hickman soit américain attisera la haine des terroristes. Ils se rueront sur notre pays pour créer le chaos. Regardons les choses en face : les frontières avec le Canada et le Mexique sont de vraies passoires. A moins de construire des murs, nous ne pouvons rien faire contre quelqu'un qui est vraiment déterminé à entrer dans notre pays. La troisième chose est la pire. Si la météorite du Groenland se brise et qu'elle libère un virus semblable à celui qui se trouvait dans l'échantillon de l'Arizona, alors les deux premiers points sont nuls et non avenus. L'oxygène de notre atmosphère pourrait être aspiré comme l'eau dans une paille et nous n'aurons plus que de la poussière à respirer.

Overholt hocha la tête.

— Les deux premières choses sont faciles à régler si ce qu'a appris le médecin de la CIA est vrai : Hickman veut faire porter le chapeau aux Israéliens.

— Malheureusement, malgré mes efforts pour sevrer les Israéliens de l'aide américaine, j'ai échoué. Le monde arabe croit que les Etats-Unis et Israël sont très liés, et c'est le cas. Si Israël porte le chapeau, toutes les nations arabes l'attaqueront. Et nous savons ce qui se passerait dans ce cas.

— Israël risquerait d'utiliser la bombe atomique, dit Overholt.

— Et qu'arriverait-il alors ? demanda le Président. Trouvez une solution.

— La seule manière de régler la question est d'éliminer les tapis de prière, capturer Hickman et nous débrouiller pour remplacer la météorite s'il a déjà effectué la substitution, puis de fouiller les lieux saints à la recherche d'explosifs.

— Tout cela sans que le gouvernement saoudien se doute de ce que nous faisons. C'est une tâche redoutable.

— Monsieur le Président, fit Overholt, avez-vous une meilleure idée ?

Le 4 janvier à cinq heures du matin au Qatar, le téléphone réveilla Cabrillo dans sa chambre d'hôtel.

— C'est moi, Juan, dit Overholt. Je viens de terminer ma réunion avec le Président et j'ai des instructions pour toi.

Cabrillo se redressa dans son lit.

— Alors, quel est le verdict ?

— Il veut tout mener sans coopérer avec les Saoudiens, dit Overholt. Je suis désolé, mais c'est la seule manière que nous avons de nous en sortir.

Cabrillo émit un fort soupir qui parvint à son interlocuteur.

— Nous disposons de six jours jusqu'au hadj, date à laquelle il y aura deux millions de pèlerins à Médine et à La Mecque, et tu veux que j'envoie une équipe sur les lieux pour faire quoi ?

— D'abord, répondit Overholt, trouver Hickman et déterminer où se trouve la météorite ; s'il l'a substituée à la pierre d'Abraham, refaites l'échange. Ensuite, fouillez les mosquées Al-Haram et Al-Nabawi pour vous assurer qu'elles ne sont pas truffées d'explosifs. Ensuite, toi et ton équipe, vous quittez l'Arabie Saoudite sans que personne s'en rende compte.

— Excuse-moi de te parler argent alors que tu es en plein délire, fit Cabrillo, mais est-ce que tu as la moindre idée de ce que tout ça va coûter aux Etats-Unis ?

— Un chiffre à sept zéros ? devina Overholt.

— Peut-être huit, rétorqua Cabrillo.

— Alors vous pouvez le faire ?

— Peut-être, mais j'aurai besoin de toutes les ressources du ministère de la Défense et de l'appui des services de renseignement.

— Tu n'auras qu'à appeler, dit Overholt et je m'assurerai qu'ils obtempèrent.

Cabrillo raccrocha et composa un autre numéro.

Une heure plus tard, tandis que Cabrillo prenait une douche à son hôtel, Hali Kasim marchait sur une piste d'atterrissage devant le hangar de la base militaire américaine du Qatar. Trente-sept hommes déambulaient, le contingent total de soldats américains musulmans, depuis ceux de la base militaire Diego Garcia dans l'océan Indien jusqu'à ceux du continent africain. Tous étaient arrivés au Qatar la veille par avion militaire.

Pas un ne connaissait la raison de sa venue.

— Messieurs, annonça Kasim, en rangs.

Les hommes s'alignèrent et attendirent en position de repos. Kasim étudia une feuille de papier, puis il leva les yeux.

— Je m'appelle Hali Kasim, déclara-t-il. J'ai servi sept ans dans la marine américaine en tant qu'adjudant W4 dans une équipe de déminage sous-marin avant de rejoindre le secteur privé. J'ai été rappelé en service actif par décret présidentiel avec le grade de commandant pour cette opération. D'après mon dossier, le plus haut gradé ici est un capitaine de l'US Air Force du nom de William Skutter. Capitaine Skutter, avancez.

Un homme noir et mince, vêtu de l'uniforme bleu de l'aviation, fit deux pas en avant.

— Le capitaine Skutter, annonça Kasim, sera mon second. Venez à côté de moi face aux troupes.

Skutter s'avança et pivota sur ses talons pour se placer à côté de Kasim.

— Le capitaine Skutter va vous répartir en équipes selon vos grades et expérience au cours des prochaines heures, dit Kasim. Pour l'instant, je voudrais vous expliquer pourquoi chacun de vous a été sélectionné. D'abord, vous faites tous partie de l'armée américaine ; ensuite, ce qui est essentiel pour cette mission, chacun de vous a indiqué être musulman dans son dossier militaire personnel. Si l'un de vous n'est pas musulman, qu'il veuille bien s'avancer.

Personne ne bougea.

— Très bien, messieurs, dit Kasim, nous avons besoin de vous pour une opération spéciale. Si vous pouviez me suivre dans ce hangar, nous avons installé des chaises et un espace de réunion. Lorsque vous serez tous assis, je vous expliquerai tout.

Kasim, suivi de Skutter, se dirigea vers le hangar.

Les hommes leur emboîtèrent le pas en file indienne. Il y avait une série de tableaux noirs, plusieurs tables avec diverses armes et instruments, un distributeur d'eau fraîche et des rangées de chaises pliantes en plastique noir.

Les hommes s'assirent tandis que Kasim et Skutter s'installaient devant eux

49

ÊME dans un pays aussi enraciné dans la tradition que l'Arabie Saoudite, la modernité trouve toujours un moyen de s'imposer. La Mosquée du Prophète à Médine en était un exemple. Une rénovation accompagnée d'un agrandissement avait été initiée en 1985 et achevée en 1992. La surface avait été agrandie quinze fois pour couvrir une superficie de près de seize hectares. L'espace supplémentaire permettait à sept cent cinquante mille visiteurs de se trouver en même temps sur le site. Trois nouveaux bâtiments avaient été ajoutés, ainsi qu'une grande cour en marbre incrusté de motifs géométriques. Vingt-sept cours de plus surmontées de dômes amovibles sophistiqués s'élevaient sur l'horizon ainsi que deux espaces couverts par six grands auvents mécaniques que l'on pouvait ouvrir ou fermer selon le temps.

Six minarets s'envolaient à cent dix mètres de haut, et chacun était orné d'un immense croissant en cuivre de près de cinq tonnes. Des mosaïques et des dorures avaient été ajoutées çà et là et des projecteurs et des lanternes éclairaient divers détails architecturaux.

Les installations techniques avaient été complètement repensées : on avait construit des escaliers mécaniques pour faire accéder les pèlerins aux étages supérieurs et mis en place une immense climatisation. Le système de refroidissement, l'un des plus importants jamais conçus, pompait soixante-quatre mille litres d'eau glacée par minute grâce à des tuyaux qui passaient sous la surface du rez-de-chaussée.

Le système tout entier était dirigé depuis un poste de contrôle à un peu plus de six kilomètres de la mosquée.

On estimait que la reconstruction de la Mosquée du Prophète et la construction supplémentaire autour de la Kaaba avaient coûté environ vingt milliards de dollars au gouvernement saoudien. Le principal entrepreneur pour la réfection de la Mosquée du Prophète était une société appartenant à la famille d'Oussama Ben Laden.

Le chef des mercenaires indiens regarda de nouveau les schémas. Avant d'embarquer dans son bateau, à Rabig, Hickman leur avait déclaré de façon claire et nette qu'il voulait détruire le tombeau de Mahomet. Le fait que cette rénovation ait pu profiter à Ben Laden le révulsait : il voulait effacer cette œuvre de la surface de la terre.

Une prime de dix fois la paie prévue attendait les Indiens s'ils réussissaient.

On les avait payés un million en or jusque-là, une rançon de roi dans leur pays. Même divisé par douze, cela suffisait à chacun d'entre eux pour vivre confortablement le restant de ses jours. Les dix millions supplémentaires feraient d'eux des hommes riches.

Tout ce qu'ils avaient à faire était de se rendre à Médine et de s'introduire dans les tunnels du circuit de refroidissement sous la mosquée, d'y déposer des explosifs aux endroits indiqués sur le schéma et de revenir à Rabig où Hickman avait affrété un navire pour leur faire traverser la mer Rouge jusqu'à Port-Soudan en Egypte.

Là, un avion privé les attendrait avec l'or et plusieurs gardes. Ils passeraient trois jours à Port-Soudan et lorsque la Mosquée du Prophète serait détruite, le 10 janvier au matin, le premier jour du hadj, l'avion les rapatrierait en Inde avec leur or. Le paiement final n'aurait lieu qu'une fois l'opération terminée : Hickman avait appris cette leçon des dizaines d'années auparavant.

S'il y a bien un élément essentiel au succès d'une opération, c'est de ne jamais se reposer sur un système unique. L'opération Desert One pendant la crise des otages iraniens en 1980 en était une preuve flagrante. Le Président avait voulu utiliser un minimum d'hélicoptères et, dès la première avarie, la mission tout entière avait été compromise.

Lorsque vous avez le choix entre une arme et mille, choisissez toujours le nombre le plus élevé. Les systèmes les plus sophistiqués ont des défaillances, les bombes peuvent se révéler être des pétards mouillés et les armes peuvent s'enrayer.

Kasim et Skutter en étaient tous deux pleinement conscients.

— Monsieur, la menace la plus importante pour le moment, ce sont les conteneurs à Riyad, dit Skutter. Vous avez déjà pu constater qu'ils ont été livrés. Dès qu'ils seront ouverts, ce qui devrait être fait un peu avant le début du hadj, sur lequel nous pensons que tout est programmé, toute l'opération pourrait être paralysée.

— Dès le premier cas d'empoisonnement, l'Arabie Saoudite resserrera sa vigilance sur tous les plans, renchérit Kasim.

Les deux hommes se tenaient devant une carte affichée sur un tableau dans le hangar. Sur une table étaient posées des piles de passeports qataris et des documents de pèlerinage pour Kasim et les trente-sept membres de l'équipe. Les employés administratifs de l'émir avaient travaillé toute la nuit. Du fait qu'il s'agissait de vrais documents, ils ne pourraient être contestés par les autorités saoudiennes, qui délivraient généralement des visas aux ressortissants qataris sans poser de question. Les hommes disposaient donc maintenant d'un moyen pour accéder au royaume.

— Ensuite, nous enverrons à l'aéroport deux équipes de quatre hommes chacune, poursuivit Kasim. Ce qui nous laissera trente hommes pour entrer dans La Mecque.

Skutter indiqua une carte aérienne que la NASA avait faxée à Kasim au Qatar. La photographie montrait l'enclos réservé au fret à l'aéroport de Riyad.

— D'après les numéros de série que vos hommes ont trouvés sur la cargaison en Angleterre, nous supposons que les conteneurs se trouvent ici.

Skutter encercla les trois conteneurs avec un surligneur.

— Heureusement, fit Kasim, qu'ils peignent des numéros d'identification sur les couvercles des conteneurs pour que les conducteurs des grues puissent les voir. Sinon nous aurions perdu un temps fou à les chercher dans tout ce fatras.

— Une fois que les deux équipes seront là, demanda Skutter, comment procéderons-nous ?

— On sécurise et on enlève, déclara Kasim. Lorsque nous aurons établi qu'ils sont toujours scellés, il faudra les charger dans des camions et les emporter dans le désert jusqu'à ce que nous ayons décidé ce qu'il faut en faire : soit les détruire sur place, soit les emmener dans un lieu plus sûr.

— J'ai lu les dossiers personnels, dit Skutter. Nous avons un adjudant du nom de Colgan. Il est agent de renseignement et il a déjà eu des missions d'infiltration.

— Colgan ? répéta Kasim. On dirait un nom irlandais.

— Il s'est converti à l'Islam à l'université, précisa Skutter. Son dossier montre des états de service exemplaires et note qu'il est équilibré et méthodique. Je pense que nous pouvons lui confier cette opération.

— Allez-y, faites-lui un topo, ordonna Kasim, et désignez le reste de son équipe. Ensuite mettez-le dans le prochain avion pour Riyad. D'après les employés de l'émir, il y a une navette qui part d'ici à dix-huit heures.

— Très bien, acquiesça Skutter.

— Il nous reste ensuite les mosquées de La Mecque et de Médine, dit Kasim. Je commanderai l'équipe de La Mecque et vous celle de Médine. Nous aurons chacun quatorze hommes et notre but premier sera de détecter et de désarmer tout type d'engin explosif qui aurait pu être mis en place par Hickman. On y va, on fouille, on enlève et on repart, tout ça sans se faire remarquer.

— Et si Hickman a échangé les météorites ?

— Ça, le reste de mon équipe travaille là-dessus en ce moment même, répondit Kasim.

Le chef du groupe d'Indiens regarda par la fenêtre de la maison de Rabig. Le soleil allait se coucher et l'obscurité les envelopperait bientôt. Il y avait plus de trois cents kilomètres de Rabig à Médine, c'est-à-dire quatre heures de route. Une fois là-bas, il leur faudrait quelques heures pour explorer les lieux, trouver la trappe d'accès au tunnel indiquée par Hickman sur le schéma, puis y entrer.

Il faudrait ensuite moins d'une heure pour placer les explosifs et ressortir.

Après quoi, ils auraient encore quatre heures de route pour regagner Rabig. S'ils voulaient arriver à temps pour prendre le bateau qui les mènerait en Egypte au lever du soleil le 6 janvier, il n'y avait pas de temps à perdre.

Après un dernier contrôle de la caisse d'explosifs, le chef ordonna qu'elle soit portée dans la camionnette. Huit minutes plus tard, ils roulaient vers Médine.

Hanley découvrait qu'Overholt savait tenir parole. Il obtenait tout ce qu'il demandait et dans des délais exceptionnels.

— Nous sommes prêts à émettre, déclara Overholt à Hanley par téléphone. Etablissez la connexion et vérifiez la qualité des images.

Hanley fit un signe à Stone qui transféra les images sur un écran. Des caméras à l'entrée et la sortie du canal de Suez permettaient de voir les bateaux aussi clairement que si on s'était tenu sur la rive.

— Magnifique, assura Hanley.

— De quoi d'autre avez-vous besoin ? demanda Overholt.

— Est-ce que la CIA a un agent en Arabie Saoudite ?

— Elle en a même plusieurs.

— Nous avons besoin de savoir si la substitution de la météorite a déjà été opérée ou non, dit Hanley.

— Même nos hommes ne peuvent pas passer sous le rideau, dit Overholt. Il y a quatre gardiens qui arpentent la zone en continu.

— Peut-être, mais un agent peut tout de même entrer dans la mosquée Al-Haram, dit Hanley. Il faut qu'il essaie de se placer aussi près que possible du rideau avec un compteur Geiger et qu'il s'incline en position de prière. Si la météorite du Groenland est déjà derrière le rideau, il percevra forcément des radiations.

— Excellente idée, approuva Overholt. Nous allons nous y mettre tout de suite et nous vous tiendrons au courant. Autre chose ?

— Il nous faut des photos aériennes des deux mosquées, aussi détaillées que possible, ainsi que tous les dessins d'architecte, les plans, l'agencement intérieur et tout ce que vous pourrez dénicher.

— Je vais vous faire un dossier et je vous enverrai ça dès que possible par satellite, puis par messager, dit Overholt.

— Bien, fit Hanley. La stratégie de la Corporation est d'essayer de se mettre à la place de Hickman pour deviner comment il a pu procéder. Lorsque nous aurons les documents, nous convoquerons nos membres pour une réunion et essaierons de déterminer ensemble comment nous nous y prendrions pour détruire ces mosquées si telle était notre mission.

— Je reste dans mon bureau, l'informa Overholt. Si vous avez une info ou si vous avez besoin de quelque chose, appelez-moi à n'importe quelle heure.

— Merci monsieur, dit Hanley. Nous allons réussir.

Dès qu'il eut atterri à Tel-Aviv, Cabrillo loua une voiture et s'approcha autant que possible de l'esplanade des mosquées. Il passa la grille de la mosquée Al-Aqsa puis traversa la cour où se trouvait le Dôme du Rocher. Le complexe entier, avec son jardin, ses fontaines et ses sanctuaires, faisait environ dix-sept hectares. La cour était remplie de touristes et d'étudiants.

Cabrillo marcha vers le Dôme et contempla le Rocher éclairé par des projecteurs.

On devinait aisément qu'il s'agissait autrefois d'une colline, dont on distinguait encore le sommet rocheux entouré d'un belvédère, mais c'était l'histoire du site et non ses particularités géologiques qui l'avaient rendu sacré. Le rocher lui-même ressemblait à des milliers d'autres alentour.

Cabrillo sortit du bâtiment et se dirigea par un passage souterrain vers le Musalla Marwan.

Cette vaste galerie souterraine, également connue sous le nom d'étables de Salomon, se trouve sous la cour pavée dans le coin sud-ouest de l'esplanade. Elle est voûtée et divisée par de longs murs avec des colonnes et des arches. La surface est dégagée et permet d'accueillir un surplus de fidèles pour la prière du vendredi.

Là, dans cette galerie fraîche, Cabrillo sentait l'histoire l'imprégner jusqu'au plus profond de lui-même.

Des millions d'âmes étaient passées ici au cours des siècles, pour chercher à se rapprocher de leur Dieu. Le calme des lieux n'était troublé que par le ruissellement goutte à goutte d'une source lointaine, et Cabrillo resta frappé pendant un moment par la terrible gravité du plan de Hickman. Cet homme était mû par une telle haine et un tel désir de vengeance après la mort de son fils qu'il voulait débarrasser le monde de trois lieux comme celui-ci. Cabrillo frissonna. Des millions d'hommes s'étaient battus et étaient morts près de là et leur esprit n'était pas loin.

Il s'apprêta à ressortir.

Quel que soit l'infâme plan de Hickman, il commencerait ici, et c'était à Cabrillo et à la Corporation de l'arrêter. Il remonta les marches de pierre pour regagner l'esplanade, balayée par un vent sec. Il se dirigea vers la grille.

Dans un aérodrome proche de Port-Saïd en Egypte, Pieter Vanderwald fit ralentir son antique Douglas DC-3. Cet avion avait rendu de bons et loyaux services depuis des années pour transporter du fret à travers tout le continent africain. Le bimoteur DC-3 est un aéronef de légende ; des milliers ont été construits chaque année depuis 1935 et des centaines sont encore en service. La version militaire de l'avion, le C-47, a été beaucoup utilisée au cours de la Seconde Guerre mondiale et des guerres de Corée et du Vietnam ; pour cette dernière, ils étaient transformés en canonnières volantes. Connu aussi sous le nom de Dakota, Skytrain, Skytrooper et Doug, son surnom le plus courant était le Gooney Bird, l'Albatros.

L'Albatros que pilotait Vanderwald avait un pied dans la tombe.

Destiné au rebut en Afrique du Sud et dépourvu de certificat d'aptitude au vol, il avait été vendu à Vanderwald pour une bouchée de pain. A dire vrai, il était étonné d'avoir réussi à accomplir son voyage vers le nord, mais il avait réussi. Maintenant, si le vieux coucou parvenait à voler une dernière fois, il pourrait mourir de sa belle mort.

Le DC-3 est un avion à train classique. Le cockpit est situé à l'avant en hauteur tandis que le compartiment réservé au fret est incliné par rapport à la piste. Il mesure vingt mètres de long et vingt-neuf d'envergure.

La puissance des moteurs en étoile est de mille chevaux ; il a un rayon d'action de deux mille quatre cents kilomètres et sa vitesse de croisière se situe entre deux cent cinquante et trois cents kilomètres à l'heure. Avec ses volets sortis, il peut ralentir considérablement pour l'atterrissage.

A une époque où les avions sont aussi élancés et lisses qu'un couteau, le DC-3 est une vraie enclume. Solide, rigide, et toujours prêt, l'avion demande peu d'entretien et fait son boulot sans fanfare. On aurait dit une camionnette au beau milieu d'un parking plein de Corvettes.

Vanderwald éteignit les moteurs et baissa la vitre du cockpit.

— Calez les roues et faites le plein, cria-t-il à l'employé égyptien qui l'avait guidé jusqu'à cet endroit de la piste. Rajoutez aussi de l'huile. Quelqu'un va bientôt venir pour lui faire faire la dernière partie du voyage.

Puis Vanderwald descendit le plancher incliné du cockpit, déplia la passerelle et posa le pied sur le tarmac. Deux heures plus tard, il était au Caire et attendait son vol de retour pour Johannesburg. Dès que le virement serait effectué sur son compte, son rôle dans cette histoire serait terminé.

Cabrillo répondit au téléphone au moment où il arrivait à sa voiture de location.

— Le Hawker vient de traverser la Méditerranée, annonça Hanley. On dirait qu'il se dirige vers Rome.

— Appelez Overholt et faites saisir l'avion lorsqu'il atterrira à Rome, ordonna Cabrillo. Peut-être Hickman a-t-il décidé de renoncer ?

— J'en doute, dit Hanley.

— Moi aussi, répondit Cabrillo. Je suis même sûr du contraire.

— Alors comment prévoit-il de prendre la fuite ?

Cabrillo resta silencieux.

— Je pense qu'il n'a rien prévu. A mon avis, il prépare une mission suicide.

— Nous allons prendre en compte cette hypothèse, déclara Hanley après un long silence.

— J'ai rendez-vous avec le Mossad, dit Cabrillo. Je te rappelle ensuite.

Le soleil se couchait au moment où le vieux navire pêcheur de perles transportant Hickman entra dans le Halig as-Suwais, à l'extrémité nord de la mer Rouge. Le voyage de sept cent cinquante kilomètres depuis Rabig avait été lent mais régulier et le navire entrerait dans le canal de Suez dans la soirée, comme prévu. On manquait de place sur le bateau et Hickman avait passé son temps soit dans la petite timonerie soit sur le pont arrière pour échapper aux relents des cigarillos que fumait sans discontinuer le timonier.

La pierre d'Abraham était enveloppée dans une bâche et posée sur le pont près du sac de Hickman qui contenait des vêtements de rechange, un nécessaire de toilette et un classeur qu'il avait consulté à maintes reprises durant le voyage.

— Voilà ce que j'ai, déclara Huxley en entrant dans la salle de contrôle. J'ai retouché les photos prises par Halpert et son équipe à Maidenhead, puis effacé le masque à gaz et utilisé le logiciel biométrique pour créer un composite.

Hanley lui prit le disque des mains et le tendit à Stone qui l'inséra dans l'unité centrale de l'ordinateur principal. Une image s'afficha à l'écran.

— La vache, fit Hanley. Il ne ressemble pas du tout au portrait qu'on fait de lui.

— C'est bizarre, dit Huxley, mais logique en un sens. Si j'étais un reclus comme Hickman, je voudrais donner de moi l'image la plus banale possible, pour pouvoir me mêler à la foule n'importe où.

— Peut-être que c'était la même chose pour Howard Hughes, fit Stone, seulement des rumeurs.

— Clique sur la suite, Eric.

Stone appuya sur quelques touches. Une image 3-D d'une silhouette d'homme apparut.

— C'est une recréation de ses mouvements, expliqua Huxley. Chaque individu a des attitudes propres. Vous savez sur quoi se basent les équipes de sécurité des casinos pour repérer les tricheurs ?

— Non, fit Stone.

— Leur démarche, poursuivit Huxley. On peut revêtir des déguisements et même adopter quelques tics, mais personne ne songe à changer de démarche ou de façon de se tenir.

Stone pianota sur le clavier et la silhouette se mit à marcher, tourner et bouger les bras.

— Faisons une copie de ça pour l'envoyer à Overholt, ordonna Hanley. Il pourra la transmettre aux services secrets israéliens.

— Je peux y ajouter les enregistrements vidéo du canal de Suez, proposa Stone.

— Parfait, dit Hanley.

Au moment où Hanley étudiait les photos de Hickman, huit hommes débarquaient d'un vol commercial depuis le Qatar jusqu'à Riyad et passaient les douanes sans encombre. Ils se retrouvèrent près de la zone des tapis à bagages et montèrent dans une Chevrolet Suburban blanche que le Département d'Etat avait empruntée à une compagnie pétrolière.

Puis ils se rendirent dans une maison protégée pour attendre la tombée de la nuit.

— Nous pouvons faire ce que vous nous demandez dès ce soir, déclara le chef du Mossad, mais nous ne pouvons pas utiliser de chiens ; il faudra que des agents se munissent de renifleurs chimiques. Faire entrer des chiens dans une mosquée, c'est impossible.

— Cela va-t-il créer des problèmes ? demanda Cabrillo.

— Il y a quelques années, lorsque le Premier ministre israélien s'est rendu au Dôme du Rocher, cela a créé des émeutes pendant des semaines, dit-il. Il va falloir agir rapidement et calmement.

— Est-ce que vos hommes pourront couvrir la zone tout entière ?

— Monsieur Cabrillo, dit l'homme. Israël est confronté toutes les semaines à des attentats à la bombe. S'il y a des explosifs dans la mosquée Al-Haram, vous le saurez avant le lever du soleil.

— Et vous désamorcerez tout ce que vous trouverez ? demanda Cabrillo.

— Nous désamorcerons les explosifs, ou nous les éloignerons, selon ce qui est le plus prudent.

— Messieurs, veuillez vous asseoir, ordonna Kasim.

Les vingt-huit hommes qui restaient s'exécutèrent. Skutter était aux côtés de Kasim près du tableau.

— Qui n'a jamais conduit de moto ? demanda-t-il.

Dix hommes levèrent la main.

— Ce sera difficile pour vous, déclara Kasim, mais nous avons rassemblé des instructeurs pour vous donner quelques leçons d'initiation. Dès que cette réunion sera terminée, vous irez tous les dix vous entraîner. En quatre heures, vous devriez avoir assimilé les principes de base.

Les dix hommes acquiescèrent.

— Voici quelle est la situation, poursuivit Kasim. Nous ne pouvons pas entrer en Arabie Saoudite sur un vol commercial. Le risque d'interception est beaucoup trop grand. Du Qatar à La Mecque, il y a près de mille trois cents kilomètres de désert, sans réapprovisionnement en carburant, donc voici ce que nous avons prévu : l'émir a organisé un vol en avion-cargo qui nous amènera à

Al-Hidayah au Yémen, d'où il n'y aura plus que huit cents kilomètres de route goudronnée le long de la mer Rouge jusqu'à Djedda en Arabie Saoudite. L'émir a payé les autorités yéménites et a pillé un magasin de motos ici au Qatar pour assurer notre transport. La moto a trois avantages : premièrement, elle nous permet de passer la frontière sans nous faire remarquer en effectuant un détour par le désert un peu à l'écart d'un poste frontière, après quoi nous pourrons revenir sur la route une fois entrés en Arabie Saoudite. Deuxièmement, elle consomme moins de carburant ; or les villes où nous pourrons nous ravitailler sont très espacées les unes des autres. Troisièmement, un point essentiel : chacun de nous sera seul sur sa moto ; si les autorités capturent une personne, la mission ne sera pas compromise dans son ensemble.

Kasim dévisagea les soldats.

— Est-ce que cela pose problème à quelqu'un ?

Personne ne répondit.

— Bien, fit Kasim, ceux qui ont besoin d'entraînement, veuillez suivre le capitaine Skutter sur le tarmac ; nous avons des motos et des instructeurs qui sont prêts. Les autres, allez vous reposer ; nous partirons à vingt-deux heures ce soir.

Vanderwald respira un coton imbibé d'eau de Cologne. La première étape de son voyage s'achevait. Du Caire, il était arrivé à Nairobi au Kenya. La cabine de l'avion empestait la sueur et l'agneau qui avait été servi pour le dîner.

Au moment où il s'endormait, deux hommes s'approchaient de sa maison dans une banlieue résidentielle de Johannesburg. Ils se glissèrent à l'arrière de la maison, neutralisèrent le système de sécurité élaboré et déverrouillèrent la porte pour entrer. Ils se mirent à fouiller méthodiquement toute la maison.

Deux heures plus tard, ils avaient terminé.

— Je vais appeler pour donner son numéro à notre service informatique, dit l'un d'eux, comme ça ils pourront consulter les appels émis.

Il composa un numéro pour Langley en Virginie, puis fit un code et attendit un signal sonore. Un ordinateur de la CIA prendrait le numéro et effectuerait des recherches chez l'opérateur téléphonique en Afrique du Sud pour recenser tous les appels reçus et émis par cette ligne depuis un mois. Les résultats seraient disponibles en quelques heures.

— Et maintenant ? demanda l'autre.

— On peut se relayer pour dormir en l'attendant.

— Combien de temps on va l'attendre ?

— Jusqu'à ce qu'il revienne, dit le premier en ouvrant le réfrigérateur, ou que quelqu'un d'autre lui ait réglé son compte.

50

LES mercenaires indiens étaient arrivés devant la trappe qui menait au réseau de refroidissement sous la Mosquée du Prophète à Médine. La trappe se trouvait à l'air libre, près d'un immeuble d'habitation à l'extrémité d'un terrain vague utilisé comme parking d'appoint.

Le parking était presque vide, et il y avait à peine une douzaine de voitures près de l'immeuble.

Le chef de l'équipe avait tout simplement garé l'arrière du camion près de la trappe, puis sectionné le cadenas avec des coupe-boulons pour enfin descendre le premier l'échelle en fer qui menait au tunnel. Lorsqu'ils furent à l'intérieur, le chauffeur et un autre homme qui étaient restés dehors firent reculer le véhicule au-dessus de la trappe et attendirent.

Le tunnel de béton faisait un mètre quatre-vingts de large et il était tapissé de tuyaux portant des inscriptions en arabe qui les identifiaient. Ils étaient fixés à la paroi par des crochets. Un passage avait été aménagé pour la maintenance. L'intérieur du tunnel était sombre et frais et il sentait le béton mouillé et l'humus. Le chef alluma sa lampe-torche et les autres hommes le suivirent.

Puis ils se dirigèrent l'un derrière l'autre vers la mosquée.

Ils parcoururent plus d'un kilomètre sous la terre avant le premier embranchement. Le chef consulta son GPS portable mais le signal était affaibli par l'épaisseur de béton au-dessus d'eux, donc il sortit le plan du tunnel que lui avait donné Hickman et chuchota à ses hommes :

— Vous cinq, par ici ! Le tunnel va tourner et former un rectangle. Installez les explosifs au fur et à mesure selon les intervalles prévus et retrouvez-nous à l'autre bout.

Le premier groupe partit à droite et le chef et les autres hommes sur la gauche.

Quarante-sept minutes plus tard, ils se retrouvaient tous de l'autre côté.

— Maintenant, nous échangeons, dit le chef. Vous allez passer dans notre tunnel pour vérifier nos paquets et nous vérifierons les vôtres.

Les hommes se mirent en route dans des directions opposées, à la lumière dansante de leurs torches.

En six emplacements de chaque branche du tunnel, du C-6 et des bâtons de dynamite avaient été assemblés en fagots de près de trente centimètres de diamètre, et attachés aux tuyaux grâce à de l'adhésif. Sur chacune de ces charges était posé un détonateur qui effectuait le compte à rebours.

Sur le premier on pouvait lire : 107 h 46 min. Les explosions étaient programmées pour le 10 janvier à midi, lorsque la mosquée serait remplie de près d'un million de fidèles. La quantité d'explosifs mise en place était suffisante pour réduire l'édifice en cendres. La charge la plus importante, deux fois plus grosse que les autres, avait été placée juste sous le tombeau de Mahomet.

Si cela fonctionnait, dans moins de cinq jours, des siècles d'histoire seraient effacés.

Ils reprirent le tunnel jusqu'à la trappe d'accès et le chef remonta sous la camionnette et se glissa sur le côté. Puis il tapa à la vitre du chauffeur qui la baissa.

— Avance, lui demanda-t-il.

Lorsque tous furent remontés à bord, le chef prit un cadenas qu'il avait apporté et referma la trappe.

Quatre minutes plus tard, sous un mince croissant de lune, ils repartaient pour Rabig.

A six heures ce même matin, Hanley rassembla les agents de la Corporation dans la salle de conférences de l'*Oregon*. Le bateau se trouvait au large de Tel-Aviv dans la Méditerranée et il décrivait paresseusement de lents cercles dans l'eau. Hanley regardait un écran de télévision montrant le Robinson qui s'approchait de la proue.

— Voici le président. C'est lui qui dirigera cette réunion. En attendant, vous pouvez tous revoir vos notes. Vous avez du café et des bagels sur la desserte. Si vous avez besoin de quelque chose à manger, aller le chercher maintenant. Lorsque M. Cabrillo aura commencé, je ne veux pas d'interruption.

Hanley se rendit dans la salle de contrôle pour s'informer des dernières nouvelles auprès de Stone et il en ressortait juste lorsqu'il croisa Cabrillo et Adams.

— Tout le monde vous attend en salle de réunion, déclara-t-il en suivant les deux hommes.

Cabrillo ouvrit la porte et tous trois entrèrent. Adams, toujours en combinaison de pilote, s'assit à la table tandis que Hanley et Cabrillo s'installaient sur l'estrade.

— Je suis bien content de vous revoir, déclara Cabrillo, surtout Gunderson et son équipe. Heureusement qu'ils ont fini par vous laisser partir, ajouta-t-il avec un sourire à l'adresse de Gunderson. Nous allons avoir besoin de tout le monde pour la suite. Je reviens d'une réunion avec le Mossad à Tel-Aviv. Ils ont envoyé une équipe nombreuse aux alentours du Dôme du Rocher très tôt ce matin dans le but de détecter d'éventuels explosifs. Ils n'ont rien trouvé. Rien de conventionnel, pas non plus d'arme nucléaire ou bactériologique. Ils ont tout de même trouvé une caméra vidéo qui n'avait rien à faire là, cachée dans un arbre, dans un jardin tout proche.

Personne ne dit mot.

— La caméra était reliée à un réseau sans fil qui renvoyait les images à un ordinateur devant la mosquée, lui-même relié par câble à un immeuble tout proche. Le Mossad envisageait de fouiller le bâtiment quand je suis parti. On devrait me tenir au courant très prochainement.

Tout le groupe hocha la tête.

— L'élément intéressant au sujet de cette caméra, c'est qu'elle était dirigée vers le ciel au-dessus du Dôme du Rocher, de manière à apercevoir seulement le haut de la structure. Ce qui me donne à croire que si Hickman a mis la main sur la pierre d'Abraham, il projette je ne sais quel type d'assaut aérien qui détruise la pierre et endommage le Dôme du Rocher en même temps. Son plan est d'enregistrer la destruction et de la diffuser à travers le monde entier.

Son auditoire acquiesça.

— Voici quelle est la situation à La Mecque et à Médine, poursuivit Cabrillo. Kasim et un officier de l'aviation américaine vont diriger chacun une équipe, toutes deux constituées de militaires américains musulmans, afin de chercher les bombes. J'ai laissé Pete Jones au Qatar afin de coordonner nos efforts et ceux de l'émir, qui nous a offert son aide. Je vais laisser M. Hanley vous expliquer de quoi il s'agit.

Cabrillo quitta l'estrade et Hanley prit sa place. Cabrillo s'approcha de la machine à café, remplit deux tasses et en tendit une à Adams.

— Comme vous le savez tous, La Mecque et Médine sont les deux premiers sites sacrés de l'Islam et en tant que tels, ils sont interdits aux non-musulmans. Kasim est le seul membre de notre équipe qui soit de confession musulmane, c'est pourquoi il a été choisi pour diriger cette équipe. L'émir a affrété un avion-cargo pour les acheminer au Yémen avec une flotte de motos tout-terrain. Ils sont arrivés tôt ce matin et ont traversé la frontière saoudienne par un oued asséché. Aux dernières nouvelles, ils ont passé la ville de Sabya et se dirigent vers le nord. Ensuite ils prendront les cars des transports publics pour se rendre dans les deux mosquées. Là-bas, ils se disperseront à la recherche des explosifs.

— Et les conteneurs ? demanda Halpert.

— Comme vous avez dû l'apprendre, reprit Hanley, l'équipe de Maidenhead a découvert les traces d'un poison qui semble avoir été vaporisé sur les tapis de prière qui se trouvent dans les conteneurs. Kasim a envoyé huit hommes à Riyad par un vol commercial et ils se sont mis en place autour de la zone de fret où sont entreposés les conteneurs en attendant d'être transportés à La Mecque. Il se trouve que nous avons eu de la chance sur ce point. Si les conteneurs étaient arrivés à temps, ils auraient sans doute déjà été déchargés et le virus se serait échappé dans l'atmosphère. Il se trouve que Hickman a pris du retard dans la livraison et que les camions ont été affectés à d'autres tâches. D'après le planning intercepté par la NSA sur l'agenda électronique de l'organisateur, il a reporté la livraison à demain, le 7 janvier. Notre équipe est censée s'emparer des conteneurs et les emmener en direction de La Mecque ; en chemin, il faudra les détruire ou envisager de les faire sortir du pays.

Le téléphone de la salle de réunion se mit à sonner et Cabrillo alla répondre.

— OK, dit-il simplement avant de raccrocher.

Hanley l'interrogea du regard.

— C'était Overholt, dit Cabrillo. Son agent a détecté des radiations près du rideau dans la Kaaba. Hickman a réussi à faire l'échange des deux météorites.

A Londres, Michelle Hunt avait passé les deux derniers jours cloîtrée dans une chambre d'hôtel, interrogée sans relâche par des agents de la CIA. Elle était fatiguée mais toujours désireuse de coopérer. Toutefois les agents américains se rendaient compte qu'elle n'était guère en mesure de les aider. Ils avaient abandonné depuis le départ l'idée de lui faire appeler Hickman. Même s'il était muni d'un téléphone portable, il se douterait que quelque chose clochait en constatant qu'elle n'appelait pas depuis son numéro habituel.

L'avion qui devait la ramener aux Etats-Unis devait partir une heure plus tard. Tout ce qu'avait pu faire Hunt, c'était apporter quelques éclaircissements sur la vie de Hickman.

On lui avait posé des questions et elle s'y était prêtée de bonne grâce, répondant avec précision. L'agent n'avait plus qu'à peaufiner quelques points de détail avant d'envoyer son rapport.

— Reprenons, dit l'agent. Lorsque vous vous êtes rencontrés, vous dites qu'il s'est rendu en avion à Los Angeles pour survoler un gisement de pétrole qu'il envisageait d'acheter.

— Oui, répondit Michelle Hunt. Nous nous étions rencontrés le midi chez Casen's. Le repas m'avait été offert par une amie pour mon anniversaire ; je n'avais pas les moyens de me payer un bon resto, même pour déjeuner, à cette époque.

— Que s'est-il passé ensuite ?

— Il est venu à ma table, s'est présenté et m'a proposé de me joindre à lui, dit Michelle. Nous sommes restés là tout l'après-midi. Il devait connaître le propriétaire parce que quand les autres clients sont partis, on nous a laissés tranquilles. On mettait le couvert du dîner autour de nous mais on nous laissait tranquilles.

— Vous avez dîné là également?

— Non, répondit Hunt. Hal voulait que nous survolions le gisement de pétrole au coucher du soleil. Je pense qu'il voulait m'impressionner.

— Donc vous avez survolé le gisement en le regardant par le hublot?

— Il n'y avait pas de hublot, coupa Hunt. C'était un biplan. J'étais assise à l'arrière.

— Comment, l'interrompit l'agent, c'était un biplace?

— Un vieux Stearman, si mes souvenirs sont bons.

— Et qui pilotait?

— Eh bien, Hal, évidemment!

— M. Hickman sait piloter? demanda l'agent avec intérêt.

— A l'époque, oui, répondit Michelle. Tout ce que faisait Howard Hughes, il fallait qu'il l'essaie lui aussi.

L'agent se précipita sur le téléphone.

— Voilà qui complique les choses, déclara Hanley. Maintenant il faut non seulement reprendre la pierre d'Abraham à Hickman mais en plus, sans se faire remarquer. Le Président nous a informés qu'il voulait tenir les autorités saoudiennes à l'écart de tout cela si c'est possible.

A ce moment, un des écrans cent pouces de la salle de réunion s'alluma. L'écran était séparé verticalement en deux parties et on vit Stone sur le côté gauche.

— Monsieur, excusez-moi, dit-il. Je sais que vous ne vouliez pas être interrompu, mais c'est important. Regardez la deuxième moitié de l'écran.

Une image s'afficha sur la partie droite.

— Voici les images captées par deux caméras de la CIA postées aux écluses du canal de Suez. Elles ont été enregistrées au cours des quinze dernières minutes.

La caméra effectuait un plan panoramique d'un vieux bateau de pêche. Deux hommes d'équipage manœuvraient des cordages tandis que le bateau passait les portes de l'écluse. Un seul homme se tenait sur le pont arrière, une tasse de café à la main. La caméra le montrait en train de regarder le ciel.

— Je l'ai recoupé avec le programme créé par Julia Huxley, dit Stone.

Tout le monde tourna les yeux vers l'image en 3-D qui recouvrait le visage de l'homme. Les traits concordaient parfaitement et lorsque la silhouette sur le bateau bougeait, la recréation informatique suivait.

— Monsieur, déclara Stone, il s'agit bien de Halifax Hickman.

— Où se trouve le bateau en ce moment, Eric ? demanda Cabrillo.

La partie gauche de l'écran montrait Stone, assis dans la salle de contrôle, les yeux rivés sur un autre moniteur.

— Il est sorti de l'écluse et il ralentit pour entrer à Port-Saïd en Egypte.

— George..., commença Cabrillo.

— L'hélico doit être prêt, fit Adams en se levant de son siège.

Quatre minutes plus tard, le Robinson décollait. Il y avait trois cents kilomètres à parcourir depuis l'*Oregon* jusqu'à Port-Saïd. Mais le Robinson n'arriverait pas jusqu'en Egypte.

51

L'AVION de Vanderwald bénéficia de vents favorables grâce auxquels il arriva avec une demi-heure d'avance.

Il n'y avait pas encore de circulation; c'est seulement une heure plus tard que les routes se rempliraient de gens partant travailler; et il arriva chez lui seulement une demi-heure après sa descente de l'avion. Il prit son courrier dans sa boîte aux lettres, glissa la liasse sous son bras et se dirigea vers la porte avec son unique sac de voyage.

Une fois dans le vestibule, il posa son sac sur le sol et déposa son courrier sur une table.

Vanderwald faisait volte-face pour refermer la porte d'entrée lorsqu'un homme apparut, il entendit au même moment des bruits de pas dans le couloir qui menait à la cuisine.

— Salut, enfoiré, lança le premier homme en braquant son arme munie d'un silencieux sur la tête de Vanderwald.

Il ne dit rien d'autre. Il se contenta d'abaisser son arme et de tirer dans les deux genoux de Vanderwald, qui s'effondra avec un cri. Le deuxième homme était à présent dans l'entrée, accroupi à côté de Vanderwald qui se roulait par terre de douleur.

— Avez-vous envie de nous parler de la commande de DC-3 que nous avons trouvée dans votre ordinateur?

Deux minutes et deux coups de feu bien placés plus tard, ils avaient leur réponse, après quoi le premier homme assena le coup de grâce.

Ils sortirent par la porte de derrière et empruntèrent une allée du jardin pour retrouver la petite rue où était garée leur voiture de location. Une fois assis, le passager enleva ses gants et composa un numéro sur son téléphone portable.

— La cible vient de rentrer chez lui après avoir livré un DC-3 à Port-Saïd en Egypte. Il est hors d'état de nuire.

— Bien compris, dit Overholt. Vous pouvez rentrer maintenant.

— J'ai besoin d'une photo aérienne en temps réel de l'aérodrome de Port-Saïd, déclara Overholt au chef de la NSA. Nous recherchons un appareil DC-3.

Son interlocuteur cria des ordres à ses techniciens satellite.

— Nous faisons les ajustements nécessaires, dit-il. Ne quittez pas.

Tandis qu'il attendait, Overholt sortit de son tiroir la raquette en bois à laquelle était attachée la balle en caoutchouc rouge et se mit à frapper dedans furieusement. L'attente, qui ne dura que quelques minutes, lui sembla une éternité. Finalement, son correspondant revint en ligne.

— Restez connecté, dit-il, nous vous envoyons les images.

Overholt scruta son écran. Une image de l'aérodrome prise à très haute altitude s'afficha. Puis elle commença à changer d'échelle jusqu'à ce que le DC-3 devienne visible. L'image se réduisait lentement tandis que les détails se précisaient. On voyait un homme marcher sur la piste en tenant contre sa poitrine ce qui ressemblait à une couverture. Il se dirigea sans hésiter vers le DC-3 et Overholt le vit ouvrir la porte latérale.

— Restez sur le DC-3, demanda Overholt. S'il décolle, essayez de le suivre.

— Ce sera fait, répondit le chef de la NSA.

Hanley était assis dans la salle de contrôle en compagnie de Stone lorsque le téléphone sonna.

— Voilà où nous en sommes, déclara vivement Hanley. Mme Hunt vient de révéler à mes agents que Hickman sait piloter. Deux de mes hommes ont vu le marchand d'armes sud-africain il y a quelques minutes et il leur a appris qu'il avait livré un DC-3 à Port-Saïd pour Hickman hier. J'en ai une image satellite sur mon écran en ce moment, qui montre un homme de la stature de

Hickman, correspondant au profil 3-D que vous m'avez envoyé. Il ouvre la porte de l'avion à l'instant.

— C'est donc ça, le coupa Overholt. Il se dirige sur le Dôme du Rocher.

— Nous ne pouvons pas l'abattre sans perdre la pierre d'Abraham, fit Overholt. Il va falloir attendre qu'il l'ait lâchée.

— Très bien, monsieur, conclut Hanley, je préviens Cabrillo.

Hanley contacta Cabrillo par radio.

— Demi-tour, ordonna Cabrillo à Adams dès que Hanley lui eut donné des explications.

Adams amorça un grand virage vers la gauche.

— Je veux tout le monde au sol direction le Dôme du Rocher au plus vite, à l'exception de Murphy et Lincoln; qu'ils mettent en place la batterie de missiles.

— Ce sera fait immédiatement, répondit Hanley.

— Rappelle Overholt et demande-lui de tenir les Israéliens à l'écart, dit Cabrillo. Je ne veux aucun avion, aucune indication qui fasse deviner à Hickman que nous le suivons.

— Compris.

— Ensuite, que Kevin Nixon me rappelle. Il y a une chose que je dois revoir avec lui.

— Où allons-nous, chef? demanda Adams.

— Dans le centre de Jérusalem, répondit Cabrillo. Le Dôme du Rocher.

Adams inscrivit les coordonnées dans son GPS tandis que le Robinson franchissait la côte pour la deuxième fois.

Les agents de l'*Oregon* couraient en tous sens pour finir de se préparer lorsque Nixon arriva dans la salle de contrôle.

Hanley appuya sur le bouton du haut-parleur et Cabrillo répondit immédiatement.

— Nixon est là, lui dit Hanley.

— Kevin? fit Cabrillo.

— Oui, chef.

— Etes-vous sûr que ce que vous avez conçu va fonctionner? Si vous avez des doutes, j'ai besoin de le savoir immédiatement.

— J'ai calculé le poids et doublé l'estimation de la hauteur que

347

vous m'avez donnée, et cela marchait encore, dit Nixon. Comme vous le savez, rien n'est jamais parfait mais je dirais que oui, ça va fonctionner.

— Au bout de combien de temps peut-il supporter une charge ?

— Moins d'une minute, assura Nixon.

— Et vous en avez une quantité suffisante ?

— Oui monsieur, répondit Nixon. J'en ai fabriqué plus que nous ne devrions en avoir besoin.

— Parfait, conclut Cabrillo, nous allons donc utiliser votre invention. Sachez que nous n'avons pas de plan de rechange, donc il faut que ça marche.

— Ça marchera chef, dit Nixon, mais il reste encore un problème.

— Lequel ?

— Nous pourrions perdre la pierre si elle se fracasse contre le Dôme du Rocher.

Cabrillo resta silencieux quelques instants.

— Je m'en occupe, déclara-t-il.

Hickman n'avait pas piloté un avion depuis plus de vingt ans mais tout lui revint naturellement comme s'il l'avait fait la veille. Après s'être installé aux commandes, il parcourut sa check-list et fit chauffer les moteurs. Des nuages de fumée s'échappèrent des vieux groupes moteurs mais au bout de quelques instants, un ronronnement régulier se fit entendre.

Les yeux fixés sur son tableau de bord, il observa où se trouvaient les divers interrupteurs et s'assura que le système primitif de pilotage automatique était bien raccordé aux commandes. Puis, faisant avancer le vieux DC-3, il demanda l'autorisation de décoller à la tour de contrôle.

L'aérodrome était calme et on lui attribua immédiatement une piste.

Au bout de quelques mètres, il essaya les freins, qu'il trouva mous mais en état de marche.

En fait, ce détail n'avait guère d'importance pour Hickman : il ne comptait plus jamais se servir des freins. Le DC-3 effectuait son dernier voyage. Il roula vers l'avant et tourna lentement sur la piste pour prendre ses marques.

Après un dernier coup d'œil sur les indicateurs de niveau,

Hickman mit les gaz, s'élança sur la piste et tira sur le manche. Le DC-3 s'éleva dans les airs et commença péniblement à grimper. Hickman avait seulement un peu plus de trois cents kilomètres à parcourir.

A pleine vitesse, avec un léger vent arrière, ce serait l'affaire d'une heure.

— Les annexes sont à l'eau, déclara Stone, et je me suis occupé de faire venir un hélicoptère de transport israélien pour acheminer les dix de Tel-Aviv jusqu'à un point proche du Dôme du Rocher. Leur hélicoptère est trop gros pour pouvoir se poser sur notre plate-forme. Il est là-bas.

Stone tendit la main vers un écran sur lequel on apercevait l'image filmée à la proue de l'*Oregon*. Le grand hélicoptère à double rotor se posait non loin d'eux sur la rive sablonneuse.

— Je vais dans la salle de réunion, déclara Hanley.

Il s'élança dans le couloir et ouvrit la porte en coup de vent.

— Bon, c'est parti, lança-t-il. Les canots sont prêts et nous avons un hélico à terre pour vous faire parcourir le reste du trajet. Tout le monde est bien au courant de ce que nous allons faire ?

Les dix agents hochèrent la tête.

— C'est M. Seng qui dirige les opérations, précisa Hanley. Bonne chance.

L'équipe sortit peu à peu de la pièce, chargée de cartons. Hanley arrêta Nixon au passage.

— Vous avez l'échelle de corde ? lui demanda-t-il.

— Elle est là, sur le dessus de mon carton.

— Parfait, fit Hanley en le suivant dans le couloir jusqu'au pont arrière.

Hanley observa depuis le pont les deux canots que l'on chargeait avant de parcourir la petite distance jusqu'au rivage, puis il rentra pour voir où en étaient Murphy et Lincoln.

— Où dois-je vous déposer ? demanda Adams.

— Nous allons droit sur le Dôme du Rocher, répondit Cabrillo. L'équipe de l'*Oregon* devrait y arriver avant nous.

— Et ensuite ?

— Je vais vous expliquer.

Deux minutes plus tard, Adams émit un léger sifflement.

— Avec tous les joujoux haute technologie dont dispose la Corporation, nous avons dû en arriver là ?

— C'est comme un numéro d'équilibriste sans filet, commenta Cabrillo.

Les agents de l'*Oregon* descendirent de l'hélicoptère dans une petite rue barrée près du Dôme du Rocher. Des chars israéliens bloquaient toutes les rues latérales et des patrouilles militaires évacuaient la mosquée et les rues autour. Des foules de Palestiniens, qui ignoraient que leur sanctuaire était en danger, se mirent à protester et les Israéliens durent les faire refluer avec des canons à eau.

Seng mena son équipe jusqu'à l'entrée de la mosquée.

— Dispersez-vous et prenez vos positions, ordonna-t-il. Kevin, assure-toi d'abord que la corde est en place.

— Oui, chef, fit Nixon en courant avec les autres en direction de la cour intérieure de l'édifice.

Seng se tourna vers un officier israélien qui se tenait près de lui.

— Il faut raccorder des tuyaux à toutes les pompes à incendie, puis les diriger vers l'intérieur de la mosquée, dit Seng. Assurez-vous que nous ayons assez de tuyaux pour pouvoir couvrir toute la surface.

L'officier se mit à lancer ses ordres.

Hickman survolait le bord de la Méditerranée. Il était pénétré du sentiment que sa vie touchait à sa fin. Sa vie qui avait été un échec. Toutes ses richesses, sa renommée et ses succès ne signifiaient rien au bout du compte. La seule chose qu'il avait voulu accomplir, il l'avait gâchée. Il n'avait jamais été un bon père. Obsédé par sa grandeur et imbu de sa personne, il n'avait jamais permis à un autre être humain de s'approcher de lui ni laissé l'amour d'un fils fissurer sa carapace.

Seule la mort de Chris Hunt l'avait brisée.

Pour Hickman, le travail de deuil s'était arrêté à l'étape de la haine aveugle. La colère s'était emparée de lui à l'égard d'une religion qui avait créé des fanatiques tuant sans rime ni raison, une colère qui englobait tous les symboles de cette religion.

Mais bientôt ces symboles auraient disparu, et tandis que Hickman verrait seulement les premiers fruits de ses efforts, il savait qu'il mourrait content avec la certitude que le reste de l'édifice ne tarderait pas à s'effondrer.

Il n'en avait plus pour longtemps, songea-t-il en apercevant la côte.

Bientôt l'Islam serait réduit à néant.

Nixon et Gannon déballèrent une échelle de corde qui se trouvait dans un carton et l'étendirent dans la cour le long du Dôme. Ils constatèrent rapidement qu'elle n'était pas assez longue.

— J'ouvre la deuxième, déclara Nixon en découpant l'adhésif d'un autre carton avec son couteau pour sortir une seconde échelle enroulée. Tu t'y connais en nœuds?

— J'ai un voilier, rétorqua Gannon, alors disons que je me débrouille.

Gannon se mit à épisser les deux cordages. Tout autour du Dôme du Rocher, les autres membres de l'équipe avaient sorti de leurs cartons de grands sacs en plastique contenant une poudre blanche.

Près de l'entrée au pied du minaret Silsila, Seng regardait les Israéliens amener les tuyaux par l'ouverture.

— Laissez-les là, ordonna Seng. Mes hommes se chargeront du reste.

Il parcourut les quatre côtés de la grande cour de la mosquée pour répéter ses instructions. Bientôt, des équipes de la Corporation se mettaient à tirer les tuyaux à l'intérieur.

— C'est bon, signala Gannon quelques minutes plus tard. Elles sont raccordées.

— Maintenant il faut commencer de ce côté et l'enrouler délicatement, lui enjoignit Nixon.

Tandis que Gannon tirait sur une extrémité, Nixon formait une pelote avec l'échelle de corde.

Murphy étudia les trajectoires sur son écran puis il se tourna vers Hanley.

— Est-ce que nous disposons d'un budget conséquent pour cette petite sauterie? lui demanda-t-il.

— Absolument pas, répondit Hanley.

— Tant mieux, rétorqua Murphy, parce que ce petit barrage va coûter la pacotille d'un million de dollars si vous voulez un succès garanti.

— Il faut faire les choses en grand, conclut Hanley.

Lincoln observait une ligne pointillée qui montrait l'arrivée du DC-3.

— Espérons qu'il maintienne sa trajectoire, déclara-t-il, et que nos hypothèses se vérifient.

— D'après l'angle de la caméra qu'il avait installée, fit Hanley, on dirait qu'il va descendre à basse altitude pour larguer la pierre, rendant ainsi sa destruction plus visible. S'il la lâchait de très haut, les objectifs de la caméra devraient être en grand angle, et l'image serait trop peu détaillée lorsqu'il s'agirait de montrer l'éclatement de la pierre.

— Ce n'est pas ça qui m'inquiète, dit Lincoln, c'est le deuxième passage.

— Pour être sûr que le DC-3 va détruire le Dôme, dit Hanley, il doit bien savoir qu'il devra monter de plusieurs centaines de mètres avant d'effectuer une plongée en piqué.

— Nous avons entré la vitesse ascensionnelle du DC-3 dans l'ordinateur, dit Murphy, et indiqué comme paramètre une altitude de six cents mètres. Ce qui amène l'avion à ce point.

Murphy indiqua l'écran.

— C'est parfait, commenta Hanley.

— Lincoln et moi, on trouve aussi, conclut Murphy avec un sourire.

Hickman était encore à neuf minutes de route lorsque Adams survola l'esplanade qui entourait le Dôme du Rocher et approcha l'hélicoptère de l'endroit où Nixon lui faisait signe. Nixon accourut sous les pales qui tournaient et tendit à Cabrillo une extrémité de la corde par la porte ouverte, avant de repartir en courant.

— Tout en douceur, demanda Cabrillo à Adams dans son micro.

— C'est ma plus grande qualité, rétorqua Adams, confiant.

Adams se dégagea doucement, en manipulant les commandes avec la délicatesse d'un chirurgien. Il fit lentement remonter le Robinson en biais, tandis que Cabrillo déroulait la corde. Un mince filet se mit en place sur le Dôme. Lorsqu'il eut atteint l'autre côté du dôme, Adams resta en suspension à quelques mètres du sol et Cabrillo lâcha l'échelle. Meadows et Ross en attrapèrent chacun un côté et maintinrent la corde tendue. Des filets étaient suspendus aux échelles de corde.

— Et maintenant, si vous pouviez me déposer sur le toit, dit Cabrillo avec un grand sourire, je vous en serais très reconnaissant.

Adams remonta lentement et s'approcha tout en douceur du Dôme. Cabrillo ouvrit la porte avec un luxe de précautions et posa le pied sur le patin. Puis, avec un petit signe de la main à l'adresse d'Adams, il fit un grand pas et attrapa le barreau de l'échelle de corde.

Adams s'écarta doucement et alla se poser dans une rue voisine.

Cabrillo était sur le Dôme. Il leva les yeux et découvrit un grand avion argenté qui approchait. Il resserra les filets le plus possible.

— Allez, allez, on y va! cria Seng aux sept membres de son équipe.

Ils se mirent à répandre la poudre dans toute la cour comme les semeurs d'antan. Lorsqu'ils eurent terminé, ils coururent vers les lances à incendie et attendirent l'ordre de les allumer.

Nixon et Gannon manœuvraient une lance. Nixon tenait l'embout tandis que Gannon, derrière lui, la maintenait en place.

— Tu es sûr que ça va marcher, mon vieux? demanda Gannon.

— Ça va marcher, répondit Nixon. La seule chose qui va poser problème, c'est le nettoyage.

Hickman ne s'étonna pas du fait que les Israéliens n'aient lancé aucun avion à sa poursuite. Il crut simplement que son vol à basse altitude lui avait permis d'éviter les radars. Après avoir enclenché le pilote automatique, il passa à l'arrière et ouvrit la porte.

La pierre d'Abraham était toujours enroulée dans une couverture. Hickman l'en sortit et la prit entre ses mains.

— Bon débarras! murmura-t-il.

A travers le hublot latéral, il voyait la mosquée se rapprocher. Il avait calculé que d'après la vitesse du DC-3, pour réussir à frapper le Dôme lui-même, il devrait lancer la météorite au moment où le nez de l'avion atteindrait le premier mur.

Hickman ne verrait jamais la pierre frapper le Dôme, mais c'est pour cela qu'il avait installé des caméras.

— Maintenant! s'écria Seng en entendant le bruit du DC-3 qui se rapprochait.

Les équipes munies des lances à incendie ouvrirent les jets et

353

aspergèrent la poudre répandue sur le sol. L'eau agit comme un catalyseur. Dès qu'elle toucha la poussière, les minuscules grains de poudre se mirent à enfler et s'entremêler en une écume extrêmement dense. La poudre atteignit une soixantaine de centimètres d'épaisseur. Gannon se sentit propulsé dans les airs au moment où le tuyau qu'il tenait entre ses mains mouilla le sol près de ses pieds. Le poids de son corps laissa une empreinte dans la mousse.

Hickman regarda par la fenêtre pour chronométrer son lancer. Dès qu'il vit le mur autour de la mosquée, il jeta la pierre d'Abraham. Puis il regagna en hâte le cockpit pour remonter accomplir sa mission suicide tandis que la lourde pierre tombait en tournant sur elle-même vers le Dôme.

Dans un film, Cabrillo, une main sur l'échelle, aurait écarté la pierre du Dôme pour sauver la situation. Ou bien la pierre d'Abraham aurait atterri dans le filet. Il se trouva que la présence de Cabrillo sur son perchoir se révéla finalement inutile.

Hickman avait mal visé.

Sans l'écume qui remplissait l'esplanade, la pierre se serait brisée en heurtant le sol en marbre. Au lieu de quoi, elle tomba et pénétra dans la mousse à trois bons mètres de l'édifice. Enfoncée à une trentaine de centimètres de la surface de la mousse, elle y resta, protégée comme une arme à feu de collection dans un étui sur mesure.

Seng se précipita et regarda la pierre.

— Que personne n'y touche, ordonna-t-il. Un agent de la CIA musulman va venir s'en occuper.

Seng attrapa sa radio pour appeler Hanley à bord de l'*Oregon*.

— Je vous raconterai plus tard mais la pierre est sauve, dit Seng. Pouvez-vous demander à Adams de venir récupérer le président ?

Hanley se tourna vers Stone.

— Tu peux l'appeler ?

Tandis que Stone était à la radio, Hanley se tenait aux côtés de Murphy et Lincoln au poste de tir. Sur un pont au-dessus de la poupe de l'*Oregon*, une batterie de missiles guidés par ordinateur suivaient minutieusement la trace du DC-3.

L'avion volait à cinq kilomètres à la minute. Le temps que

Hickman retourne dans le cockpit et s'installe aux commandes pour effectuer son ascension, il se trouvait déjà à seize kilomètres en dehors de Jérusalem et à la même distance de la mer Morte.

Tirant sur le manche, Hickman se mit à grimper.

— Dans trente secondes, il se trouvera hors des territoires palestiniens, dit Lincoln.

Hickman n'était pas un innocent, mais les membres de la Corporation n'étaient pas des meurtriers. Si Hickman poursuivait sa route en direction de la Jordanie, ils tenteraient de l'intercepter là-bas, au sol. En revanche, s'il effectuait un demi-tour, ils n'auraient pas le choix. En effet, la seule raison pour laquelle Hickman pourrait vouloir revenir vers Jérusalem, c'était pour une mission suicide.

Le DC-3 allait franchir les rives de la mer Morte d'une seconde à l'autre.

— Monsieur, annonça Murphy, l'ordinateur détecte une amorce de virage.

— Vous avez l'autorisation, dit calmement Hanley.

— Je note la date et l'heure, dit Lincoln.

— Lancement des missiles, dit Murphy une fraction de seconde plus tard.

— Verrouillage sur la cible, fit Lincoln.

Deux missiles sortirent de la rampe de lancement, de part et d'autre d'un petit dôme de verre qui abritait un radar de poursuite. L'intervalle qui séparait les deux missiles n'était que de quelques millièmes de seconde et ils fusèrent au-dessus d'Israël en direction du DC-3. Comme les flèches d'un archer, ils se dirigèrent droit sur la cible.

Adams récupérait Cabrillo sur le toit du Dôme lorsque les missiles passèrent en sifflant au-dessus d'eux. Après avoir rapidement enlevé la corde et l'avoir lancée à leurs coéquipiers, Adams tira sur le collectif et remonta au-dessus de la mosquée avant de faire avancer le Robinson.

Hickman avait amorcé son virage lorsqu'il aperçut l'espace d'un instant deux points de lumière qui arrivaient sur lui. Avant que son esprit ait pu comprendre ce qu'il se passait, les missiles percutaient le fuselage du DC-3.

Il mourut instantanément, et les débris de l'avion tombèrent dans la mer Morte.

La verrière du Robinson se trouvait face au DC-3 lorsque les missiles atteignirent leur but.

— Occupe-toi de la pierre, dit Cabrillo à Hanley par radio. Je vais me rendre sur les lieux du crash.

52

— C'EST un mélange d'amidon de poudre de riz auquel s'ajoute un accélérateur naturel qui le fait gonfler, expliqua Nixon.

Seng contemplait l'esplanade autour du Dôme du Rocher. Un agent de la CIA musulman qui était en mission en Israël était en train d'enlever la pierre d'Abraham de son écrin. L'objet, malgré son poids, avait pénétré dans la mousse de plus de trente centimètres mais il était encore protégé par quelques centimètres d'écume blanche.

L'agent de la CIA leva les yeux vers Seng et lui fit signe que la pierre était intacte.

— Et maintenant, comment allons-nous faire pour nettoyer l'esplanade ? demanda Seng à Nixon.

— En fait, je n'ai pas vraiment eu le temps d'y réfléchir, répliqua Nixon, mais du vinaigre, ça devrait marcher.

Seng hocha la tête puis il sortit un couteau à lame rétractable d'un étui à sa ceinture. Il se baissa et découpa un carré dans la couche blanche. Puis, en faisant levier avec le couteau, il dégagea le morceau et le tint dans sa main.

— On dirait du gâteau de riz, dit-il en lançant le cube léger comme une plume et en le rattrapant.

— Si on peut le découper avec des pelles, déclara Nixon, puis enlever les plus gros morceaux et asperger le reste de vinaigre, avant de brosser avec des balais, il ne restera plus ensuite qu'à tout rincer au jet d'eau.

Le bruit du Robinson se rapprochait. Il survola la mosquée et se posa dans une petite rue. Seng était en train de donner des instructions aux Israéliens pour le nettoyage lorsque Cabrillo passa sous l'arche pour entrer dans la cour.

— Les débris du DC-3 sont tombés dans la mer Morte, déclara Cabrillo. Le plus gros morceau que nous ayons pu voir à la surface devait avoir la taille d'une miche de pain.

— Et M. Hickman ? demanda Seng.

— Les poissons se régalent de ce qu'il en reste, dit Cabrillo.

Les deux hommes restèrent silencieux un instant.

— Chef, reprit Seng au bout d'un moment, la pierre se trouve en sécurité et le nettoyage de la mosquée vient de commencer. Nos équipes sont prêtes à repartir.

— Vous avez l'autorisation de quitter les lieux, dit Cabrillo avec un hochement de tête.

Puis il se tourna vers l'agent de la CIA.

— Apportez la pierre et venez avec moi, dit-il.

L'agent déposa la pierre soigneusement enveloppée dans une brouette utilisée par les jardiniers de la mosquée, puis il attrapa les poignées et suivit Cabrillo jusqu'à la sortie.

Au moment où Cabrillo se dirigeait vers le Robinson, Hanley conversait avec Overholt par téléphone.

— La pierre est en sécurité et nous nous apprêtons à quitter Israël, annonça Hanley. Vous avez de bons contacts en Egypte ?

— Excellents, répondit Overholt.

— Et au Soudan ?

— Notre homme là-bas est un as.

— Voilà ce dont nous avons besoin, déclara Hanley.

Overholt prit note à mesure que Hanley faisait son énumération.

— OK, dit-il lorsque Hanley eut terminé. Hourghada, Assouan et Ras Abu Shagara au Soudan. Je m'occupe des autorisations et je prévois un ravitaillement en carburant indice d'octane cent à chaque point.

Hanley raccrochait lorsque Halpert entra dans la salle de contrôle avec un dossier qui débordait de documents.

— Je crois que j'ai compris pour Médine, déclara-t-il. J'ai sorti les plans de la base informatique du maître d'œuvre et je les ai étudiés pendant une heure.

— Des plans? s'étonna Hanley. Mais la mosquée a été construite il y a des siècles!

— Elle a été agrandie et modernisée de 1985 à 1992, rectifia Hanley. A ce moment-là, on a percé des tunnels pour y installer les canalisations du circuit de refroidissement. Vous m'avez dit de penser comme Hickman; eh bien à sa place, voilà où j'aurais mis les explosifs.

Hanley étudia les plans.

— Michael, fit-il au bout d'un moment, je crois que vous avez visé juste.

— Souvenez-vous-en au moment des primes, rétorqua Halpert avec un sourire.

Halpert sortit de la pièce et Hanley s'empara d'un téléphone. Tandis que cela sonnait, il se tourna vers Stone.

— Sortez-moi une photo satellite de Médine.

Stone se mit à pianoter sur son clavier.

— Oui, monsieur? répondit Kasim.

— Où en êtes-vous?

Kasim se trouvait à la gare routière bondée de Djedda.

— Les deux équipes sont bien arrivées, déclara Kasim. Nous avons laissé les motos dans un cours d'eau asséché à l'entrée de Djedda et nous sommes entrés à pied dans la ville. Skutter a pris un car à destination de Médine. Mon équipe et moi nous attendons le nôtre pour La Mecque.

— Skutter a-t-il un téléphone satellite?

— Oui, monsieur.

— Et dans combien de temps son car doit-il arriver à destination? demanda Hanley.

— Dans quatre à cinq heures, répondit Kasim.

— J'attendrai ce moment-là pour l'appeler, mais nous croyons savoir où ont été cachés les explosifs à Médine.

Un car arriva.

— Mon car est là, dit Kasim. Que voulez-vous que nous fassions?

— Un agent de la CIA prendra contact avec vous à La Mecque et vous emmènera en lieu sûr, dit Hanley. Je vous appellerai ensuite.

— Compris.

Pete Jones leva les yeux vers l'émir du Qatar.

— Votre Excellence, dit-il, quelles sont vos relations avec les Bahreïniens ?

— Très bonnes, répondit l'émir. Ce sont de bons amis.

— Pourriez-vous faire passer des camions à la frontière sans difficulté ?

— Je suis sûr que cela doit être possible.

— Auriez-vous un cargo disponible pour venir prendre ces camions au port de Bahreïn ?

L'émir consulta son secrétaire du regard.

— Je peux en trouver un ici ou au Bahreïn immédiatement, répondit Al-Thani.

— Nous disposons d'environ six heures pour tout mettre en place, précisa Pete Jones.

— Ce sera fait, monsieur Jones, dit l'émir, ce sera fait.

A l'intérieur de l'aire de fret clôturée de l'aéroport de Riyad, l'adjudant Patrick Colgan et son équipe attendaient toujours des instructions. Ils avaient passé trois nuits cachés entre les conteneurs, se nourrissant grâce à leurs rations et buvant les bouteilles d'eau qu'ils avaient apportées. A présent, leurs réserves étaient presque épuisées et les conteneurs qui les abritaient de part et d'autre étaient enlevés les uns après les autres, rognant sur leur cachette.

Il fallait qu'il se passe quelque chose, et le plus tôt serait le mieux.

Jones étudia le fichier piraté sur l'agenda électronique de Saud Al-Sheik, puis il prit son téléphone.

— Monsieur, déclara-t-il lorsqu'on lui répondit, y a-t-il eu de nouveaux développements quant à l'heure d'enlèvement des conteneurs ?

— Pas de changements, répondit Hanley.

— Dans ce cas, j'ai une solution à vous proposer, dit Jones.

Il exposa son plan à Hanley.

— Ça me plaît, commenta-t-il. C'est simple et efficace.

— J'ai votre autorisation ?

— Allez-y, déclara Hanley.

La zone entourant les trois conteneurs où se cachaient les hommes était de plus en plus dégagée. Il y avait encore des conteneurs à leur gauche mais à leur droite ce n'était que sable et cailloux.

Le téléphone de Colgan sonna discrètement.

— Colgan.

— C'est Jones au Qatar.

— Qu'est-ce que vous nous avez prévu, monsieur Jones ? Nous sommes presque à découvert maintenant. Il faut que nous agissions rapidement.

— Dans dix minutes, trois camions doivent arriver pour enlever les conteneurs, expliqua Jones. Ils sont équipés de balises GPS attachées à l'arrière des cabines. Elles font à peu près la taille d'un paquet de cigarettes et sont maintenues en place par des aimants. Que trois de vos hommes feignent d'être des employés qui aident les camions à charger les conteneurs, et qu'ils enlèvent les balises lorsque les camions reculeront, sinon vous serez suivis.

— D'accord, fit Colgan.

— Dites à ces trois hommes d'attacher les balises à un conteneur non contaminé, puis de sauter dans un autre camion pour se rendre à La Mecque. Les gens chargés de suivre le chargement croiront que tous les camions se suivent.

— Que devront-ils faire en arrivant à La Mecque ?

— Il faudra sauter des camions juste avant qu'ils arrivent à destination et jeter les balises dans les premières poubelles qu'ils trouveront. Ensuite, ils prendront un car pour Djedda et se rendront au port. Là, ils trouveront une annexe marquée *Akbar II*. Qu'ils embarquent et ils seront évacués au large.

— *Akbar II*, répéta Colgan.

— Les cinq autres, vous devrez neutraliser les chauffeurs et conduire les camions vous-mêmes. Bâillonnez et ligotez les conducteurs et allongez-les dans la cabine côté passager. Ensuite, passez tout simplement la grille et lorsque vous serez sur la route principale, prenez vers l'est au lieu de l'ouest. Votre destination finale c'est le Bahreïn.

— Très bien, dit Colgan.

— Bon, poursuivit Jones, comme vous serez cinq, vous serez un peu à l'étroit dans deux des trois camions : le chauffeur et un passager en plus de celui que vous aurez remplacé. Assurez-vous que le passager se cache bien sous une couverture lorsque vous passerez devant la grille, pour qu'ils ne remarquent rien.

— Ils ne vont pas nous arrêter pour nous fouiller ? demanda Colgan.

— Nous avons fait surveiller le poste de garde aujourd'hui, expliqua Jones. Ils vérifient les papiers du camion à l'entrée et ensuite ils notent seulement le numéro du conteneur lorsque le camion repasse avec son chargement.

— Mais que se passera-t-il lorsque leur chargement sera déclaré perdu et qu'ils trouveront les balises ? demanda Colgan. Ils ne vont pas se lancer à notre poursuite ?

— Le voyage de Riyad à La Mecque prend six heures, dit Jones, mais vous mettrez seulement quatre heures pour le Bahreïn. Le temps qu'ils se rendent compte que les conteneurs ont disparu, vous serez sur un cargo à destination du Qatar.

— Et vous êtes sûrs que nous pourrons passer sans difficulté la frontière du Bahreïn ?

— Nous nous en sommes occupés.

— Parfait, dit Colgan.

— Bonne chance.

Un quart d'heure plus tard, Colgan et quatre de ses hommes réussissaient à sortir du terminal de fret et se trouvaient à l'extérieur sur la route. Sept minutes après, un second maître des gardes-côtes du nom de Perkins, avec deux autres hommes, attachaient les balises à trois camions d'un convoi de six, puis grimpaient dans le dernier camion.

Celui-ci était rempli de bouteilles d'eau, donc ils étaient sûrs de ne pas avoir soif au cours de leur trajet de six heures pour La Mecque. Si seulement il y avait eu aussi une palette de M&M's à bord, la route aurait été encore plus agréable.

Il était presque midi lorsque Adams, Cabrillo et l'agent de la CIA firent leur première escale pour se ravitailler en carburant à Hourghada en Egypte, à l'embouchure du Halig as-Suwais, à l'entrée de la mer Rouge.

Overholt avait prévu non seulement le carburant promis mais aussi de la nourriture, de l'eau, du café et un mécano de l'armée américaine pour jeter un coup d'œil au R-44. Le mécano rajouta un

362

demi-bidon d'huile dans le moteur à piston et fit un rapide contrôle de l'appareil, après quoi il déclara que le Robinson se portait comme un charme. Après un bref passage aux toilettes, les trois hommes purent repartir.

L'étape suivante du voyage – quelque trois cent vingt kilomètres jusqu'à Assouan – s'effectuèrent en moins de deux heures, à une vitesse de deux cents kilomètres à l'heure. Après un nouveau plein et un nouveau contrôle de l'appareil, ils repartirent.

D'Assouan à Ras Abu Shagara, la péninsule qui pénétrait dans la mer Rouge en face de Djedda en Arabie Saoudite était la plus longue étape. Long de cinq cent soixante kilomètres, le voyage prendrait presque trois heures.

Le Robinson avait quitté Assouan depuis une demi-heure et survolait le désert lorsque Adams s'adressa à ses passagers.

— Nous allons voler environ deux heures avant le prochain arrêt. Si vous voulez dormir un peu, ça ne me dérange pas.

L'agent de la CIA, à l'arrière, hocha la tête, s'affala et abaissa son chapeau sur ses yeux.

— Vous êtes sûr, George ? demanda Cabrillo. Vous avez beaucoup volé ces temps-ci. Vous tenez le coup ?

— Je suis à cent pour cent, chef, dit Adams en souriant. Je vais nous emmener au Soudan, puis je traverserai la mer Rouge pour vous déposer. De retour au Soudan, je pourrai me reposer.

Cabrillo hocha la tête. Lentement, tandis que l'hélicoptère descendait vers le sud, il sombra dans le sommeil.

A seize heures, Hanley appela Skutter sur le téléphone satellite. Celui-ci, sans aucune instruction particulière, faisait les cent pas dans la gare routière avec son équipe dans l'attente d'un contact.

— Je m'appelle Max Hanley, je suis le supérieur de M. Kasim.

— Que devons-nous faire ? demanda vivement Skutter.

Plusieurs personnes s'étaient déjà approchées d'eux et seul un membre de son équipe baragouinait quelques mots d'arabe. S'ils restaient là plus longtemps, ils risquaient d'attirer l'attention.

— A votre gauche, dit Hanley, se trouve un mendiant avec une vieille assiette en fer-blanc et qui a l'air de dormir. Vous le voyez ?

— Oui, répondit Skutter.

L'homme les dévisageait depuis vingt minutes entre deux semblants de sieste.

— Approchez-vous de lui et déposez une pièce dans son assiette, lui enjoignit Hanley.

— Nous n'avons pas de pièce, chuchota Skutter ; on ne nous a donné que des billets.

— Dans ce cas, donnez-lui le plus petit que vous ayez, conseilla Hanley. Il vous tendra un papier qui ressemble à une brochure religieuse. Prenez-le, éloignez-vous de la gare routière et trouvez un endroit tranquille dans une petite rue pour pouvoir le lire sans être observé.

— Et ensuite ?

— Toutes les instructions se trouvent à l'intérieur.

— C'est tout ?

— Pour l'instant, oui, dit Hanley. Bonne chance.

Skutter raccrocha et appela un de ses hommes en chuchotant. Puis il s'approcha du mendiant, sortit un billet de la liasse dans sa poche, se baissa et le posa dans l'assiette.

— Allah vous récompensera, dit le mendiant en arabe en lui tendant la brochure.

Skutter se redressait lorsqu'il crut discerner un imperceptible clin d'œil sur le visage du mendiant. Soudain, l'espoir lui revint. Il sortit de la gare routière et, suivi de ses hommes, il trouva un endroit désert pour lire les instructions. Sa destination se trouvait à quelques rues et il dévora le reste de la brochure tout en marchant.

— Ne vous aventurez pas à l'extérieur, ordonna l'agent de la CIA à Kasim et son équipe dans la maison de La Mecque ; ne faites rien qui puisse attirer l'attention. Il y a de la nourriture, de l'eau et des boissons dans la cuisine.

— Et comment faisons-nous pour vous joindre en cas de besoin ? demanda Kasim.

— Impossible, répondit l'homme. Vous devrez attendre les instructions de vos supérieurs. J'ai reçu l'ordre de préparer la maison, de vous retrouver à la gare et de vous amener ici. Ma mission s'arrête là. Je vous souhaite bonne chance et qu'Allah vous protège.

L'homme regagna la porte et sortit.

— C'est bizarre, commenta un soldat de l'équipe de Kasim.

— Tout est compartimenté, expliqua Kasim. Chaque partie de cette opération reste séparée des autres jusqu'à la fin. A présent, nous avons tous besoin de nous reposer et de nous laver. Je veux que tout le monde prenne un bon repas et se détende. Bientôt, on nous appellera et il faudra être prêts à partir.

Le soleil se couchait lorsque Adams approcha de l'*Akbar* au bord de la mer Rouge. Il survola une fois le yacht pour prévenir l'équipage de son arrivée, puis il s'aligna sur la poupe et descendit lentement. L'hélicoptère Kawasaki d'Al-Khalifa se trouvait toujours sur la plate-forme, donc il resta en suspension à quelques mètres du bateau le temps de trouver un espace dégagé à la poupe. L'agent de la CIA posa sur le pont la pierre d'Abraham bien à l'abri dans un étui rembourré, puis il descendit vivement.

— Les hommes d'Overholt vous attendent à Ras Abu Shagara, dit Cabrillo. Ça ira ?

— Oui monsieur, répondit Adams.

L'agent de la CIA porta la caisse à l'intérieur de l'*Akbar*. Cabrillo descendit et marcha courbé sous les pales. Adams décolla de nouveau.

A ce moment-là, le téléphone de Cabrillo sonna.

— La menace numéro un est éliminée, annonça Hanley. Les conteneurs sont à bord d'un cargo qui quitte en ce moment le Bahreïn à destination du Qatar.

— Il n'y a pas eu de problèmes ?

— Tout s'est passé comme sur des roulettes, dit Hanley. Trois hommes vont gagner l'annexe de l'*Akbar* à Djedda. Il faudra les faire transporter jusqu'au yacht ; leur rôle dans cette opération est terminé.

Kent Joseph, un homme d'une équipe de Floride qui avait été engagé par la Corporation pour amener l'*Akbar* à destination, passa la tête par la porte. Cabrillo sourit et lui fit signe de patienter un instant.

— Skutter ?

— Il a les plans et nous l'envoyons sur place avec son équipe ce soir, dit Hanley. Si ça marche, nous aurons résolu deux problèmes sur trois.

365

— Et comment tu t'en sors avec le troisième ?

— Je te rappellerai.

La communication fut coupée et Cabrillo rempocha le télé-phone. Puis il sourit et tendit la main à Joseph.

— Juan Cabrillo, dit-il. Je suis de la Corporation.

— La Corporation, comme dans *l'Agence* ?

— Oh non ! s'exclama Cabrillo. Je ne suis pas un espion.

Joseph hocha la tête et lui fit signe d'entrer.

— Mais lui c'en est un, dit Cabrillo en montrant l'agent de la CIA.

53

IL faisait nuit lorsque le second maître Perkins et les deux
autres hommes à bord du dernier camion du convoi sentirent le
véhicule ralentir. Perkins regarda par la fente entre les portes
arrière du camion. Il y avait des bâtiments dispersés le long de la
route et il vit les phares d'une voiture qui les suivait. Il attendit
presque cinq minutes que la voiture, profitant d'un endroit dégagé,
puisse accélérer et doubler les camions.

— Bon, les gars, fit Perkins, il va falloir sauter.

Au moment de monter, Perkins avait bloqué la porte de manière
à pouvoir l'ouvrir de l'intérieur. La difficulté, c'était la vitesse du
camion, qui avançait encore à près de cinquante kilomètres à
l'heure. Il regarda le bas-côté à l'arrière.

— Les gars, reprit-il quelques instants plus tard, il n'y a pas
moyen de se tirer de là en douceur. Notre meilleure chance est
d'attendre de voir du sable sur le côté gauche du camion ; à ce
moment-là, vous vous accrocherez à la porte et je l'ouvrirai. L'élan
devrait vous faire atteindre le bas-côté. Lâchez-vous dès que
possible.

— Le chauffeur ne risque pas de remarquer ? demanda un de ses
coéquipiers.

— Peut-être, s'il regarde dans son rétro à ce moment précis, admit
Perkins, mais la porte devrait se rabattre immédiatement, et s'il ne
remarque pas tout de suite, il aura déjà parcouru une certaine
distance avant de se rendre compte que la porte est ouverte.

— Et vous ? demanda le troisième homme.

— Tout ce que je peux faire, dit Perkins, c'est courir et sauter le plus loin possible.

Les bâtiments se raréfiaient et on entrait dans une zone moins dense à l'approche de La Mecque. Perkins regarda dans l'obscurité.

— Je sais pas trop, dit-il un instant plus tard ; disons que cet endroit n'est pas pire qu'un autre.

Perkins leur fit la courte échelle pour qu'ils attrapent le haut du cadre de la porte. Puis il la poussa. La porte s'ouvrit brutalement, les deux hommes se lâchèrent et roulèrent sur le sable. Perkins recula le plus possible dans le camion plein de matériel et prit son élan depuis la droite du conteneur pour sauter vers la gauche. Les jambes de Perkins moulinèrent dans le vide avant qu'il retombe.

Le camion, portes battantes, disparut au loin. Ils étaient seuls et les lumières de La Mecque à quelques kilomètres illuminaient le ciel du désert.

Perkins se déchira la peau du genou et se rendit compte qu'il s'était également fait une entorse en atterrissant. Il était allongé sur le sol près de la route. Les deux autres, l'un saignant du coude et l'autre égratigné au visage, l'aidèrent à se relever.

Le genou de Perkins se déroba sous lui et il retomba par terre.

— Prenez mon téléphone, dit-il en tendant l'appareil à un homme, et appuyez sur la touche 1. Expliquez notre situation à qui répondra.

Ce fut Hanley qui décrocha.

— D'accord, ne quittez pas, déclara-t-il une fois que le soldat lui eut résumé la situation.

— Trouvez-moi les coordonnées GPS de ce signal, cria-t-il à Stone qui pianota sur son clavier.

— Je les ai, dit Stone environ une minute plus tard.

— Y a-t-il un endroit au bord de la route où vous puissiez vous cacher ? demanda Hanley.

— Nous sommes le long d'un cours d'eau asséché. Il y a une dune au-dessus.

— Abritez-vous derrière la dune, dit Hanley. Restez en ligne, je vous reprends dans un instant.

Sur un autre téléphone Hanley appela le responsable de la CIA en Arabie Saoudite au numéro qu'Overholt lui avait donné.

— C'est la Corporation, dit-il lorsque l'homme répondit. Est-ce que vous avez des agents à La Mecque en ce moment ?

— Bien sûr, répondit le responsable. Nous avons un Saoudien avec nous.

— Est-ce qu'il a une voiture ?

— Il conduit une camionnette de livraison Pepsi.

— Il faudrait qu'il se rende à l'endroit de ces coordonnées GPS, dit Hanley, pour récupérer trois hommes. Ce serait possible ?

— Ne quittez pas, répondit son interlocuteur en composant le numéro du téléphone portable de son agent.

Hanley l'entendit donner les explications au chauffeur de la camionnette.

— Il part tout de suite, dit le responsable de la CIA, il pense qu'il en a pour vingt minutes environ.

— Dites-lui de klaxonner en arrivant dans la zone en question, dit Hanley. Nos hommes sortiront de leur cachette en l'entendant.

— Où devra-t-il les emmener ? demanda l'homme de la CIA.

— A Djedda.

— J'appellerai s'il y a un problème.

— Il n'y en aura pas, dit Hanley. Je n'aime pas les problèmes.

Hanley reprit l'autre téléphone pour expliquer le plan aux soldats.

Hanley n'aimait pas les problèmes mais c'est pourtant exactement ce à quoi il était confronté.

Dans la salle de réunion se trouvaient Seng, Ross, Reyes, Lincoln, Meadows, Murphy, Crabtree, Gannon, Hornsby et Halpert. Tous les dix prirent la parole en même temps.

— Nous ne pouvons rien faire par voie aérienne, disait Lincoln.

— Pas le temps de creuser un tunnel, déclarait Ross.

— La clé, disait Halpert à Crabtree, c'est de trouver comment Hickman est entré.

— Je peux faire un feu d'artifice pour les distraire, proposait Murphy en souriant à Hornsby, mais nous sommes en Méditerranée et eux en Arabie Saoudite.

— Bombes lacrymo ? suggéra Reyes à la ronde.

— Couper l'électricité ? renchérit Meadows.

Seng se leva.

— Bon, tout le monde, on va mettre un peu d'ordre dans tout ça.

En tant que plus haut gradé, c'était lui qui menait la séance de brainstorming.

Seng se dirigea vers la cafetière et prit la parole tout en marchant.

— Nous disposons de moins d'une heure pour mettre sur pied un plan cohérent, que l'équipe sur place puisse exécuter, si nous voulons que ce soit fait ce soir – et nous n'avons pas le choix.

Il se versa une tasse et revint s'asseoir.

— Comme l'a dit Halpert, comment Hickman s'y est-il pris pour effectuer la première substitution ?

— Il a forcément dû neutraliser les gardes à un moment ou un autre, déclara Meadows. Il n'y a pas d'autre moyen.

— Dans ce cas pourquoi n'a-t-on rien découvert après coup ? demanda Seng.

— Il doit avoir corrompu un garde, dit Murphy, c'est la seule possibilité.

— Nous nous sommes renseignés sur les gardes, dit Seng. Si l'un d'entre eux était dans le coup, il se serait enfui de La Mecque à l'heure qu'il est. Or ils sont tous à leur poste.

Toute l'équipe resta silencieuse quelques instants.

— Tu dis que vous vous êtes renseignés sur les gardes, dit Linda Ross, donc tu as les heures de garde et cetera ?

— Bien sûr, répondit Seng.

— Dans ce cas, reprit-elle, la seule possibilité que je vois est de remplacer les quatre gardes d'un coup.

— Bonne idée, dit Halpert, on frappe au moment de la relève, et on remplace les nouveaux gardes par des membres de notre équipe.

— Et ensuite ? fit Seng.

— Ensuite on coupe le courant dans toute la ville, le temps d'opérer la substitution, dit Reyes.

— Mais dans cette hypothèse, les quatre gardes seront découverts lors de la relève suivante, objecta Seng.

— Chef, dit Gannon, à ce moment-là, nos équipes seront en sécurité et les Saoudiens n'y pourront rien.

La pièce resta silencieuse quelques instants tandis que Seng réfléchissait.

370

— C'est rudimentaire, mais ça peut marcher, dit-il enfin.

— Parfois on est obligé de prendre un rocher pour obtenir le lait d'une noix de coco, lança Gannon.

— Je vais soumettre ça à Hanley, fit Seng en se levant.

Tandis que la réunion s'achevait à bord de l'*Oregon*, Skutter et son équipe découvraient l'une des trappes menant sous la Mosquée du Prophète et se faufilaient à l'intérieur. Ils étaient sous terre depuis seulement cinq minutes lorsque le premier paquet d'explosifs fut découvert.

— Dispersez-vous le long du tunnel, ordonna Skutter aux autres, et trouvez combien il y en a.

Puis il se tourna vers le seul homme de son équipe ayant une expérience en déminage.

— Alors, verdict?

L'homme sourit et prit une pince dans sa poche. Puis il se baissa, tira un câble et le sectionna. Il fit de même avec d'autres câbles, et se mit à détacher le paquet de la canalisation.

— Sommaire, mais très puissant, c'est comme ça que je décrirais ça, dit-il en posant le C-6 et la dynamite en deux tas séparés sur le sol.

— C'est tout? demanda Skutter, exaspéré.

— C'est tout, dit l'homme. Juste une chose.

— Laquelle?

— Faites attention à ne pas heurter ni faire tomber la dynamite. Selon son âge, elle peut être instable.

— Pas de danger, répondit Skutter. On laisse tout ici.

En deux heures, ils désamorcèrent toutes les charges et inspectèrent plusieurs fois le tunnel pour s'assurer qu'il ne restait rien. Ensuite Skutter pourrait appeler pour faire son rapport.

Tandis que le démineur coupait les câbles du premier paquet d'explosifs, Hanley téléphonait à Cabrillo sur l'*Akbar*.

— Voilà notre plan, Juan, dit-il après lui avoir tout expliqué. C'est un peu sommaire, je l'avoue.

— Est-ce que tu l'as déjà communiqué à Kasim?

— Je voulais d'abord t'en parler.

— D'accord, dit Cabrillo. Faxe-moi ce que tu peux, pour que je mette au courant l'agent de la CIA. En attendant, je vais appeler Kasim pour le prévenir de ce que nous lui avons concocté.

— Je t'envoie ça tout de suite.

— Il va falloir agir rapidement, expliqua Cabrillo à Kasim. La relève est à deux heures du matin.

— Qu'en est-il des explosifs ? demanda Kasim.

— L'agent de la CIA qui apportera la pierre d'Abraham sera équipé d'une douzaine de renifleurs chimiques. Les hommes de ton équipe pourront fouiller les lieux avec les renifleurs pendant qu'il effectuera la substitution.

— Compris, dit Kasim.

— Vous disposez d'une heure et quarante minutes pour vous rendre avec votre équipe à la Grande Mosquée, observer les gardes pour vous familiariser avec leurs gestes, puis trouver les gardes qui arrivent, les neutraliser et prendre leur place. Vous pouvez le faire ?

— On dirait que nous n'avons pas le choix.

— Tout repose sur vous, maintenant, Hali, dit Cabrillo.

— Je ne vous laisserai pas tomber, ni vous ni ma religion, dit Kasim.

— Je finis de donner des instructions à l'agent de la CIA et je vous l'envoie, dit Cabrillo. Une voiture avec chauffeur attend pour l'emmener à La Mecque. Il entrera dans la Grande Mosquée à deux heures dix s'il n'a pas entendu de coup de feu.

— Nous y serons, dit Kasim.

Il se tourna vers les autres.

— Ecoutez-moi, dit-il, nous avons reçu nos instructions.

Cabrillo sortit les feuilles du télécopieur et expliqua rapidement son rôle à l'agent de la CIA. Puis il embarqua avec lui dans l'annexe jusqu'au port de Djedda. La nuit était agréable, il faisait vingt-trois degrés et il n'y avait pratiquement pas de vent. La lune décroissante jetait une faible lueur sur l'eau tandis que le bateau fendait les flots tranquilles.

Les lumières de l'*Akbar* s'évanouirent tandis que celles de Djedda se mirent à scintiller de plus en plus.

Quand la camionnette Pepsi s'arrêta près de la dune et klaxonna, Perkins et ses deux compagnons relevèrent la tête et scrutèrent la route jusqu'à ce qu'elle soit déserte, puis ils se dirigèrent vers le véhicule. Le genou de Perkins était très enflé et l'un de ses compagnons l'aidait à marcher tandis que l'autre s'approchait de la camionnette.

— Vous êtes là pour nous ? demanda-t-il au chauffeur.

— Dépêchez-vous de monter, répondit celui-ci en ouvrant la portière passager.

Une fois les trois hommes installés, le chauffeur fit demi-tour et retourna vers les lumières de La Mecque. Il contourna la ville grâce à une voie rapide et emprunta la route de Djedda. Il avait parcouru trois kilomètres dans cette direction lorsqu'il leur adressa la parole.

— Vous aimez les Eagles ? demanda-t-il en insérant un CD dans son autoradio.

Les premières mesures de *Hotel California* retentirent dans la nuit.

Dès que l'annexe fut à terre, l'agent de la CIA descendit et se précipita vers une Chevrolet Suburban qui l'attendait. Un instant plus tard, elle redémarrait en faisant crisser ses pneus sur les gravillons.

— Et maintenant, quel est le programme ? demanda le mécanicien de Floride qui pilotait l'annexe.

— On recule et on attend une camionnette Pepsi, dit Cabrillo.

Le pilote mit la marche arrière et commença à manœuvrer.

— Alors comme ça vous faites de la contrebande de Pepsi ?

— Est-ce que vous avez une radio à bord ? demanda Cabrillo.

Le pilote tourna une aiguille sur le tableau de bord.

— Qu'est-ce qui vous ferait plaisir ?

— Trouvez les infos, demanda Cabrillo.

Les deux hommes attendirent au clair de lune, ballottés par les petites vagues de la baie.

Une Chevrolet Suburban croisa à toute allure la camionnette Pepsi au moment où le chauffeur quittait la route principale pour obliquer vers le port de Djedda. Le chauffeur, suivant les instructions qu'il avait reçues, alla jusqu'au bout de la route, puis s'arrêta face à la mer. Il fit trois appels de phares et attendit.

Non loin de là, sur l'eau, les petites lumières rouges de la poupe d'un bateau lui répondirent.

— - Bon, les gars, fit le chauffeur. Je m'arrête là. Il y a un bateau qui va venir vous prendre.

L'un des hommes descendit de la cabine et aida Perkins à en sortir. Lorsqu'ils se furent écartés, le troisième descendit à son tour.

— Merci pour la balade ! lança-t-il en refermant la porte.

— Je vous enverrai la facture, dit le chauffeur par la fenêtre ouverte tout en faisant demi-tour pour repartir.

Les trois hommes atteignirent le bord de l'eau en même temps que l'annexe de l'*Akbar*. Cabrillo descendit pour aider les soldats à embarquer, puis il remonta.

— A la maison, James, lança-t-il au pilote.

— Comment saviez-vous que je m'appelle James? demanda celui-ci en effectuant sa manœuvre.

Dès que Perkins et les autres furent en sécurité à bord du yacht, Cabrillo ordonna à Kent Joseph de longer la côte vers le nord à pleine puissance.

Depuis l'*Oregon*, Hanley dirigeait les diverses opérations. Il était un peu plus d'une heure du matin lorsque le chauffeur envoyé pour récupérer Skutter et ses hommes lui avait confirmé qu'ils avaient quitté Médine et roulaient vers Djedda.

Il y avait un peu moins de cent cinquante kilomètres à parcourir.

Sauf surprise de dernière minute, la deuxième partie était presque achevée.

Hanley appela Cabrillo.

— Jones a retrouvé le groupe qui a les tapis de prière et tout va bien, dit-il. On leur a donné des antiviraux et des vêtements propres et maintenant ils dorment. L'équipe numéro deux de Médine a terminé sa mission et se dirige vers vous en ce moment. Ils devraient arriver dans quelques heures.

— Ont-ils trouvé des explosifs? demanda Cabrillo.

— Apparemment en quantité suffisante pour raser la Mosquée du Prophète, répondit Hanley. Ils les ont désarmés et laissés dans le tunnel. Il faudra que la CIA ou quelqu'un d'autre s'en occupe.

— Bon, tout repose maintenant sur Kasim, fit Cabrillo.

— On dirait.

374

A ce moment précis, Kasim et son équipe approchaient de la mosquée Al-Haram. Le fait d'être des citoyens américains ne leur apportait guère de réconfort dans ce pays où la peine capitale était la décapitation. Ils entraient dans les lieux saints pour une mission qui pouvait facilement être confondue avec un acte de terrorisme. Les quatorze militaires et Kasim en étaient parfaitement conscients.

Une erreur, un faux pas, et toute l'opération serait vouée à l'échec.

Au moment où Kasim franchissait l'une des portes menant à l'esplanade sur laquelle se trouvait la Kaaba, recouverte de son brocart noir, un avion de transport de troupes C-17A décollait du Qatar. Cet avion de construction Boeing remplaçait le vénérable Lockheed Martin C-130 et il pouvait transporter 102 passagers ou 85 000 kilos de fret.

Conçu pour atterrir sur des pistes courtes ou en mauvais état, l'appareil nécessitait un équipage de trois personnes. Il avait un rayon d'action de quatre mille huit cents kilomètres, et ce soir, il lui faudrait bien ça.

Après avoir quitté le Qatar dans le golfe Persique, il devait survoler le golfe d'Oman pour arriver dans l'océan Indien. Là, il tournerait, passerait au-dessus de la mer d'Arabie, du golfe d'Aden, puis entre le Yémen et Djibouti et enfin au-dessus de la mer Rouge, où il devait attendre d'être appelé à la rescousse ou libéré de ses obligations.

La Corporation espérait qu'elle n'aurait pas besoin de jouer cet ultime joker.

Kasim avança dans la mosquée, puis il se cacha sur le côté avec quatre hommes pour observer le mouvement des gardes. Cela ne semblait pas compliqué. Toutes les cinq minutes, les gardes marchaient d'un coin à un autre dans le sens des aiguilles d'une montre. Leur pas exagéré avait l'air facile à imiter.

Kasim étudia les plans qu'il avait en sa possession pour trouver le petit bâtiment en pierre à l'intérieur de la mosquée qu'utilisaient les gardes pour enlever leur tenue de ville et revêtir leur uniforme. Il le vit sur le schéma dessiné à la main, puis il fit signe aux

375

hommes de rester là où ils se trouvaient tandis qu'il rejoignait le reste du groupe.

— Vous allez monter la garde, dit-il à l'un des hommes, et vous sifflerez si vous avez besoin d'attirer notre attention.

— A quoi faut-il faire attention ? demanda l'homme.

— Tout ce qui vous paraîtra inhabituel.

L'homme hocha la tête.

— Les autres, suivez-moi. Nous allons nous glisser jusqu'au vestiaire, dit-il calmement, et attendre l'arrivée du premier garde. Je le neutraliserai dès qu'il déverrouillera la porte du bâtiment.

Les hommes acquiescèrent d'un signe de tête.

Puis ils s'éparpillèrent dans la mosquée pour se glisser discrètement jusqu'au petit bâtiment en pierre. Quelques minutes plus tard, ils étaient tous en place.

Abdul Ralmein était fatigué. Ses horaires variaient au cours du mois. Parfois ses quatre heures de garde avaient lieu en pleine chaleur, parfois au lever du soleil, le moment qu'il préférait, et parfois à deux heures du matin comme cette nuit. C'était ces heures au milieu de la nuit auxquelles il n'avait jamais réussi à s'adapter ; son horloge interne restait la même et quand son tour venait de travailler la nuit, il devait lutter de toutes ses forces contre le sommeil.

Il finit son café brûlant parfumé à la cardamome, gara son vélo dans la rue près de la Grande Mosquée et l'attacha avec une chaîne et un cadenas.

Puis il passa l'entrée et la porte.

Il avait parcouru la moitié de l'esplanade lorsqu'il entendit le sifflement aigu d'un oiseau. Il se frotta les yeux et sortit les clés de sa poche à l'approche du bâtiment. Il saisit le cadenas et glissa la clé dans la fente. Il était en train de la tourner lorsqu'il sentit une main se plaquer sur sa bouche et une minuscule piqûre sur son bras.

Ralmein eut soudain encore plus envie de dormir.

Kasim ouvrit la porte et tira Ralmein à l'intérieur. Il appuya sur l'interrupteur et une seule ampoule s'alluma pour éclairer cet espace exigu. Il n'y avait guère d'ameublement : une penderie contre le mur pour y accrocher les uniformes dans des pochettes plastique afin de les protéger, un grand évier et des toilettes derrière un rideau.

Au mur, les horaires de la semaine étaient punaisés à un panneau en liège. Sur un autre mur étaient affichés un portrait du roi Abdallah et une photo aérienne de la Grande Mosquée au cours du hadj, avec des foules de pèlerins. Le seul autre objet était une horloge ronde à bords noirs. Elle indiquait 1 h 51.

Kasim entendit ce qui ressemblait au hululement d'une chouette. Il éteignit la lumière et attendit.

Le deuxième garde franchit la porte ouverte et tendit la main vers l'interrupteur. Il alluma, et pendant un bref instant il aperçut Kasim. Cette image le choqua tellement que son cerveau ne l'enregistra pas tout de suite. Ce laps de temps suffit à Kasim pour l'entourer de ses bras et lui administrer la piqûre.

Il l'allongea à côté de Ralmein.

A cet instant, il entendit deux voix d'hommes qui s'approchaient. Il n'avait ni le temps d'éteindre la lumière ni le temps de se cacher. Les deux hommes entrèrent et le regardèrent.

— Mais qu'est-ce que..., commença l'un d'eux avant que deux hommes de Kasim arrivent par-derrière pour bloquer l'issue.

La lutte fut terminée avant même d'avoir commencé.

— Vous, dit Kasim à l'un de ses hommes, retournez à la porte et ramenez les autres.

L'homme s'élança.

— Vous six, vous allez vous éparpiller et commencer à chercher les bombes. Lorsque les renifleurs arriveront, nous vous les enverrons. En attendant, contentez-vous de regarder. Si vous trouvez quelque chose, n'y touchez pas.

Les six hommes disparurent dans l'obscurité.

— Les autres, restez avec moi. Lorsque nous aurons habillé les gardes de remplacement et qu'ils seront à leur poste, il faudra nous occuper de ceux qui terminent leur tour.

Trois minutes plus tard, les faux gardes étaient habillés.

— Bon, fit Kasim, vous avez bien regardé comment ils faisaient ? Vous devez procéder exactement pareil.

— Est-ce que nous y allons tous en même temps ? demanda un soldat.

— Non, répondit Kasim, d'après le plan, la relève se fait un par un, en commençant par le coin nord-est et ensuite dans le sens contraire à celui des aiguilles d'une montre.

L'horloge indiquait 1 h 57.

377

— Vous êtes le premier, dit Kasim à l'un des faux gardes. On vous suit et on vous surveille de loin.

Le premier faux garde traversa l'esplanade. Kasim et les autres se cachèrent derrière le coin du bâtiment le plus proche de la Kaaba pour observer la scène. Il s'approchait du coin nord-est.

Parfois, même les plans les mieux ficelés ne sont rien de plus que des plans. Celui-là, monté à la hâte sans la finesse habituelle de la Corporation, s'apprêtait à s'effilocher comme un pull-over de mauvaise qualité. Le garde que Ralmein devait relever se trouvait également être son meilleur ami. Lorsque quelqu'un d'autre apparut à sa place, il éprouva plus que de la surprise. Il eut la conviction que quelque chose clochait.

— Qui êtes-vous ? demanda-t-il en arabe d'une voix forte.

Kasim l'entendit et sut que les problèmes commençaient. L'homme attrapa un sifflet autour de son cou. Mais avant qu'il ait pu souffler dedans, le faux garde l'avait envoyé par terre.

— Mêlée générale ! hurla Kasim à ses hommes. Surtout, ne laissez personne s'échapper.

Kasim, les trois faux gardes restants et les quatre autres hommes s'élancèrent de leur cachette et coururent jusqu'à la Kaaba. Ils maîtrisèrent rapidement deux gardes mais le troisième réussit à s'échapper et courut vers la porte.

Kasim le poursuivit mais le garde était rapide. Il avait parcouru l'esplanade et se trouvait presque sous l'arche menant à l'extérieur lorsque l'un des hommes qui cherchaient les explosifs sortit de l'obscurité et lui fit un croche-pied.

Le garde heurta le sol en marbre et s'assomma. Un filet de sang coula à l'arrière de sa tête.

— Traînez-le jusqu'à la cabane des gardes, dit Kasim en arrivant, et bandez-lui la tête.

Les hommes empoignèrent le garde sous les aisselles et se mirent à le tirer sur le sol.

Kasim courut de nouveau vers la Kaaba, s'assura que les faux gardes étaient à leur poste, puis aida à amener les vrais dans le vestiaire. Il regarda ensuite sa montre-bracelet : 2 h 08. Il s'élança vers la porte pour aller à la rencontre de l'agent de la CIA. Une minute plus tard, l'agent arrivait dans la Suburban. Il descendit, prit la caisse contenant les renifleurs et la posa par terre, puis il s'empara de la boîte posée sur la banquette arrière et qui renfermait la pierre d'Abraham.

— Je suis Kasim, donnez-moi la pierre.

L'agent hésita.

— Je suis musulman, précisa-t-il vivement. Donnez-moi la pierre.

L'agent tendit la boîte à Kasim.

— Apportez les renifleurs à l'intérieur et donnez-les au premier homme que vous verrez. Ensuite, tirez-vous ; ça ne se passe pas aussi bien que prévu.

— Compris, dit l'agent.

Kasim, serrant la boîte contre son flanc, courut vers l'entrée, suivi de l'agent de la CIA. Une fois à l'intérieur, ce dernier tendit la boîte de renifleurs à un homme qui était accouru, puis il resta là un instant pour regarder Kasim traverser l'esplanade en direction de la Kaaba. Kasim se glissait sous le brocart lorsque l'agent fit demi-tour pour regagner précipitamment la Suburban.

Un sentiment de paix, de calme et d'appartenance à l'Histoire envahit Kasim dès qu'il fut sous le rideau. Pendant un bref instant, il se sentit rempli d'espoir. Un seul projecteur lumineux était dirigé sur le socle en argent où était à présent insérée la météorite du Groenland.

Kasim s'approcha, posa la boîte et trancha l'adhésif avec un couteau. Il leva la main, ôta la météorite du socle et la posa par terre. Puis il souleva délicatement la pierre d'Abraham.

Lentement, avec révérence, il la remit en bonne place.

Puis Kasim recula, fit une rapide prière et ramassa la météorite du Groenland, qu'il remit dans la caisse. Repassant le rideau, il la rapporta au vestiaire des gardes. Le reste des hommes parcouraient la mosquée avec les renifleurs tandis qu'il prit son téléphone.

Skutter était assis sur le siège passager de la camionnette et le reste de ses hommes installés à l'arrière. Le téléphone sonna.

— On vous surveille de là-haut, lui annonça Hanley. Il y a eu un petit changement de plan ; vous ne devez plus aller jusqu'à Djedda. Nous allons vous récupérer avant.

379

— Où devons-nous aller ? demanda Skutter.

Sur l'*Oregon*, Hanley regardait l'image satellite infrarouge de la camionnette qui se dirigeait vers le sud.

— Continuez vers le sud pendant dix kilomètres, dit Hanley, puis garez-vous sur le bord de la route. Il y a un bateau au large de la côte à ce niveau ; ils vous enverront une annexe dans la crique qui se trouve à cet endroit. Faites embarquer tous vos hommes, capitaine Skutter, et ensuite nous nous chargerons de tout.

— Combien de paquets d'explosifs Kasim et ses hommes avaient-ils retrouvés lorsqu'il a appelé ? intervint Stone.

— Cinq, répondit Hanley.

— Eh bien monsieur, je lui recommanderais de laisser le reste aux Saoudiens. Je viens d'intercepter un appel de la femme d'un garde. Elle appelait la police locale, inquiète qu'il ne soit pas encore rentré.

— Il n'est que deux heures vingt et une ! tonna Hanley.

— Les femmes ! soupira Stone, elles sont parfois impossibles.

Hanley attrapa son téléphone.

Kasim était accroupi, en train de désamorcer un paquet de C-6 lorsque son téléphone sonna.

— Sortez tout de suite ! lui ordonna Hanley.

— Nous n'avons pas couvert toute la..., commença Kasim.

— Je vous ordonne d'évacuer immédiatement, dit Hanley. Vous avez été repérés. Il y a un camion devant qui va vous conduire à votre deuxième point d'exfiltration. Compris ?

— Compris, chef.

— Alors allez-y.

Tandis que Kasim remettait son téléphone dans sa poche, un agent de la CIA se garait devant la Grande Mosquée dans un pick-up Ford à quatre roues motrices. Il agrippait de plus en plus nerveusement le volant à mesure que les secondes passaient.

— On s'arrête là ! cria Kasim, tout le monde à la porte.

Les quatre faux gardes s'élancèrent à travers la cour tandis que ceux qui fouillaient les lieux sortirent de derrière leurs piliers et renfoncements. Kasim courut jusqu'à la porte et s'approcha du chauffeur.

— Nous sommes en train de sortir, lui dit-il.

— Faites-les monter à l'arrière, dit le chauffeur et recouvrez-les avec la bâche.

Kasim abaissa le hayon et les hommes se mirent à monter tandis qu'il les comptait. Onze, douze, treize. Avec lui cela faisait quatorze, il ne restait plus qu'un homme quelque part. Il regagna la grille et regarda à l'intérieur : un homme arrivait en courant.

— Désolé, lui dit-il, j'étais en plein déminage quand vous avez crié.

Kasim l'attrapa par le bras et le poussa vers le camion.

— Montez à l'arrière, lui intima-t-il.

Puis il recouvrit son équipe de la bâche et monta devant avec le chauffeur.

— Vous savez où nous allons ? demanda-t-il au chauffeur.

— Oh oui, répondit celui-ci.

Le major de l'aviation américaine Hamilton Reeves comprenait bien la nécessité d'un certain décorum militaire, tout en lâchant la bride à ses hommes. Reposant le micro de la radio sur son socle, il se tourna vers son copilote et son mécanicien de bord.

— Vous vous sentez d'attaque pour pénétrer dans l'espace aérien d'une nation souveraine ce soir, les gars ?

— Je n'avais rien de prévu, répondit le copilote.

— Moi, tant qu'on est payés..., ajouta le mécanicien.

— Très bien, dit Reeves, allons visiter l'Arabie Saoudite.

Skutter et son équipe descendirent de la camionnette au moment où Cabrillo traversait la plage en courant.

— Laissez le camion et venez avec nous, dit Cabrillo au chauffeur. Si vous n'avez pas encore été démasqué, vous le serez bientôt.

Le chauffeur coupa le contact et descendit.

Puis, les seize hommes et Cabrillo se rendirent à l'annexe. James les attendait et les aida à embarquer. Lorsqu'ils furent tous entassés dans le bateau, Cabrillo monta et James reprit sa place aux commandes.

— Monsieur Cabrillo, dit-il, ce n'est pas très prudent, je n'ai pas assez de gilets de sauvetage pour tout le monde.

— J'en prends l'entière responsabilité, déclara Cabrillo.

James fit vrombir le moteur et s'éloigna de la plage.

381

— Allez, dites-le, fit-il à Cabrillo.

— A la maison, James !

— Il a fallu utiliser l'avion militaire, expliqua Hanley. Les choses ont tourné au vinaigre à la Kaaba.

— La pierre d'Abraham a-t-elle été remise en place ? demanda Overholt.

— Oui, répondit Hanley, mais ils n'ont pas pu terminer la recherche des explosifs.

— Je vais appeler le Président, déclara Overholt. Il a un dîner au Département d'Etat à dix-neuf heures mais je dois encore pouvoir le joindre.

— S'il appelle le roi d'Arabie Saoudite et le dissuade de tirer sur le C-17, dit Hanley, tout se terminera bien.

Deux voitures de police saoudiennes, toutes sirènes et gyrophares dehors, croisèrent le pick-up Ford qui roulait dans la direction opposée. Ils se trouvaient à trois kilomètres de la mosquée mais Kasim et le chauffeur se doutaient bien que c'était là que la police se rendait.

Le chauffeur, qui roulait à plus de cent quarante kilomètres à l'heure, consulta son système de navigation GPS.

— Nous sommes à un peu plus d'un kilomètre. Guettez un chemin de traverse qui va vers le nord.

Kasim écarquilla les yeux dans l'obscurité. Il aperçut une route au moment où le chauffeur ralentissait.

— Je l'ai, dit celui-ci.

Il pila et la Ford dérapa sur le sable qui recouvrait la chaussée. Au dernier moment, le chauffeur braqua le volant et tourna. Puis il accéléra de nouveau et fonça sur le chemin sablonneux. Il passa en mode quatre roues motrices. Sur la gauche et la droite du véhicule, les collines grandissaient à mesure de leur progression. Le chauffeur regarda son GPS.

— Bon, nous devons tourner à droite ici et nous planquer derrière cette colline.

Quelques instants plus tard, le pick-up s'arrêtait. Le chauffeur sortit un projecteur du vide-poches entre les sièges et le brancha sur l'allume-cigare.

Puis il le fit clignoter en direction de la colline, devant laquelle s'étendait du sable sur un kilomètre et demi de long et huit cents mètres de large.

— Un petit demi-tour, dit le chauffeur qui fit une marche arrière et braqua son volant jusqu'à faire face à l'ouest.

— Vous voulez que je fasse descendre les hommes? demanda Kasim.

— Non, répondit-il, je vais monter dedans en voiture.

Reeves et son équipage faisaient voler le C-17 aussi bas que la prudence les y autorisait. Mais malgré tout, l'avion fut détecté par le radar saoudien sophistiqué acheté aux Etats-Unis. Dix minutes après qu'ils eurent pénétré dans l'espace aérien saoudien, et juste avant qu'ils atterrissent, l'aviation royale saoudienne avait fait décoller deux avions de chasse de sa base de Dhahran. Ils survolèrent le désert à la vitesse du son.

En entendant approcher le C-17, le chauffeur fit un appel de phares. Reeves le vit, effectua un premier passage, puis il tourna et s'aligna pour l'atterrissage.

— Nous sommes au milieu de la nuit, protesta le secrétaire privé du roi Abdallah.

— Ecoutez, déclara le président américain, je vous envoie le secrétaire d'Etat pour qu'il vous explique ce qui s'est passé. Il devrait arriver en fin de matinée. En ce moment, j'ai un avion de l'armée américaine dans votre espace aérien. Si cet avion est attaqué, nous n'aurons pas d'autre choix que de riposter.

— Mais je ne...

— Réveillez le roi, lui ordonna le Président, ou bien les conséquences seront dramatiques.

Quelques minutes plus tard, un roi Abdallah ensommeillé prenait la communication. Lorsque le Président lui eut résumé la situation, il prit un autre téléphone et appela le chef d'état-major de l'aviation.

— Escortez-les en dehors du pays sans déclencher d'hostilité, dit-il en arabe.

Puis il revint à sa communication avec les Etats-Unis.

— Monsieur le Président, si votre secrétaire d'Etat n'est pas en mesure de nous fournir des réponses quant à ce qui s'est passé, vos concitoyens risquent d'avoir très froid cet hiver.

— Lorsque vous saurez ce qui s'est passé, je pense que nous serons quittes.

— J'attends cette réunion avec impatience, conclut le roi Abdallah avant de raccrocher.

Reeves fit atterrir le C-17, puis il fit un demi-tour.

— Ouvrez la porte, demanda-t-il au mécanicien.

Le pick-up Ford roulait déjà vers l'avion dont la porte s'abaissait lentement. Lorsque la camionnette s'arrêta, la porte était ouverte et munie d'une rampe d'accès. Avançant dans le sable, le chauffeur se positionna au bas de la rampe. Puis il accéléra et monta dans la soute.

Ouvrant la porte, le chauffeur courut vers le cockpit.

— Nous sommes là, monsieur, annonça-t-il.

— Remontez la porte, ordonna Reeves.

Pendant ce temps, Reeves fit tourner les moteurs pour vérifier leur état. Tout avait l'air de fonctionner, aussi, dès que le voyant vert indiqua que la porte était verrouillée, il mit les gaz et s'élança sur l'étendue de sable.

Deux minutes plus tard, ils volaient de nouveau.

— Cent quarante kilomètres jusqu'à la mer Rouge, cria-t-il vers l'arrière, il y en a pour cinq minutes !

— Je vois deux avions de chasse qui se dirigent vers nous, l'alerta le copilote.

— Préparez-vous à riposter, dit Reeves.

Mais les chasseurs ne tirèrent pas. Ils se contentèrent de rester collés au C-17 jusqu'à ce que celui-ci soit au-dessus de la mer. Puis ils décrochèrent pour rejoindre leur base.

— Nous sommes sortis de l'espace aérien saoudien, annonça Reeves, il reste deux heures de vol.

Kasim se rendit à l'arrière de la camionnette et souleva la bâche.

— On a réussi, les gars ! On est en route pour le Qatar.

Des acclamations emplirent l'arrière du C-17.

— Prenez ma place, demanda Reeves au copilote, avant de se rendre dans le compartiment cargo. Je vous aurais bien apporté une glacière de bière mais j'ai cru comprendre que vous ne buviez pas. Donc j'ai demandé au mess de préparer une glacière de soda et de nourriture au cas où nous viendrions vous chercher. Il y a des hamburgers, des hot-dogs, de la salade... Tout a été emballé dans des sacs isothermes pour que ça reste chaud. Bon appétit.

Reeves regagna le cockpit.

— Allez les gars, fit Kasim en ouvrant un sac isotherme, à l'attaque.

Epilogue

TROIS heures avant le lever du soleil, le 10 janvier, les équipes de militaires américains finissaient le nettoyage des mosquées en collaboration avec l'armée et les services de renseignement saoudiens. Tous les explosifs trouvés furent enlevés et détruits et la zone déclarée sans danger pour le hadj.

Saud Al-Sheik contempla l'esplanade au moment où le dernier de ses vieux tapis de prière était mis en place. Il regrettait de ne pas avoir reçu les neufs mais ceux-ci avaient disparu dans la nature et il avait dû ressortir les anciens du lieu où ils étaient stockés pour s'en servir une fois de plus.

Derrière le rideau qui entourait la Kaaba, la pierre d'Abraham attendait les fidèles.

Au lever du soleil, une foule de pèlerins en robe blanche se mit à affluer vers les lieux saints.

Le hadj se déroulerait sans accroc.

En ce 10 janvier 2006, la matinée était claire, avec une légère brise venue de l'est et une vingtaine de degrés. Près d'un million de pèlerins se pressèrent à Médine pour visiter le tombeau de Mahomet, avant d'embarquer dans de grandes voitures découvertes sur le chemin de fer du Hedjaz pour parcourir les quatre cent cinquante kilomètres jusqu'à La Mecque.

Tandis que le train s'approchait de la ville sainte et de la Kaaba, les pèlerins enlevaient leur robe pour passer le *ihram*, vêtement composé de deux pièces d'étoffe non cousues. Lorsque le train s'arrêta, le premier groupe descendit et s'avança vers la mosquée. Une fois à l'intérieur, les pèlerins commencèrent le *Tawaf*, rite qui consiste à accomplir sept fois le tour de la mosquée dans le sens

387

contraire aux aiguilles d'une montre, puis, lorsqu'ils eurent terminé, pénétrèrent dans la Kaaba pour embrasser la pierre sacrée d'Abraham.

Une fois le premier groupe ressorti, des milliers de personnes prirent la suite.

Au cours des jours suivants, les pèlerins boiraient à la source de Zamzam, participeraient à une cérémonie de lapidation du démon et iraient vénérer d'autres lieux dans les environs. Des centaines de milliers de personnes monteraient de la mosquée au Mont Mina, le mont de la miséricorde, au Mont Namira, à Muzdalifah et Arafah.

Les environs de La Mecque et de Médine grouilleraient de robes blanches.

Les journées seraient consacrées aux prières, à la méditation, à la contemplation et à la lecture du Coran. Chacun donnait au hadj une signification différente et tous s'en souviendraient pendant le reste de leur vie.

Cette journée n'en était qu'une parmi d'autres, et il en restait des milliers à vivre.

POST-SCRIPTUM

Finalement, tout se déroula pour le mieux. Les tapis de prière contaminés furent transportés jusqu'à l'océan Indien et on fit tomber les conteneurs dans une faille avant de les faire exploser au moyen d'une grenade sous-marine. Cabrillo, avec les équipes de Colgan et Skutter, se rendirent au Qatar sur l'*Akbar*, où ils reçurent un accueil des plus somptueux. Chacun des trente-sept hommes fut gratifié d'une augmentation et passa au grade supérieur ; Colgan et Skutter montèrent même de deux échelons. Skutter devint lieutenant-colonel, mais Colgan, à qui on offrait la possibilité de devenir officier, refusa. Il était satisfait de son grade et vit donc son temps de service bonifié de deux ans. Le lendemain, Cabrillo, Kasim et Jones s'envolaient dans un avion de la Corporation pour rejoindre l'*Oregon* à Barcelone.

Les membres de l'équipe venue de Floride, engagée pour conduire l'*Akbar* au chantier naval en Méditerranée, reçurent une prime conséquente. Ils rentrèrent chez eux avec deux semaines de retard mais les poches bien remplies.

Le seul Saoudien blessé, le garde qui s'était ouvert la tête en essayant de s'enfuir, souffrit de troubles de la vision pendant quelques mois mais finit par se rétablir complètement. En récompense de sa bravoure, le roi Abdallah lui accorda la mise à la retraite aux frais du royaume.

Michelle Hunt fut ramenée en Californie avec des excuses et l'ordre de ne jamais parler de cette affaire. Elle pleura Halifax Hickman, mais elle fut bien la seule.

La météorite du Groenland fut envoyée au laboratoire de Fort Detrick, où elle subit toujours des tests. Woody Campbell suivit une cure de désintoxication. A ce jour, il n'a jamais retouché à l'alcool. Quant à Elton John lorsqu'il parle à ses amis du concert du Nouvel An, très peu le croient. Lababiti fut jugé à huis clos et condamné à la prison à vie. Quelques semaines après être revenu d'Angleterre avec sa MG TC, Billy Joe Shea reçut la plus grosse commande de boue de forage de toute sa vie.

Elle émanait d'une compagnie pétrolière basée au Tibet.

Et dans un atelier exigu, quelque part en Angleterre, un homme reconstruit patiemment une Vincent Black Shadow.

Au loin, dans l'océan Atlantique, l'*Oregon* se dirige vers l'Amérique du Sud.

Cet ouvrage a été imprimé par

FIRMIN DIDOT
GROUPE CPI

Mesnil-sur-l'Estrée

pour le compte des Éditions Grasset
en janvier 2007

Imprimé en France

Dépôt légal : janvier 2007
N° d'édition : 14673 - N° d'impression : 83022